inklusive
Audio-Download

michael
langer

acoustic pop guitar soloing

Einstieg in
Improvisation
und Arrangement
auf Basis der
Akkorde C A G E

Die Audiodateien können unter

download.dux-verlag.de

nach Eingabe des Download-Codes kostenlos heruntergeladen werden.

Download-Code: PQ1M-KWOV

Impressum:

D 868 / ISMN 979-0-50017-522-3 / ISBN 978-3-86849-349-8
Layout und Notensatz: Michael Langer
Layout-Grundidee: Olaf Becker

CD:
Michael Langer: Gitarren, Drum-Programming, Recording & Editing

www.dux-verlag.de

Michael Langer

Michael Langer spielt sowohl klassische Gitarre als auch Fingerstyle. Zu Beginn seiner Karriere gewann er den Wettbewerb des „American Fingerstyle Guitar Festival“ und wurde von der US-Zeitschrift „Guitar Player“ als bester „Acoustic Fingerstyle-Gitarrist“ ausgezeichnet.

Heute ist er Univ. Prof. für klassische Gitarre an der Anton Bruckner Privatuniversität in Linz und am Konservatorium Wien Privatuniversität und spielt seit 35 Jahren Konzerte in vielen Ländern Europas, in den USA und in China.

Langer ist Autor zahlreicher Publikationen, die in mehrere Sprachen übersetzt international erschienen sind, und wirkt auch als vielbeschäftigter Dozent von Meisterkursen und Fortbildungsveranstaltungen.

Mehr Informationen über CDs, Bücher, Konzerte und Workshops auf seiner Homepage:
www.michaellanger.at

Ganz herzlichen Dank an
Sabine Ramusch, Univ. Prof. Martin Schwarz und den Dux-Verlag.

Einleitung

Dieses Buch ist aus meiner langjährigen Unterrichtstätigkeit bei Fortbildungen, Kursen und Workshops zum Thema „Acoustic Pop Guitar" entstanden. Es ist eine Schule für kreatives Gitarrenspiel, die einen einfachen Einstieg in Improvisation und Arrangement bietet.

CAGE-System

Ich verwende dafür das CAGE-System. CAGE steht hier für die vier Akkordgriffe C-, A-, G- und E-Dur in der I. Lage.
Die Idee liegt nahe, die Gestalt dieser gut abgespeicherten Griffe zu verwenden, um sich am Griffbrett in verschiedensten musikalischen Situationen gut orientieren zu können. Daran knüpft das CAGE-System an und teilt mit der Gestalt dieser vier Akkordgriffe das Griffbrett in vier individuelle Teile.

Das CAGE-System ist der Ansatz, mit dem viele Pop-Gitarristen ihr Instrument **„denken"** und ein sehr gitarristischer Weg, Akkorde, Tonleitern und Licks (was ich alles als „Akkordumgebung" bezeichne) rund um die Gestalt dieser vier Griffe zu organisieren und zu visualisieren.

Die Methode dieses Buches ist „Reduktion von Komplexität", um einen möglichst einfachen Zugang zu den Zusammenhängen zu schaffen: Statt alle **möglichen** Patterns und Tonleitern darzustellen, beschränken wir nur uns auf die **wichtigen**, die wir zur Erklärung der Licks aus der Akkordumgebung brauchen.
Grundlage sind **zwei Basstöne** und **vier Akkorde**: der Basston (= Grundton) auf der 6. Saite für die Griffe E- und G-Dur, der Basston auf der 5. Saite für die Griffe A- und C-Dur.

So bleibt Platz frei für das Wesentliche: Neben der Fähigkeit, diese vier Grundakkorde quer über das Griffbrett abrufen zu können, gilt es, diesem Material musikalisches Leben einzuhauchen.

Improvisation

Der erste Teil dieses Buches liefert einen Überblick über das CAGE-System und seine Verbindung zur Improvisation.

Die Licks der Akkordumgebung sind musikalische Wörter oder Sätze. Sie dienen als Bausteine für ein Solo, als Muster für Variationen, als Ausgangsbasis zum Erlernen der Improvisation.
Bei jedem Lick lernen wir, die Anordnung der Töne im Akkord zu **erkennen**, ihre Qualität zu **hören** und zu **spüren** und ihre Griffposition in der Akkordgestalt zu **sehen**: Das ist die Basis, die Töne **vorauszuhören** und das Wechselspiel zwischen Spannung und Entspannung in der Musik bewusst zu steuern.

Arrangement

Im **zweiten Teil** dieses Buches verwenden wir die Grifftypen des CAGE-Systems als Basis für Chord-Melody-Arrangements aus Pop („Blowin' in the Wind") und Jazz („The Girl from Ipanema").

In einem Kapitel über „Comping" werden die fünf gebräuchlichsten Septakkorde des Jazz von den Grifftypen des CAGE-Systems abgeleitet. Diese Begleitakkorde werden der Ausgangspunkt für das Solo-Arrangement sein, nur werden wir jetzt ihre Oberstimme betrachten.

Wir lernen zwei Arrangierarten kennen: „CAGE-homophon" und „CAGE-polyphon".

Das letzte Kapitel in diesem Buch versucht die beiden Teile „Improvisation" und Arrangement" zusammenzubringen. Noch einmal wird „Blowin' in the Wind" gespielt, diesmal in einem bluesigen Chord-Melody-Solo mit einer ganzen Menge dazu „improvisierter" Licks.

Audio

Die Audiobeispiele dieses Buches teilen sich in drei Kategorien:

Mit dem Mikrofon sind die **Hörbeispiele** gekennzeichnet. Hier habe ich Solos über Pop- oder Blues-Akkordfolgen zum Anhören aufgenommen.

Mit dem Play-Button sind die **Play-Alongs** gekennzeichnet. Hier habe ich die Akkordpatterns aufgenommen, mit denen du die Licks und Hörbeispiele üben kannst.

Mit dem Saiten-Symbol sind die **Licks** gekennzeichnet. Sie sind das Kernstück dieses Buches und werden hier einzeln und ohne Begleitung vorgestellt.

Der Download-Code steht auf Seite 2 dieses Buches.

Dieses Buch zeigt auf spielerische Art und Weise Wege auf, wie man sich das CAGE-System zunutze machen kann.

Wie schon gesagt, ist der Name dieses Systems die Abkürzung der vier zugrunde liegenden Akkorde. Ein Widerspruch versteckt sich in der englischen Bedeutung von "cage" (Käfig), die an Enge und Einschränkung denken lässt. Das erklärte Ziel aller Übungen dieses Buches ist es vielmehr, zur Variation des Materials zu ermuntern und die Griffe wirklich als „Gestalt" zu sehen, um damit den einschränkenden „Käfig" der Griffe verlassen zu können.

Gelingt das, steht uns mit dem CAGE-System ein genial einfaches System zur Verfügung, das Griffbrett der Gitarre kennenzulernen und für kreatives Spiel zu nutzen!

Für Sabine.

Wien, im Jänner 2020

Michael Langer

Inhaltsverzeichnis

CAGE-System: Übersicht **8**
Die Gestalt des Akkordes 10

Akkordumgebung **15**

IMPROVISATION

Akkordumgebung Grifftyp E **16**
Moll-Pentatonik 16
Blues-Pentatonik 20
Dur-Pentatonik 34
Mix-Pentatonik 40
Akkordumgebung Grifftyp G **46**
Dur-Pentatonik 46
Mix-Pentatonik 49
Verbindung Grifftypen G-E 51

Acoustic Pop Guitar - Songbeispiele, Teil 1 55

Akkordumgebung Grifftyp A **59**
Moll-Pentatonik 59
Blues-Pentatonik 62
Dur-Pentatonik 74
Mix-Pentatonik 79
Akkordumgebung Grifftyp C **82**
Dur-Pentatonik 82
Mix-Pentatonik 86
Verbindung Grifftypen C-A 88

Acoustic Pop Guitar - Songbeispiele, Teil 2 92

Zusammenfassung 98

ARRANGEMENT

CAGE-System: Arrangement, Teil 1 **100**
Blowin' In The Wind: Melodie und Grifftypen 104
Blowin' In The Wind: Solo-Arrangement 1 112
CAGE-System: Comping **114**
The Girl from Ipanema: Melodie und Begleitakkorde 126
CAGE-System: Arrangement, Teil 2 **128**
The Girl from Ipanema: Solo-Arrangement 138
CAGE-System: All Together Now! **141**
Blowin' In The Wind: Solo-Arrangement 2 142

Anhang 1: CAGE-Tonleitern 144
Anhang 2: All The Licks 146
Anhang 3: Play-Alongs und Hörbeispiele 152

CAGE-System: Übersicht

Von den vier Basis-Griffen des CAGE-Systems suchen wir uns zuerst die beiden heraus, die den Grundton auf der 6. Saite haben: Es sind dies Grifftyp E und Grifftyp G.
Wir greifen sie in der I. Lage und wählen einen Fingersatz ohne 1. Finger. Das ist die Voraussetzung, um sie quer über das Griffbrett verschieben zu können, denn dann übernimmt der 1. Finger die Funktion des Sattels.
Bitte beachte die Position des Grundtons auf der 6. Saite, der wird zu einer wichtigen Orientierungshilfe. Dafür die folgende Grafik:

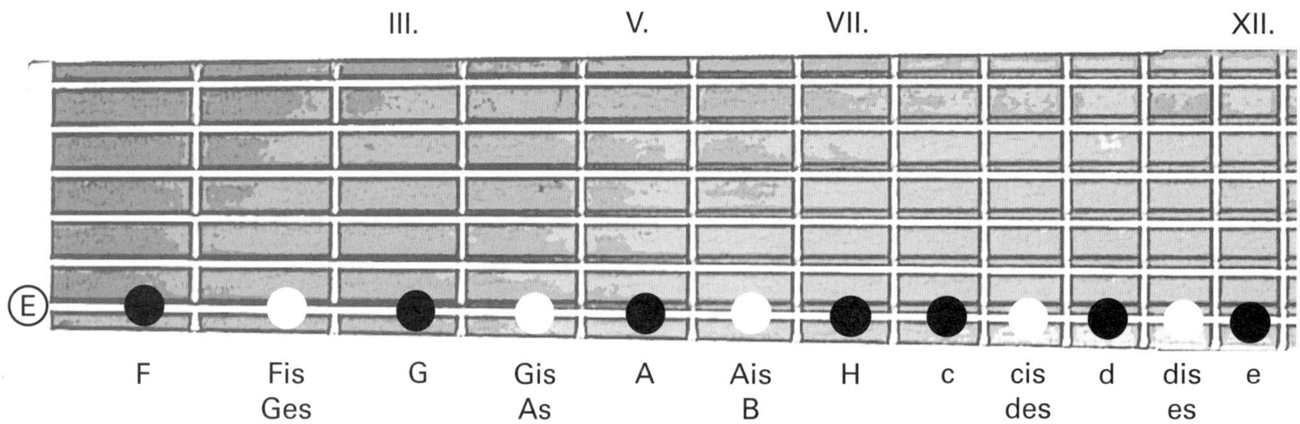

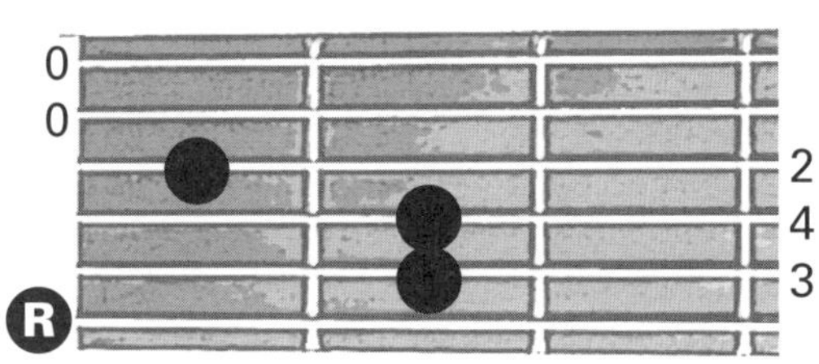

Akkord E: Grundton 6. Saite
Fingersatz ohne 1. Finger

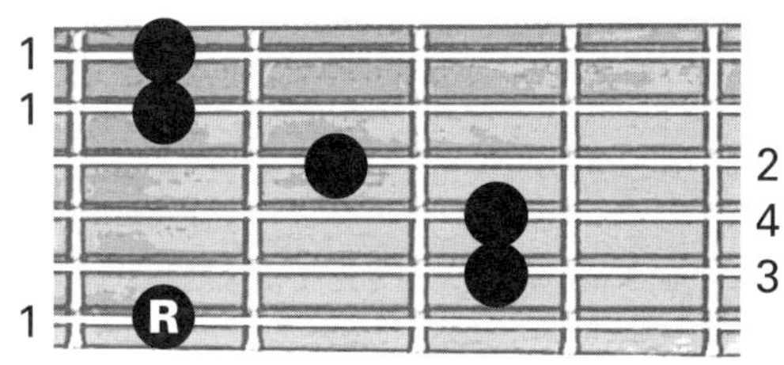

Grifftyp E: verschiebbarer
Grifftyp mit Barrégriff

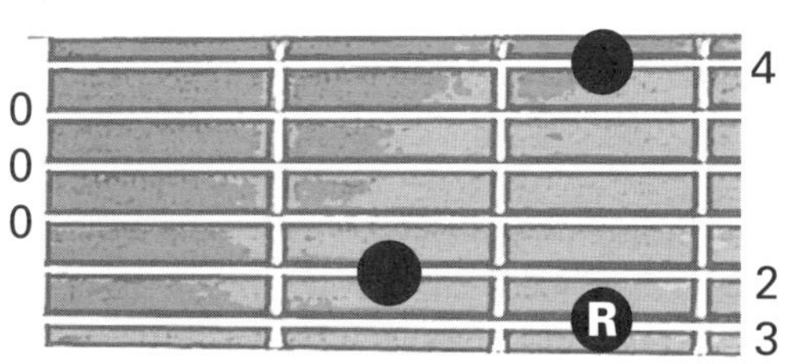

Akkord G: Grundton 6. Saite
Fingersatz ohne 1. Finger

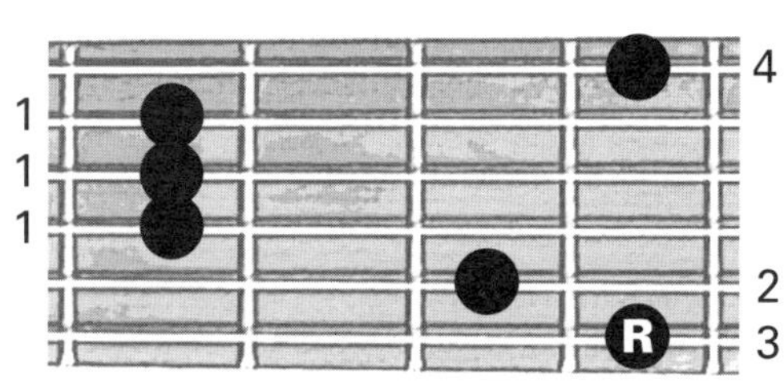

Grifftyp G: verschiebbarer
Grifftyp mit Barrégriff

R = Grundton (englisch: Root). Wir verwenden diese international gebräuchliche Abkürzung.

Nun suchen wir uns die beiden Grifftypen mit dem Basston auf der 5. Saite, also Grifftyp A und Grifftyp C:

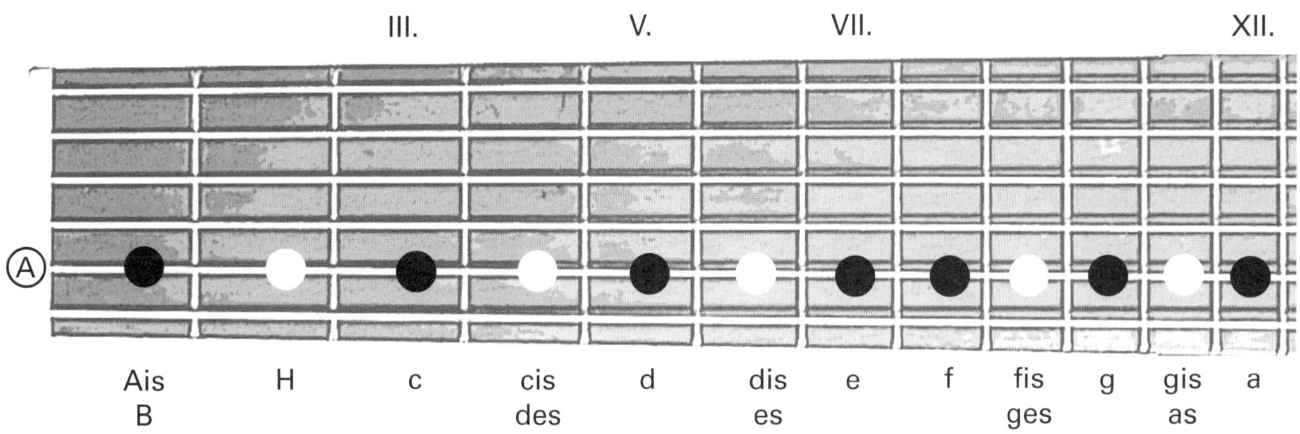

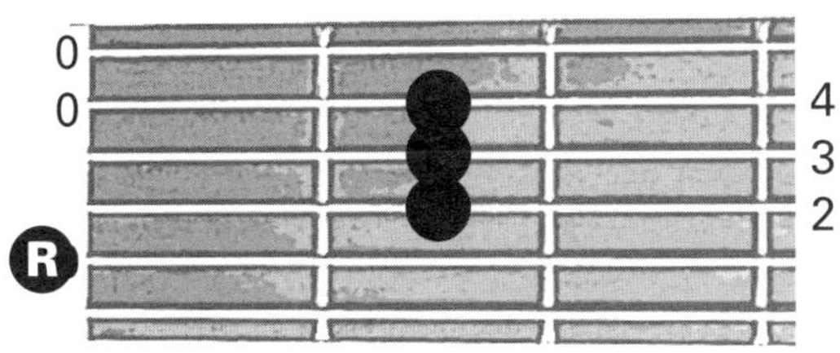

Akkord A: Grundton 5. Saite
Fingersatz ohne 1. Finger

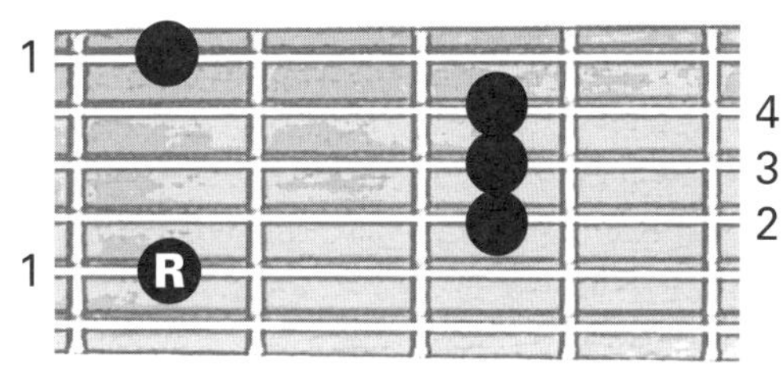

Grifftyp A: verschiebbarer
Grifftyp mit Barrégriff

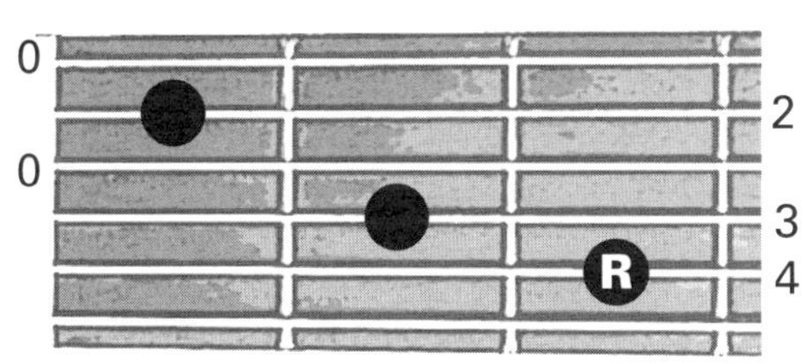

Akkord C: Grundton 5. Saite
Fingersatz ohne 1. Finger

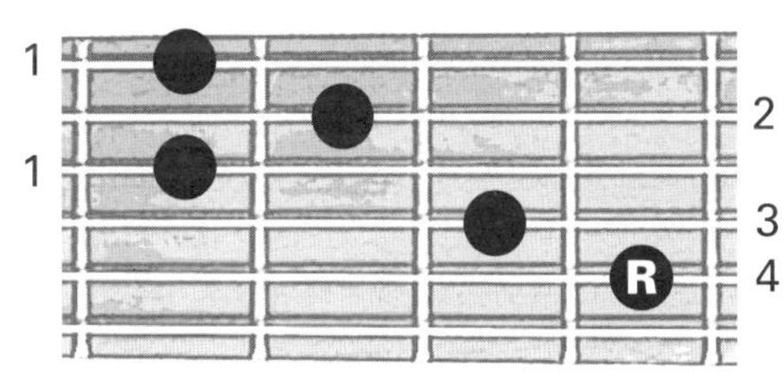

Grifftyp C: verschiebbarer
Grifftyp mit Barrégriff

Es fällt auf, dass zwei Grifftypen leichter zu greifen sind (A und E) und zwei wesentlich schwieriger (C und G): Das wird sich sehr bald auflösen, weil die beiden kompliziert zu verschiebenden Grifftypen C und G eher als Tonmaterial und nicht als kompakter Griff Bedeutung bekommen werden. Für den Moment geht es nicht darum, jede Note dieser Griffe sauber anzuschlagen, sondern die Gestalt dieser Griffe quer über das Griffbrett zu sehen bzw. zu finden.

Folgender Hinweis: Der E-Griff und G-Griff haben einen gemeinsamen Grundton (auf der 6. Saite), ebenso A-Griff und C-Griff (auf der 5. Saite). Das wird uns später helfen, weiter zu vereinfachen.

Wir werden in weiterer Folge erkennen, dass uns diese beiden Griffe pro Grundton ganz unterschiedliche Dienste leisten können. Die Griffe C und G sind als verschiebbare Griffe unsinnig kompliziert zu greifen, verbergen aber im Hintergrund wichtige Skalen und interessante Licks, die man mit der Gestalt des Griffs verschieben kann.

Die Gestalt des Akkordes

Zu den Grundlagen der Arbeit mit dem CAGE-System gehört auch die Fähigkeit, die „Gestalt", den „shape" des Akkordes im Auge zu haben, selbst wenn man nur Teile des Akkordes spielt und aus Zweckmäßigkeitsgründen womöglich sogar einen anderen Fingersatz als den des Grundakkordes spielt.
Um für die nächste Stufe gerüstet zu sein, werden wir auf den folgenden zwei Seiten trainieren, die Gestalt des Akkordes zu visualisieren. Dieses Visualisieren wird uns beim Spielen von Tönen aus der Akkordumgebung (z. B. den Licks aus dem nächsten Kapitel) helfen.

Grifftyp E

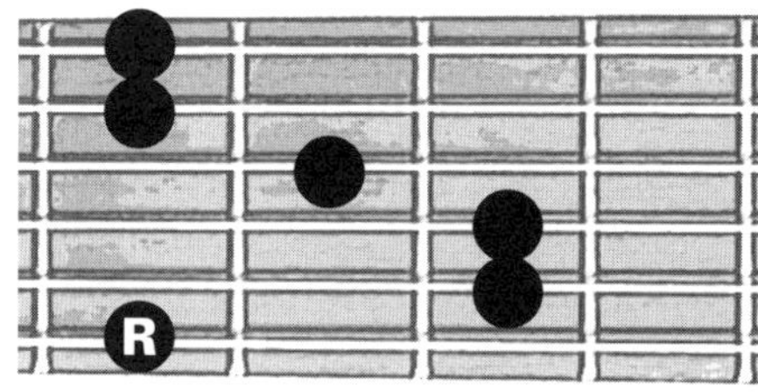

Beispiel 1:

Hier eine Powerchord-Folge.
Der 1. Finger führt immer den Grundton auf der 6. Saite.
Das Griffbild ist noch deutlich als E-Griff zu erkennen.

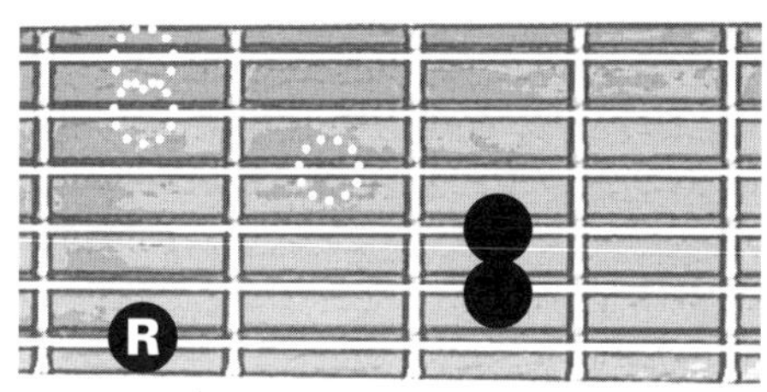

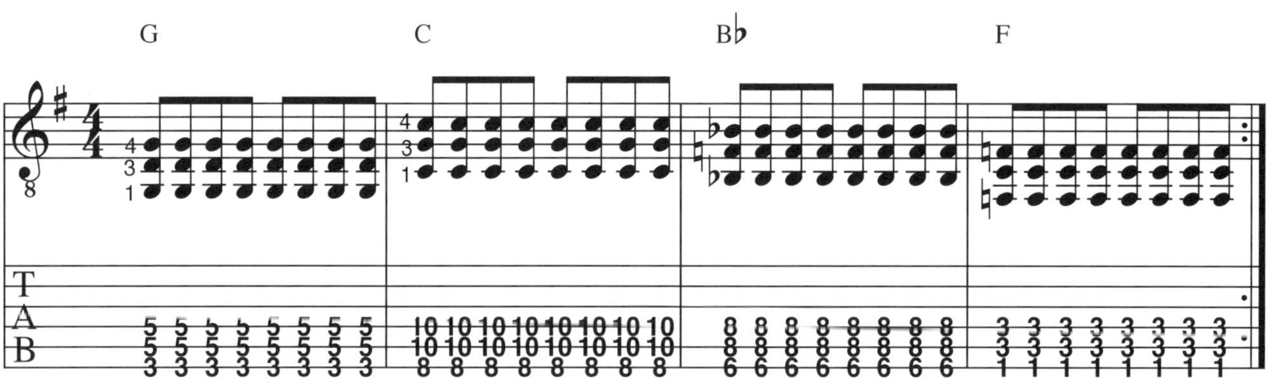

Beispiel 2:

Hier wird kein Grundton mehr mitgespielt. Nimmst du einen Fingersatz mit 2., 3., 1. Finger, bist du auch vom Fingersatz her vom ursprünglichen Akkord weg.
Versuche, den Basston und Akkord immer „mitzusehen" und auf diese Art den nächsten Akkord vorauszudenken.

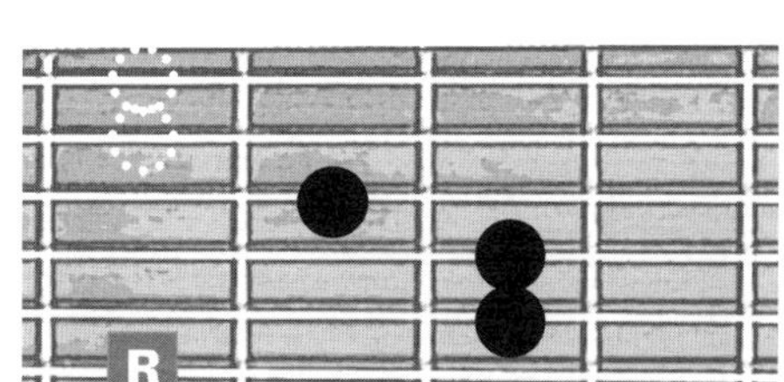

R = Dieses Symbol für den Grundton verwenden wir in Grafiken, wenn der Grundton nicht gespielt, sondern zur Ergänzung „gesehen" werden soll.

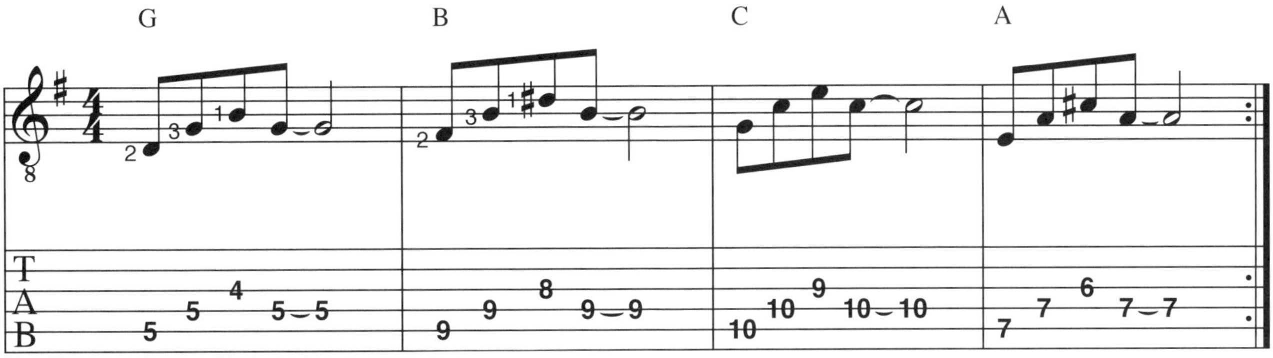

Beispiel 3:

Grifftyp E mit einer Zerlegung auf der 2., 3. und 4. Saite. Auch hier wird der Grundton nicht mehr mitgespielt und wir sind vom Fingersatz her vom ursprünglichen Akkord weg.

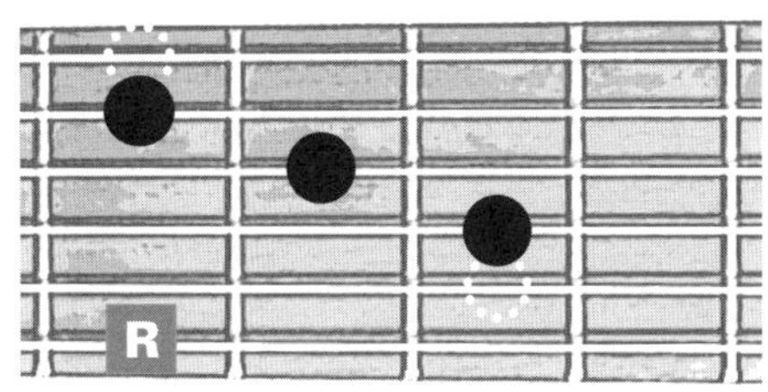

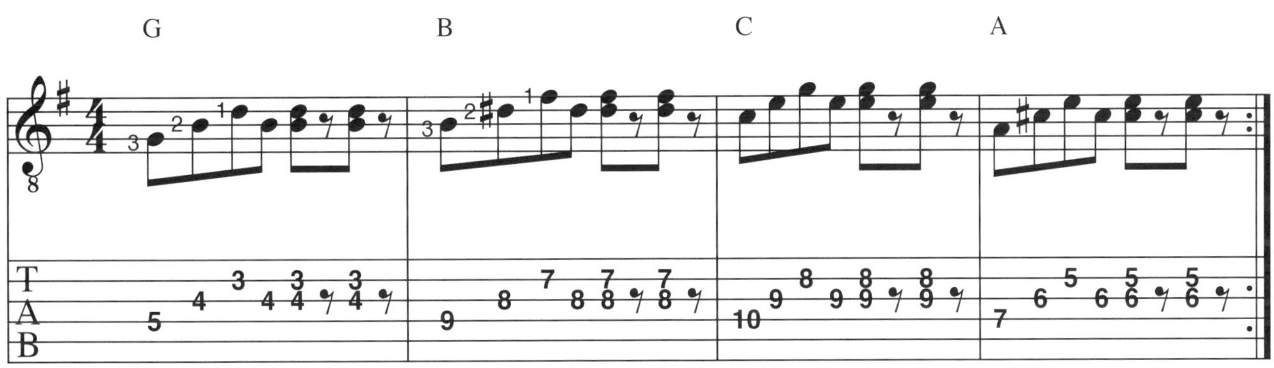

Beispiel 4:

Ein Sololick. Versuche wiederum, den ganzen Akkord zu sehen!
Hilfe: Der Ton auf der 1. Saite ist auch der Grundton.

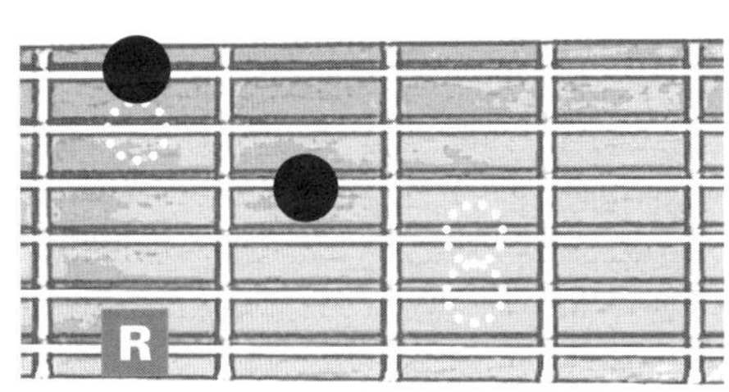

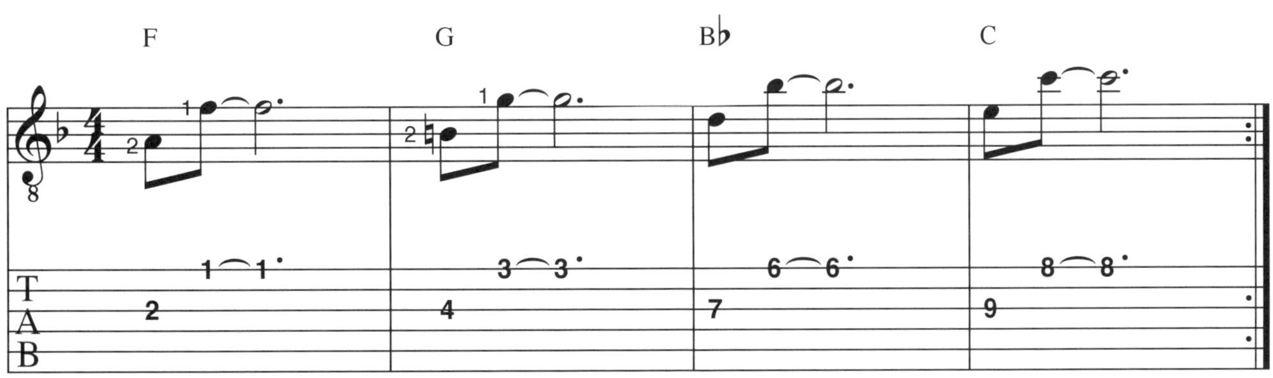

Grifftyp G

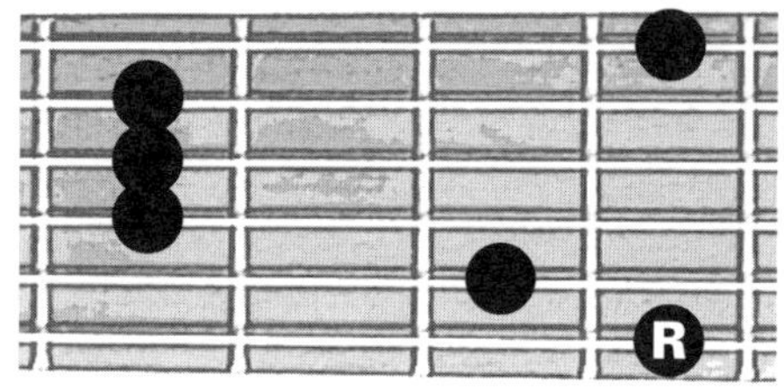

Beispiel 5:

Eine Bassfigur in Grifftyp G, ausgehend von der Bassnote. Der Grundton wird mit dem 4. Finger gegriffen.

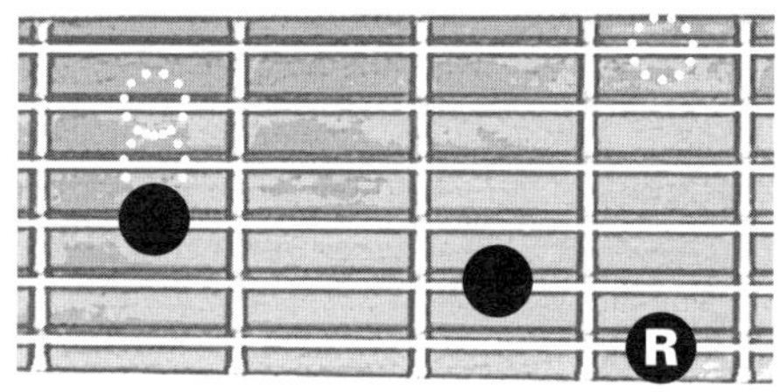

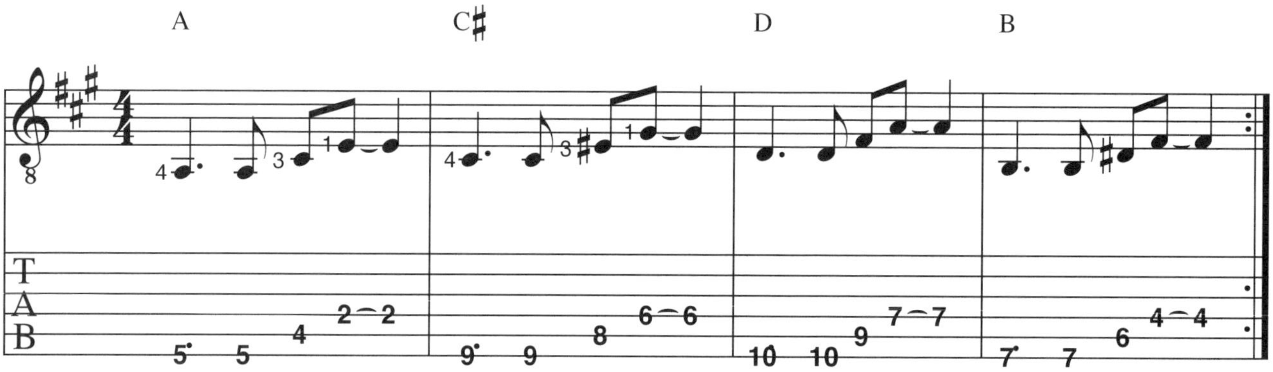

Beispiel 6:

Das sind die oberen 4 Töne von Grifftyp G! Hilfe: Die Note auf der 1. Saite ist auch der Grundton und wird wie im ursprünglichen Griff mit dem 4. Finger gespielt.

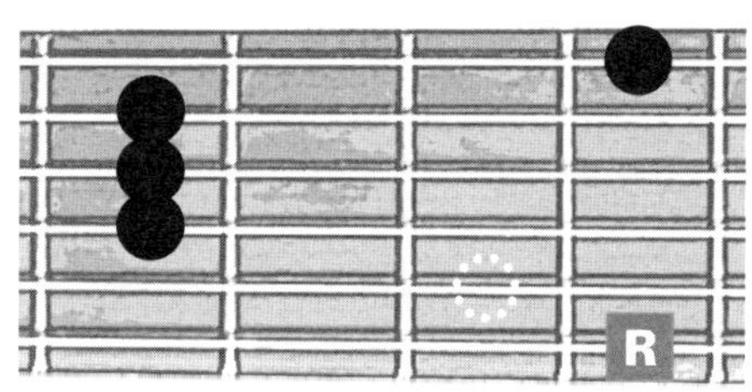

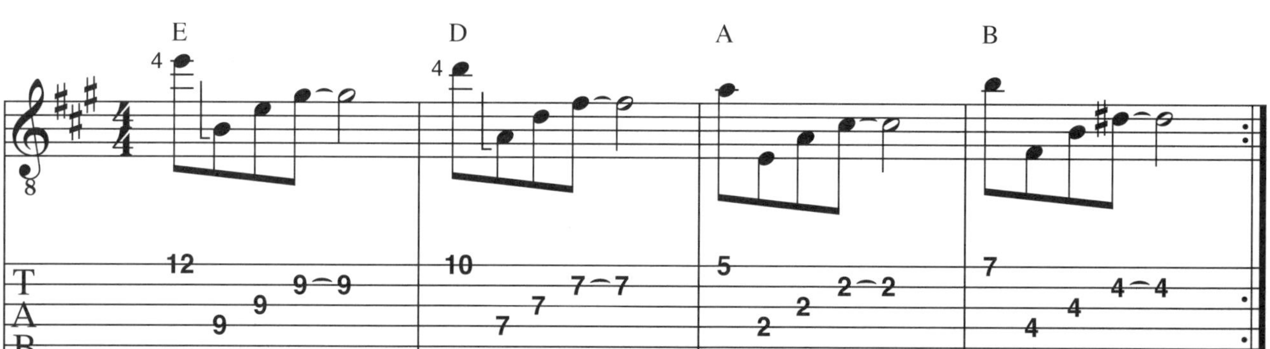

Grifftyp A

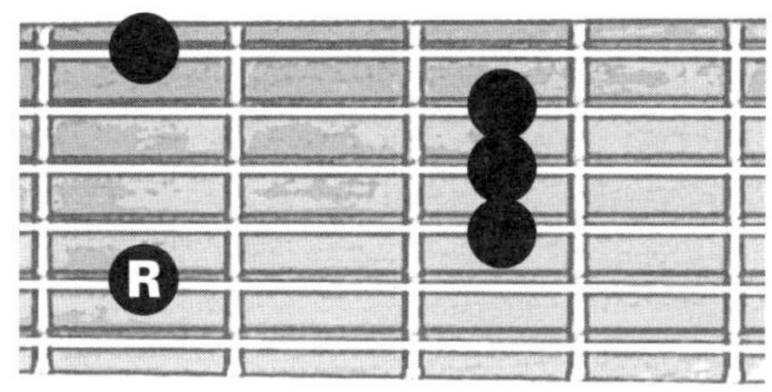

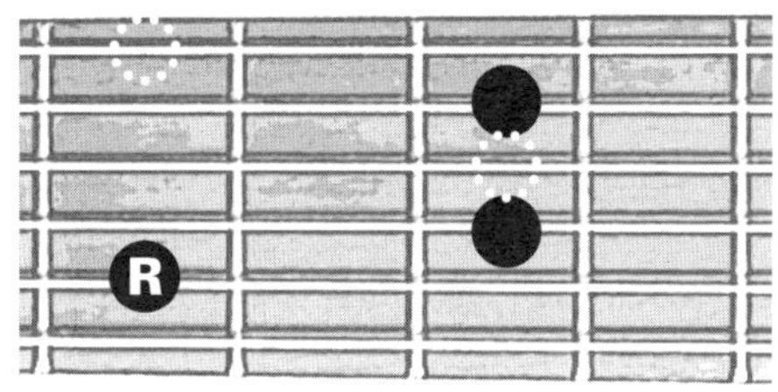

Beispiel 7:

Wieder ein einfacheres Beispiel zum Kennenlernen von Grifftyp A. Der Grundton wird auf Zählzeit 1 angespielt und mit demselben Finger wie im Originalgriff gegriffen.

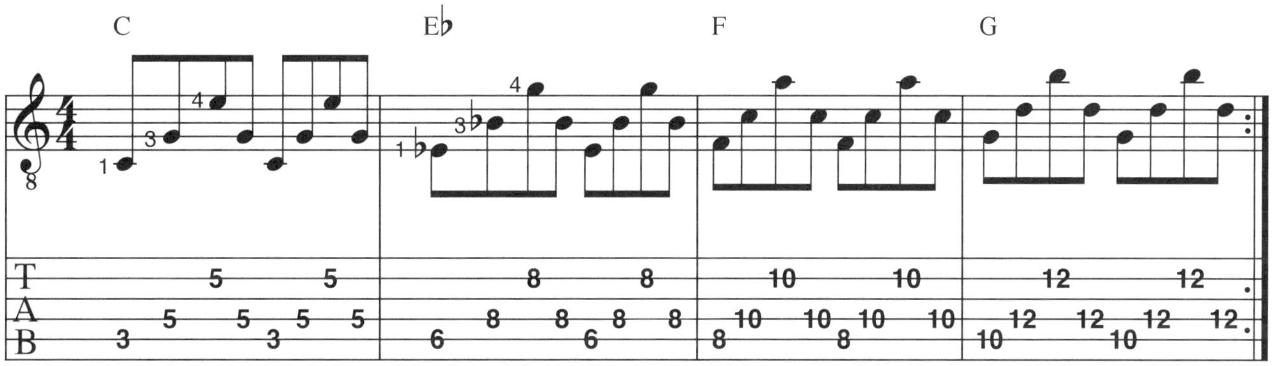

Beispiel 8:

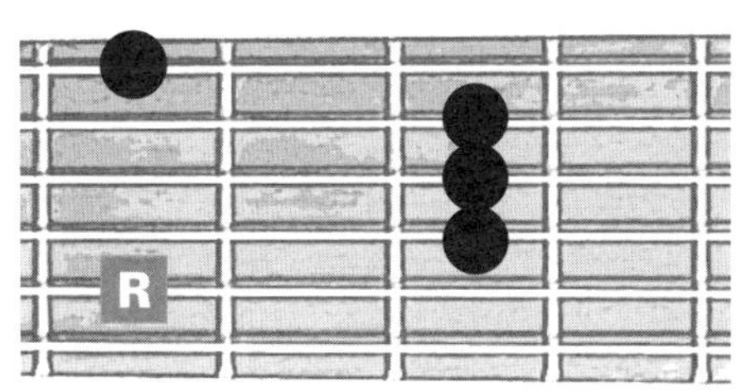

Jetzt spielen wir die oberen 4 Töne von Grifftyp A!
Bitte beachte den Fingersatz: Der 3. Finger greift für die beiden Basstöne um, doch versuche trotz dieses abweichenden Fingersatzes, die Gestalt des Grifftyps zu sehen.

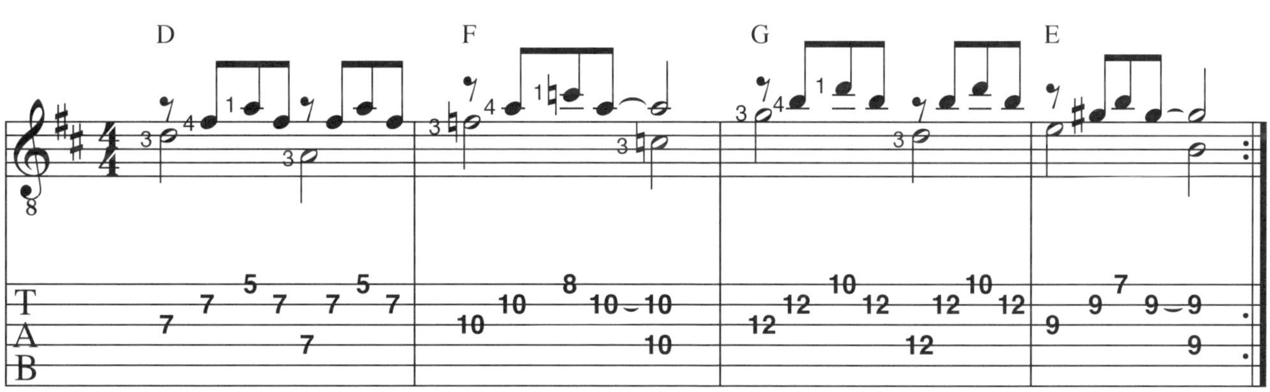

Grifftyp C

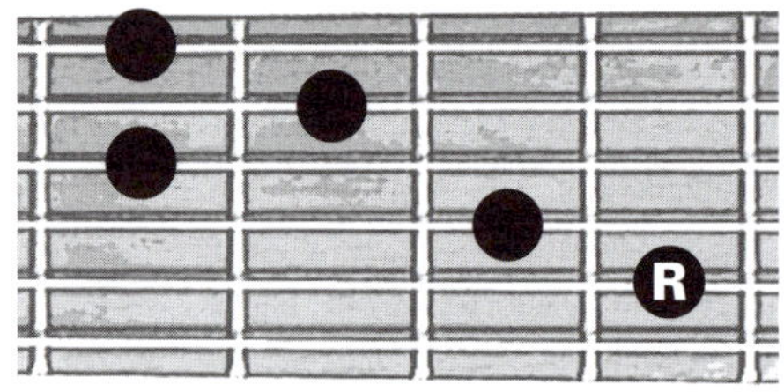

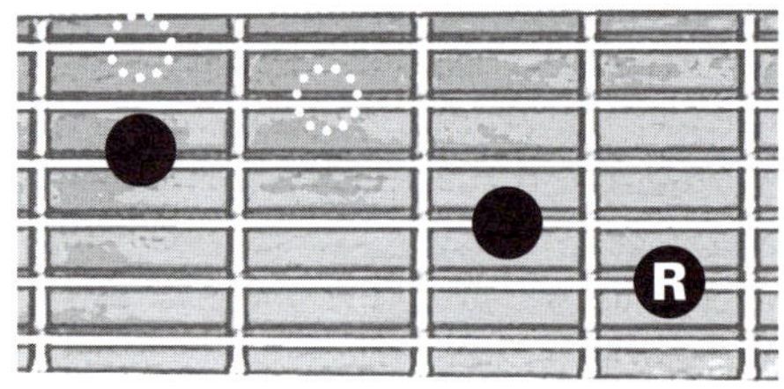

Beispiel 9:

Wie Grifftyp G wird auch der C-Griff im CAGE-System eher wegen der vielen Möglichkeiten seiner Akkordumgebung gewählt.
Hier eine Bassfigur in Grifftyp C, der Grundton wird mit dem 4. Finger gegriffen.

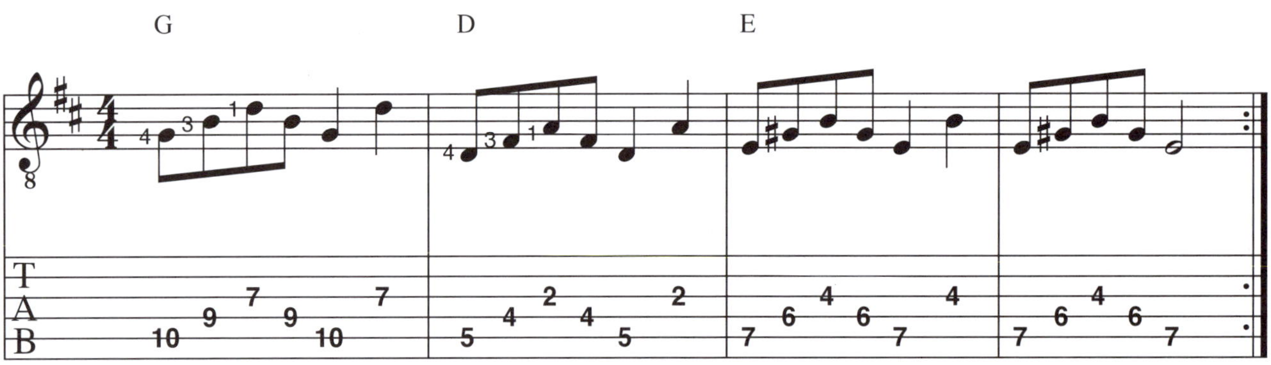

Beispiel 10:

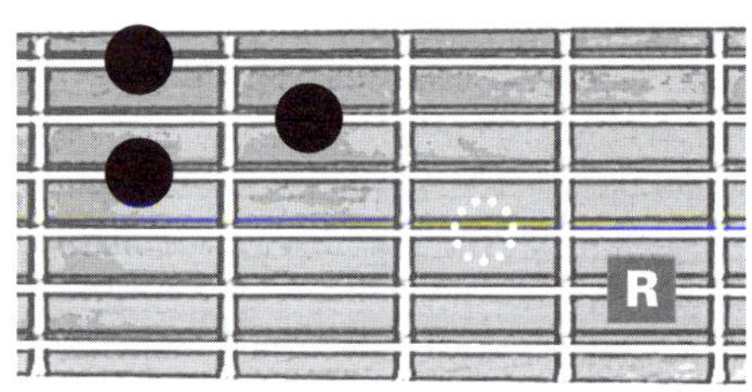

Im Grifftyp C greift man die oberen drei Töne mit einem kleinen Barrégriff. Braucht man die tiefen Töne nicht, bietet sich folgender einfacherer Fingersatz an. Der ähnelt sehr dem D-Dur-Griff in der II. Lage.
Versuche trotzdem, den Grifftyp C zu visualisieren!

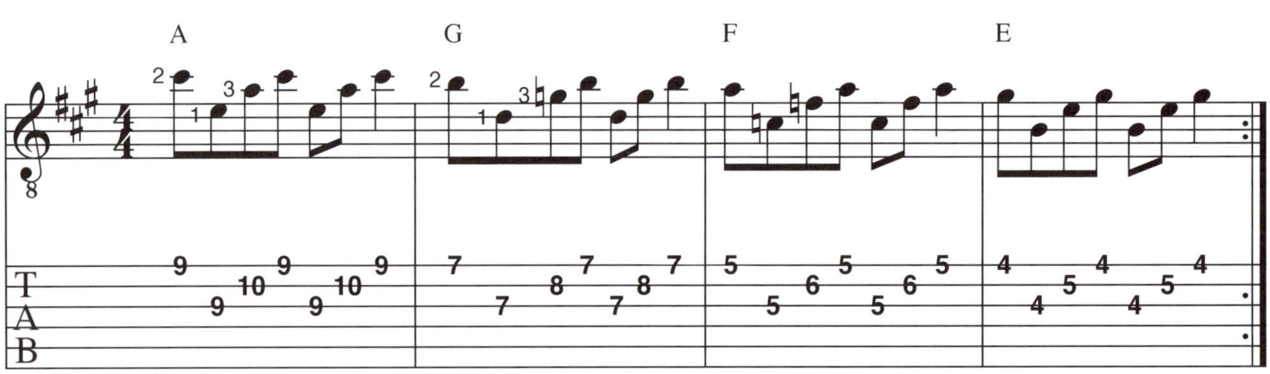

Akkordumgebung

Beginnen wir nun die Akkordumgebung der eben geübten Grifftypen zu erforschen und mit der Gestalt dieser Griffe zu verbinden.

Wie funktioniert das?

AKKORDVARIANTE

Wir suchen uns aus dem Grifftyp eine Akkordvariante aus: Akkordvarianten beschränken sich anfangs auf Moll-Akkord, Dur-Septakkord oder Dur-Akkord.
Im zweiten Teil dieses Buches, wo es um das Thema Arrangement geht, kommen noch Jazzakkorde dazu.

Moll-Akkord:
Dreistimmiger Akkord, besteht aus I (Grundton), bIII (kleine Terz), V (Quinte)

Dur-Septakkord:
Vierstimmiger Akkord, besteht aus I (Grundton), III (große Terz), V (Quinte), bVII (kleine Septime)

Dur-Akkord:
Dreistimmiger Akkord, besteht aus I (Grundton), III (große Terz), V (Quinte)

TONLEITER

Was wir zum Thema Akkordumgebung als Erstes lernen und mit dem Grifftyp verbinden werden, ist eine Tonleiter, die die Töne enthält, die wir für die folgenden musikalischen Beispiele brauchen: Tonleitern beschränken sich anfangs auf Moll-Pentatonik, Blues-Pentatonik oder Dur-Pentatonik.
Am Ende dieses Buches gibt es noch eine ergänzende Aufstellung, wie man die Dur-Tonleiter mit den Grifftypen verbinden kann.

Moll-Pentatonik:
Fünftonreihe mit den Stufen I (Grundton), bIII (kleine Terz), IV (Quarte), V (Quinte), bVII (kleine Septime)

Blues-Pentatonik:
Entspricht der Moll-Pentatonik und wird durch die b5 (verminderte Quinte) erweitert

Dur-Pentatonik:
Fünftonreihe mit den Stufen I (Grundton), II (große Sekunde), III (große Terz), V (Quinte), VI (große Sexte)

LICKS

Diese musikalischen Beispiele sind wie musikgewordene Wörter und Sätze und werden in der Popmusik **Licks** genannt. Sie dienen als Bausteine für ein Solo, als Muster für Variationen, als Ausgangsbasis zum Erlernen der Improvisation.
Ich habe zu jeder Pentatonik einige Profi-Licks transkribiert. Das ist ein guter Weg, wie man die Akkordumgebung musikalisch lebendig machen kann.

IMPROVISATION

Akkordumgebung Grifftyp E

Mit der Akkordumgebung zu Grifftyp E beginnen wir das Thema Improvisation.

Die erste **Akkord-Variante** aus dem Grifftyp E ist der **e-Moll-Akkord** und die erste Tonleiter ist die **e-Moll-Pentatonik**.

Moll-Pentatonik Grifftyp E

Grundton 6. Saite

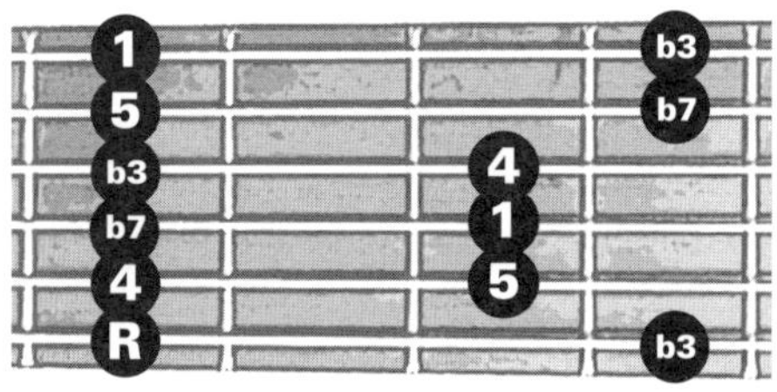

Versuche nun, die „Gestalt" des Moll-Akkordes Grifftyp E in dieser Moll-Pentatonik zu „sehen":

Grifftyp e-Moll: Moll-Variante von Grifftyp E

Grundton 6. Saite

Em

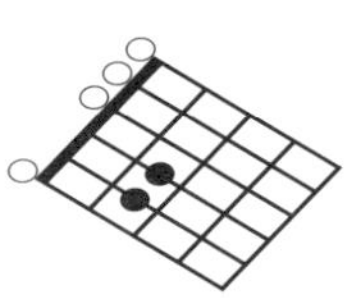

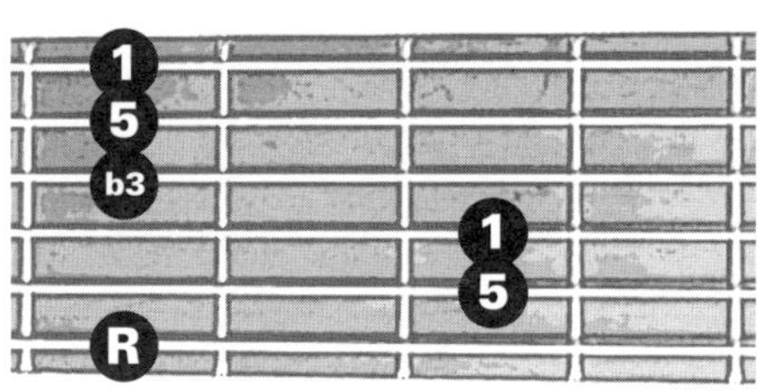

Wichtig:
Sowohl der Griff als auch die Pentatonik sind über das ganze Griffbrett verschiebbare Modelle.

Um konkrete Übungen spielen zu können, müssen wir uns für eine Tonart entscheiden. Später werden wir die Tonarten immer wieder wechseln, um das ganze Griffbrett kennenzulernen.

Um zu verstehen, wo wir uns gerade am Griffbrett befinden, das heißt, in welcher Lage bzw. welcher Tonart, visualisieren wir immer den Grundton R.

Wir spielen die folgenden Beispiele mit **Grifftyp E**:

Grundton: **V. Bund**
Akkord: **a-Moll**
Tonleiter: **a-Moll-Pentatonik**

Play-Along 1
Begleitung in a-Moll für die Töne der a-Moll-Pentatonik

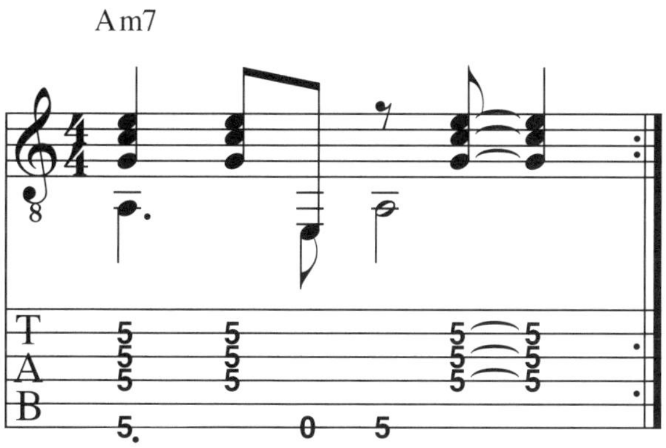

Hörübung:

Von Anfang an ist es unser Ziel, die Griffposition im Akkord-Shape zu **sehen** und die Stellung der Töne im Akkord zu **hören**.
Das gibt uns die Möglichkeit, die Qualität der einzelnen Töne in und um den Akkord hören und spüren zu lernen: Manche Töne passen sich sehr harmonisch an den Akkord an (die I. Stufe und auch die V. ruhen wie ein Fundament), manche geben ihm Charakter (die kleine Terz „macht" den Akkord erst zum Moll-Akkord), manche Töne „reiben" sich an der Harmonie (die kleine Septime) bzw. bauen richtig Spannung auf (IV. Stufe).
Wir können dieses Spiel von Spannung und Entspannung versuchen, mit Worten zu beschreiben (Adjektive wie „ruhig" für I, „mächtig"für V, „weich"für bIII usw.) oder einfach zu spüren.

Bitte spiele die einzelnen Töne der a-Moll-Pentatonik, langsam in ganzen Noten, zu Play-Along 1.

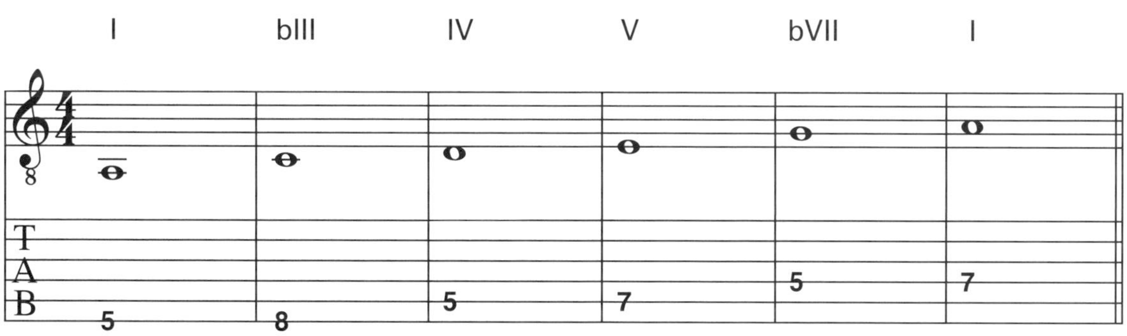

usw.

Check-In-Run:

Tonleiter mit den Tönen der a-Moll-Pentatonik, V. Lage
Übung, um Töne und Fingersatz der Moll-Pentatonik kennenzulernen und dabei den Grifftyp zu sehen.

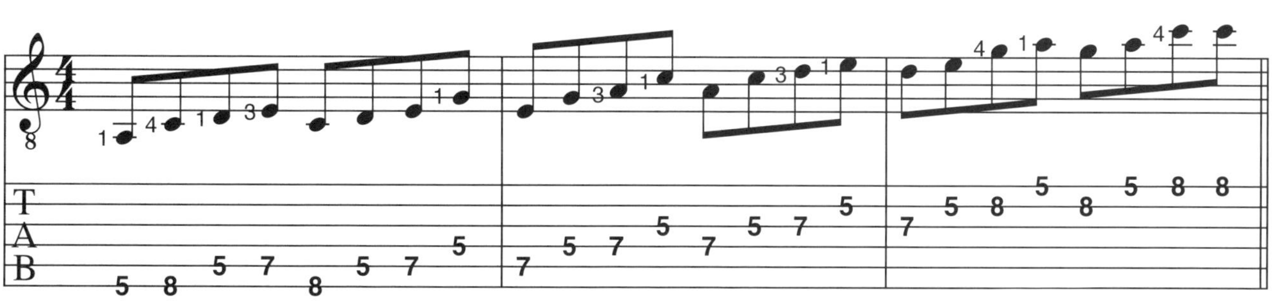

Play-Along 2
Begleitung für die folgenden Improvisationsbeispiele der a-Moll-Pentatonik

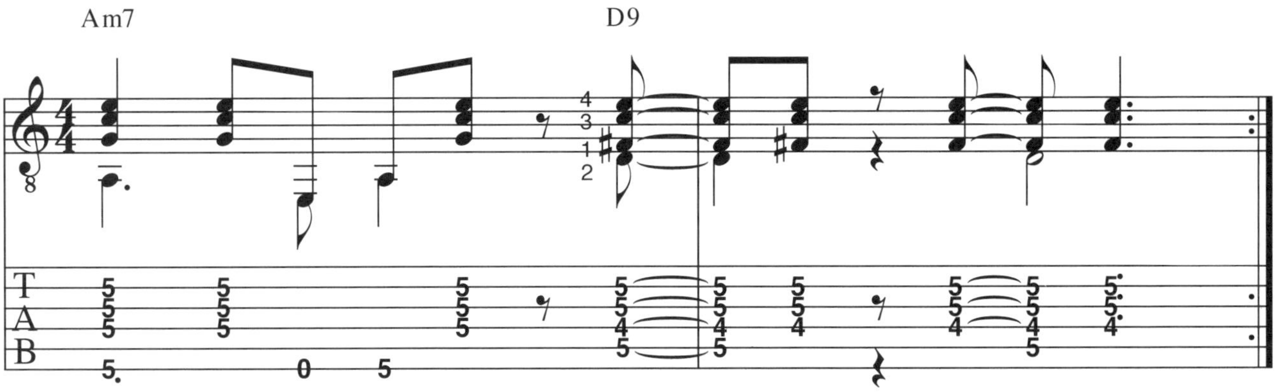

In den folgenden vier Improvisationsbeispielen spielst du immer zum Playback von Play-Along 2 über den a-Moll-Akkord im jeweils 1. Takt. Der 2. Takt mit einem D9-Akkord ist als Übergang gedacht.
Bei jedem Beispiel bleibt die Anzahl der Töne und die Phrasierung, ja sogar die Stelle, wo die Aufschlagsbindung gespielt wird, gleich.
Das einzige Variationselement ist die Tonhöhe.

Versuche weiterhin, in allen Beispielen auch den Grifftyp zu visualisieren:

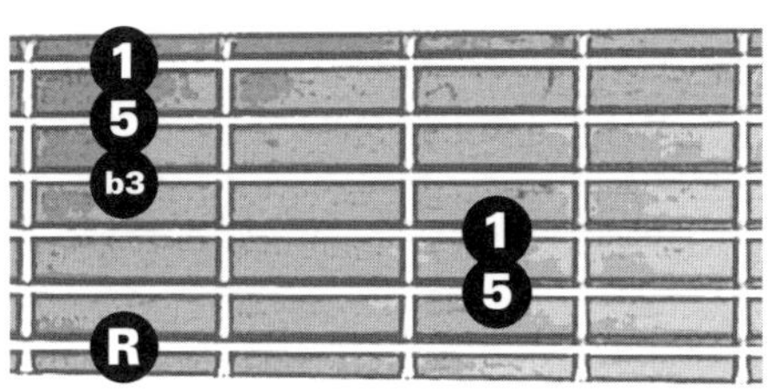

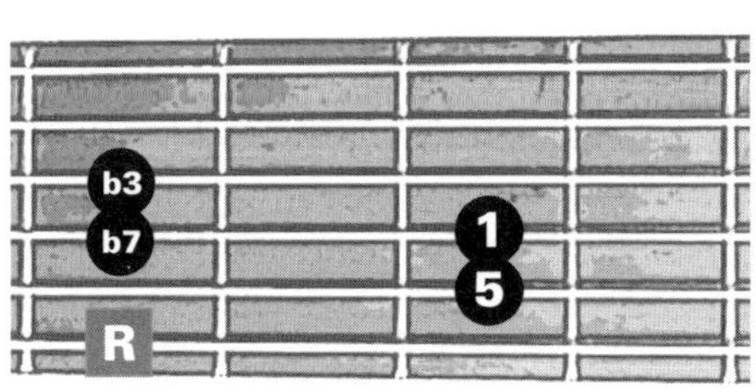

Lick 1

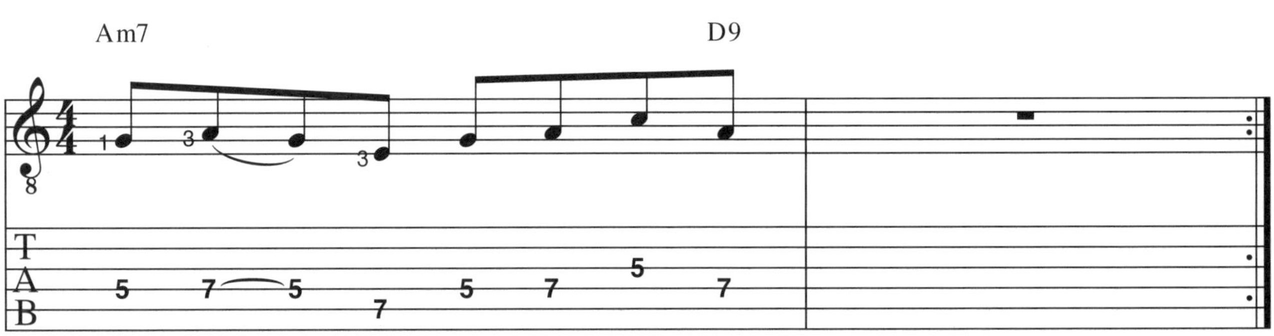

Lick 1a

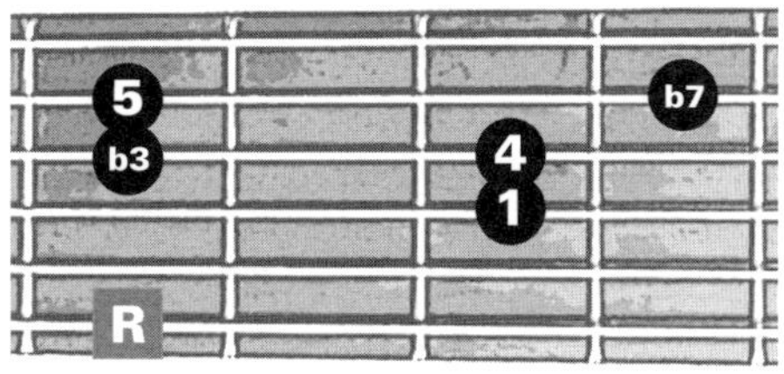

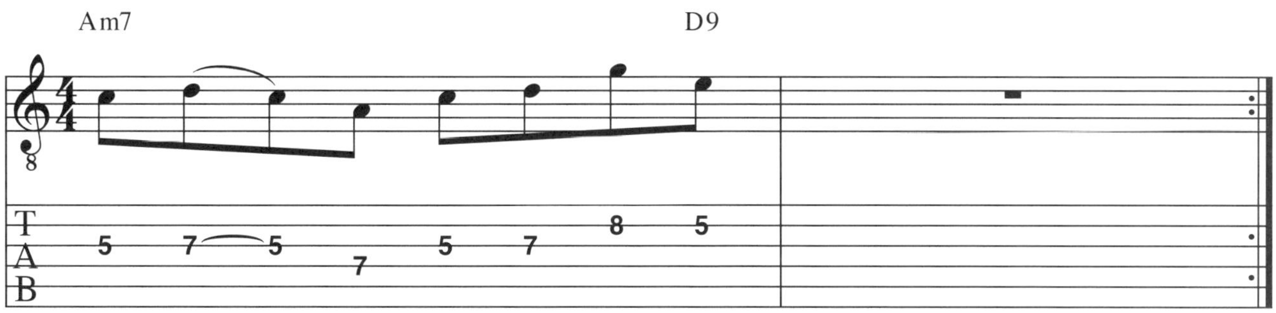

Lick 1b

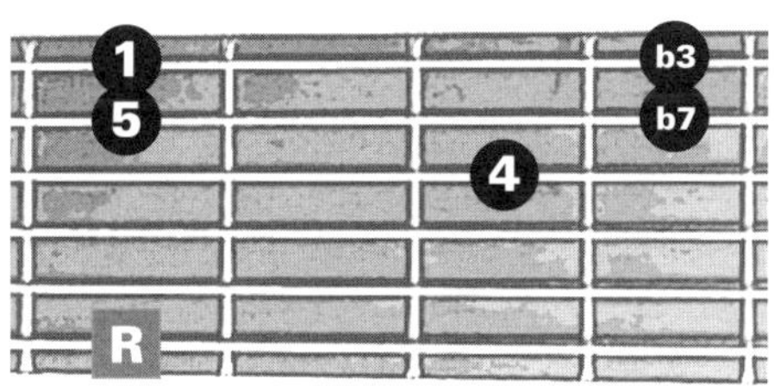

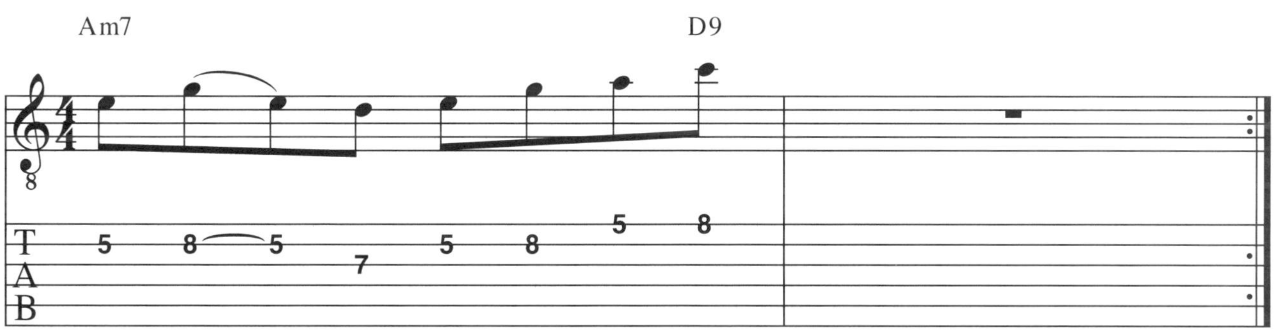

Lick 1c

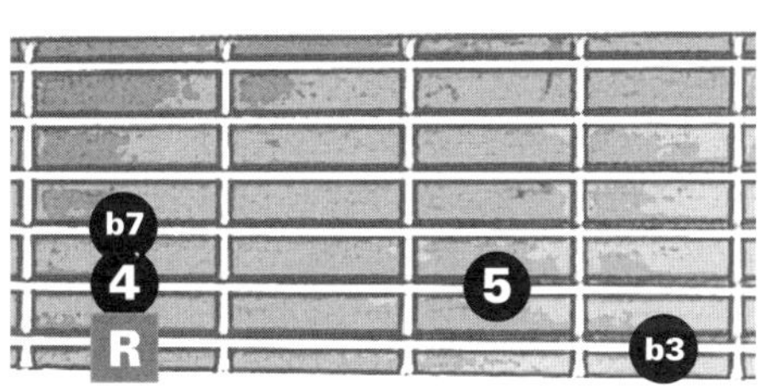

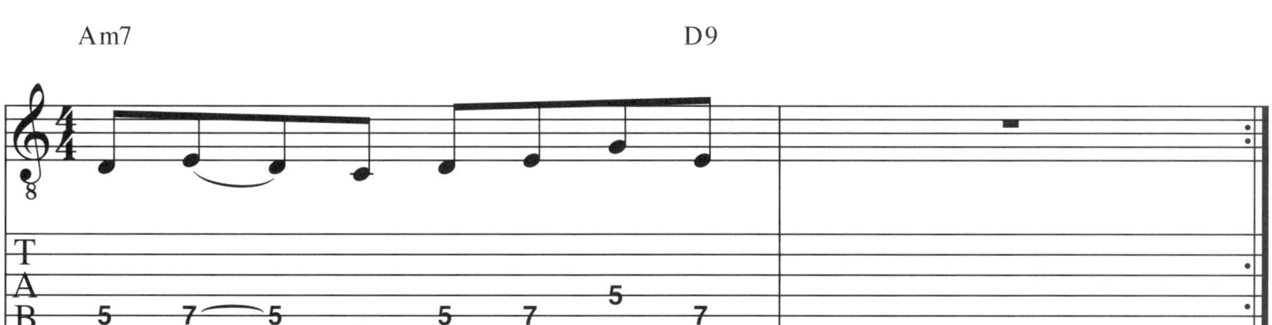

Blues-Pentatonik Grifftyp E

Grundton 6. Saite

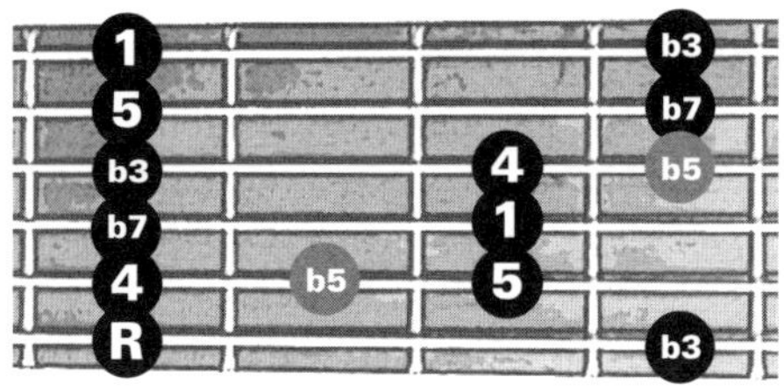

Blues-Pentatonik = Moll-Pentatonik + b5

In mehreren Publikationen wird diese Blues-Pentatonik auch als „Bluesscale" bezeichnet.

Versuche nun, in dieser Blues-Pentatonik die Gestalt des Moll-Akkordes Grifftyp E zu sehen:

Grifftyp e-Moll: Moll-Variante von Grifftyp E

Grundton 6. Saite

Em

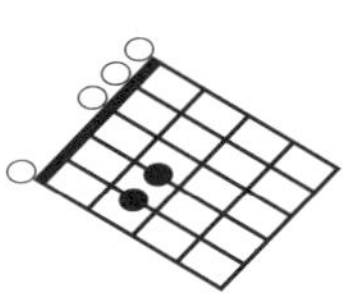

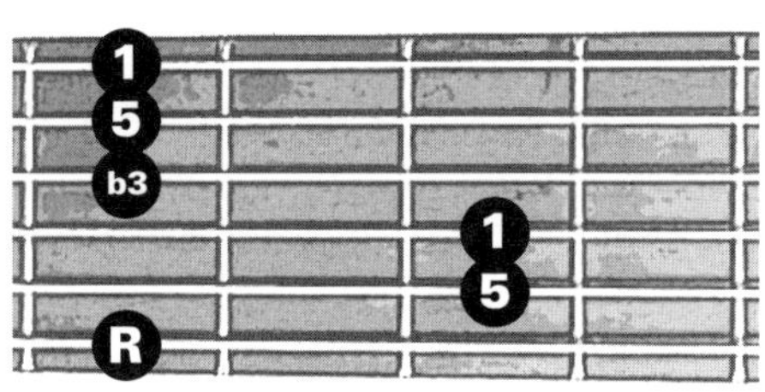

Wir spielen die folgenden Beispiele mit **Grifftyp E**:

Grundton: **VIII. Bund**
Akkord: **c-Moll**
Tonleiter: **C-Blues-Pentatonik**

Beachte in den meisten Blues-Formen die swingende (triolische) Spielweise: 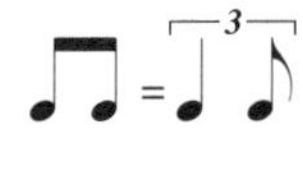

Play-Along 3
Begleitung in c-Moll für die Töne der C-Blues-Pentatonik

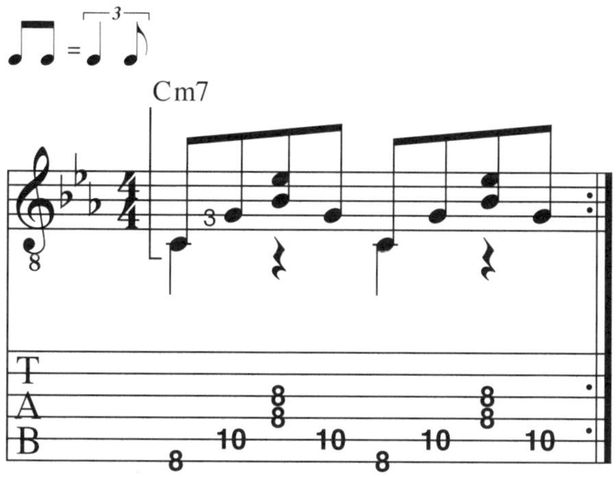

Hörübung:

Bitte spiele die einzelnen Töne der C-Blues-Pentatonik, langsam in ganzen Noten, zu Play-Along 3 und versuche, wieder die Qualität der Töne, vor allem die hohe Spannung der neu hinzugekommenen b5, zum Akkord Cm zu hören.

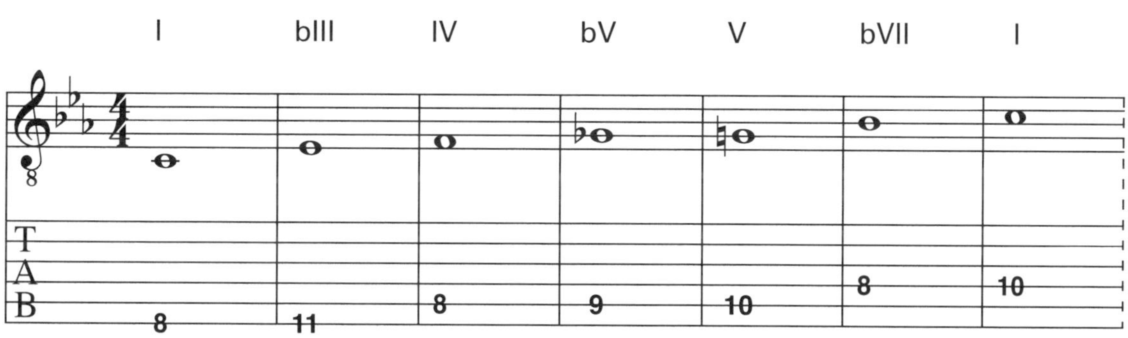

usw.

Check-In-Run:

Tonleiter mit den Tönen der C-Blues-Pentatonik in der VIII. Lage, spiele zu Play-Along 3.
Das ist eine Übung, um Töne und Fingersatz der Blues-Pentatonik zu lernen und dabei den Grifftyp zu sehen.

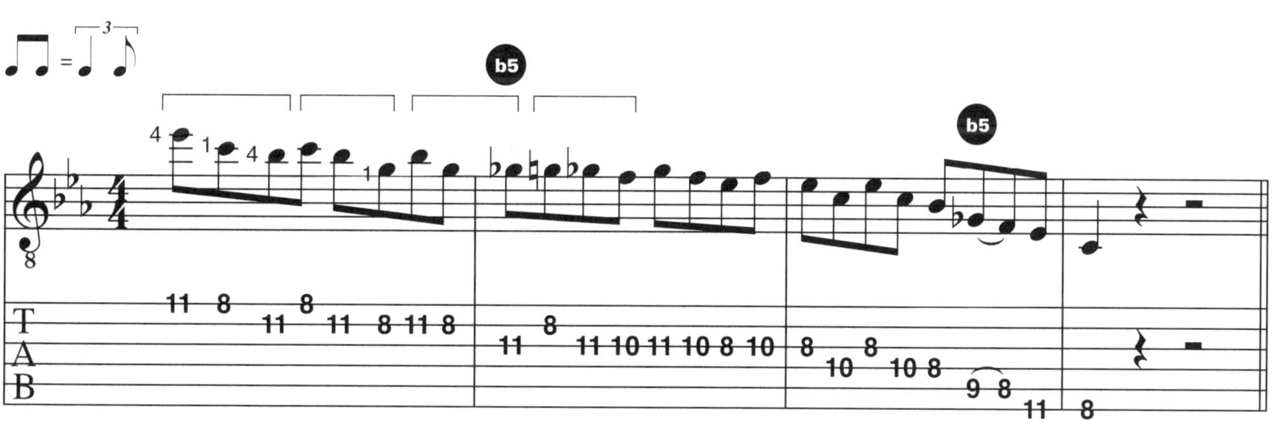

Play-Along 4
Begleitung für die folgenden Improvisationsbeispiele der C-Blues-Pentatonik

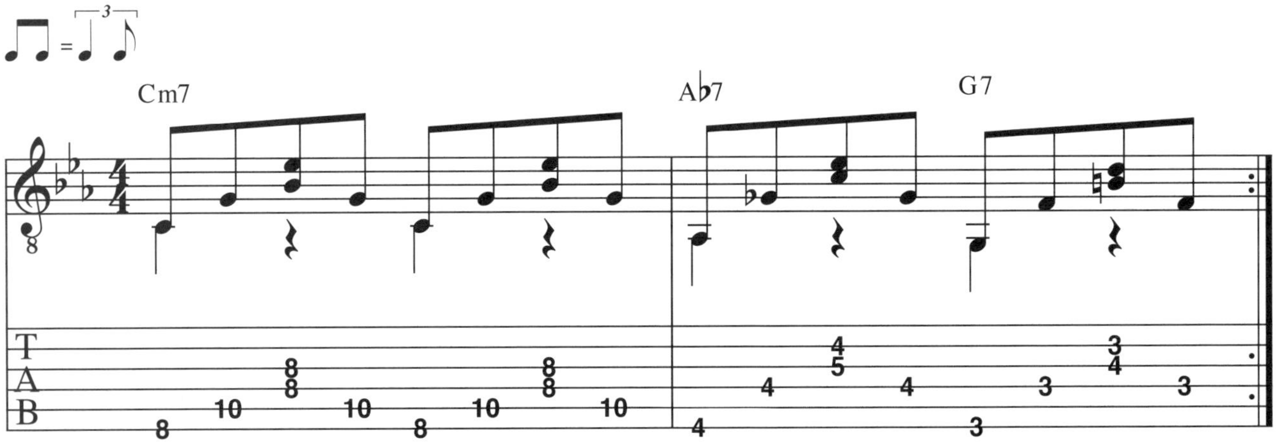

Lick 2

Die b5 kann auch auf der 2. Saite (meistens als Slide) gespielt werden!

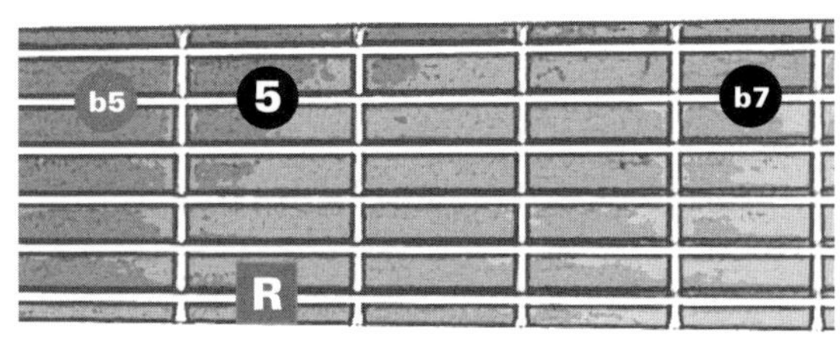

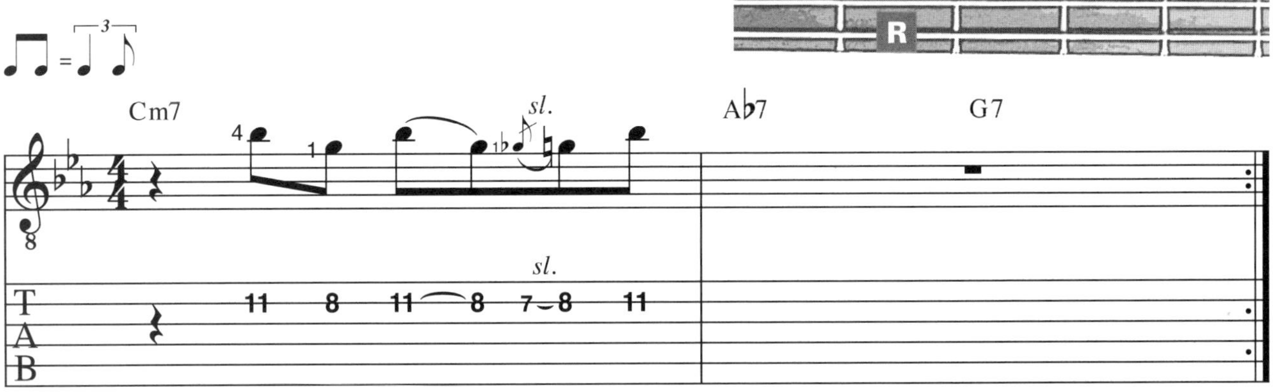

Lick 2a

Variation von Lick 2
Variationsart: Rhythmisierung
Triolen statt Achtelnoten: Typischer Slow-Blues-Lick

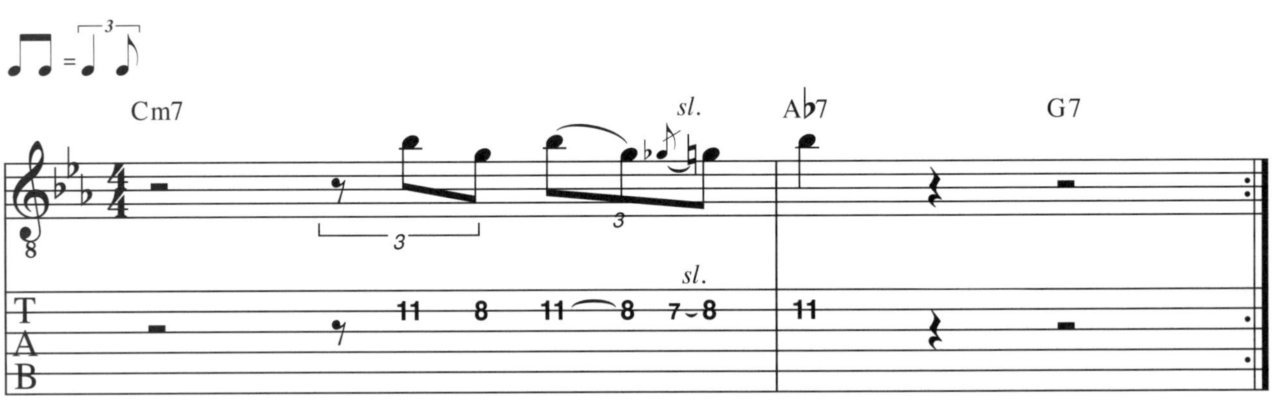

Lick 3

Absteigende Melodielinie. Die spannungsreichste Note b5 steht an betonter Stelle (der Zählzeit 3 im Takt).

Grafik für Lick 3 und 3a. Es ist die gesamte Blues-Pentatonik ohne Grundton:

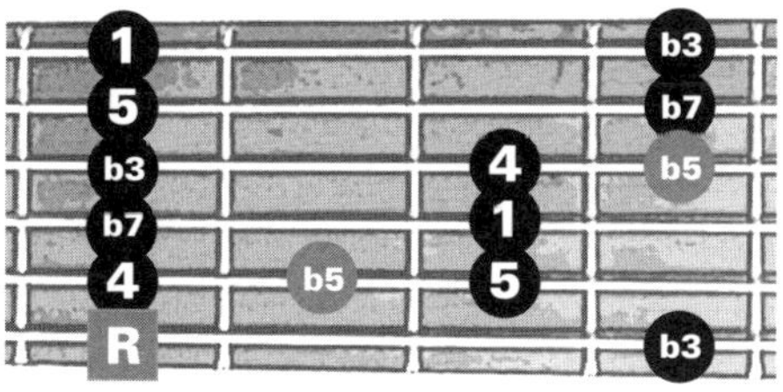

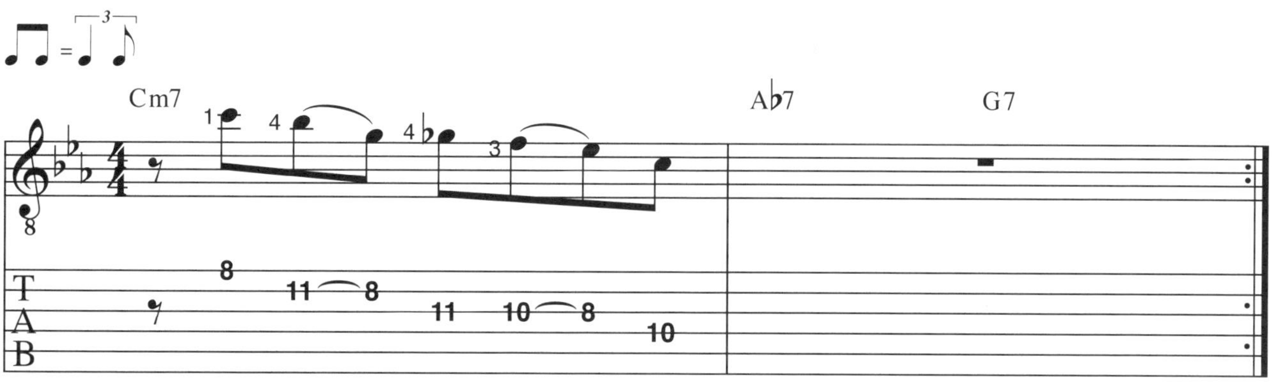

Lick 3a

Variation von Lick 3
Variationsart: Motiverweiterung
Die Melodie des Originallicks wird erweitert. Wir spielen also auch über Ab7 und G7.

Es ist eine Besonderheit des Blues, dass wir eine Skala (die Blues-Pentatonik der I. Stufe) über die gesamte 12-taktige Akkordfolge spielen können.

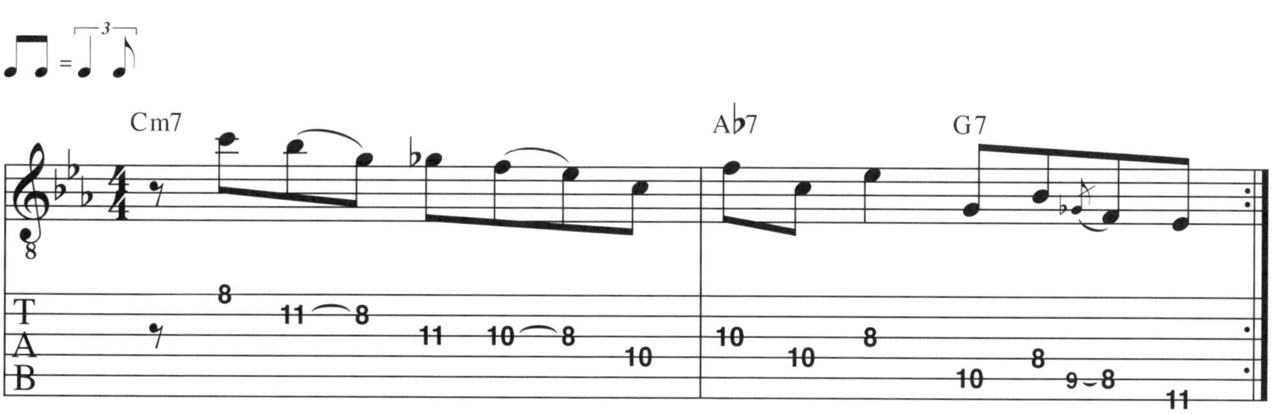

Lick 4

Die ersten drei Töne, also auch b5 und 5, werden auf drei verschiedenen Saiten gespielt.
Je nachdem, wie lange du die b5 in die beiden folgenden (mit kleinem Barrégriff gespielten) Töne hineinklingen lässt, kannst du die Spannung gestalten.

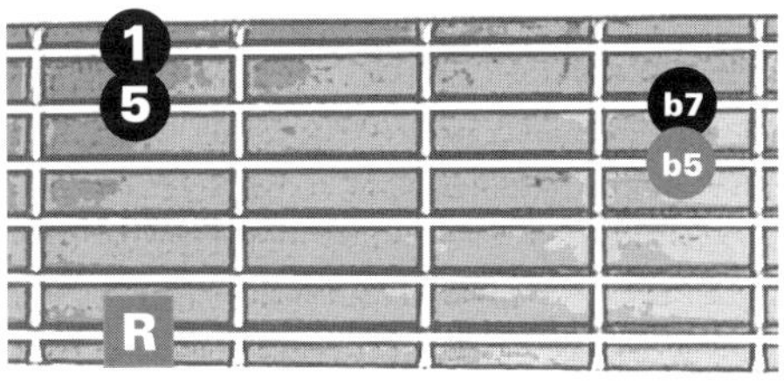

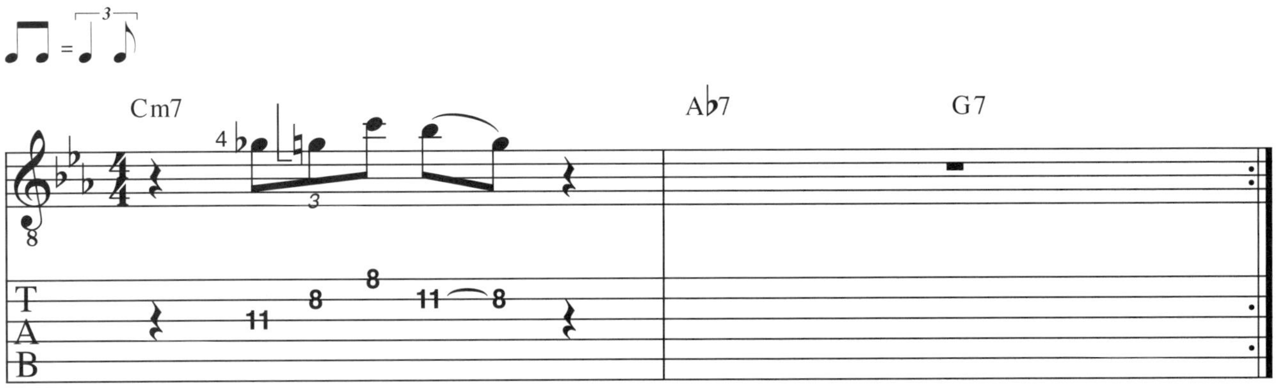

Lick 4a

Variation von Lick 4
Variationsart: Rhythmic Displacement, Artikulation
Rhythmic Displacement: Lick 4a beginnt auf einer anderen Zählzeit, hier auf der 1 statt auf 2.
Artikulation: Beachte die erste Note! Hier wird nicht die b5 ges als Ton angeschlagen, sondern die Quarte f wird Richtung ges hinaufgezogen (ca. einen Viertelton = Smear Bending)

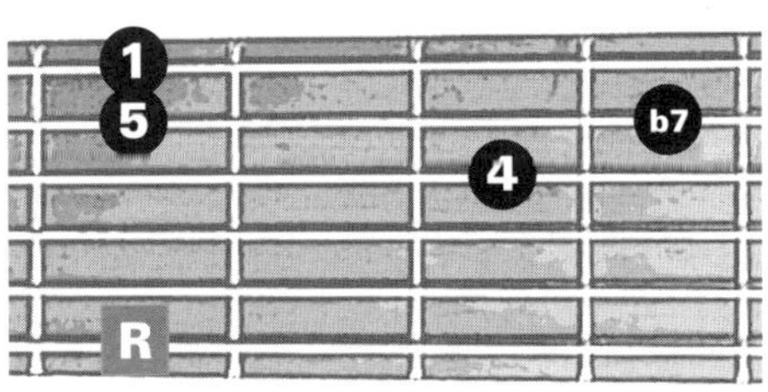

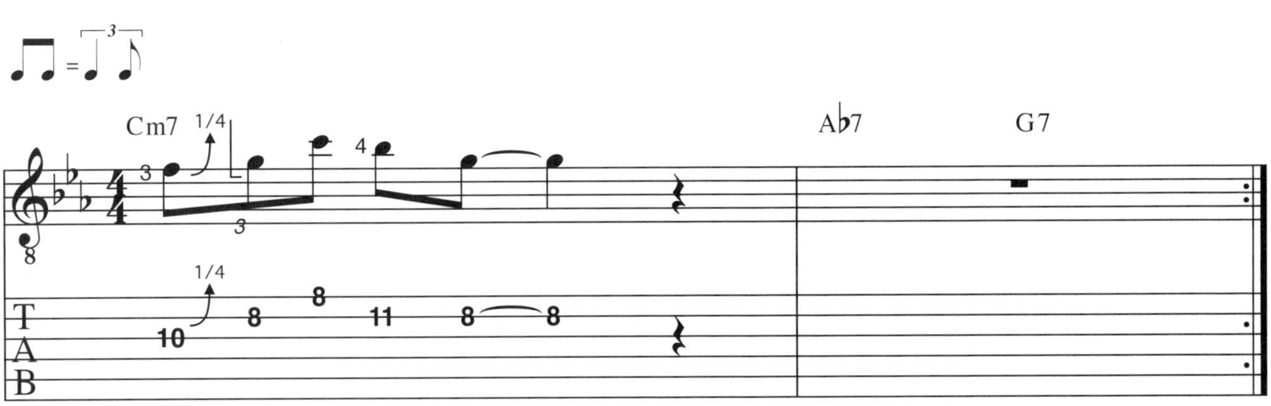

Blues-Pentatonik über dem Septakkord (Grifftyp E)

Die Blues-Pentatonik als „erweiterte Moll-Pentatonik“ passt unzweifelhaft zum Moll-Akkord. Doch man kann die Blues-Pentatonik auch als Akkordumgebung zu einem Dur-Akkord (besonders dem Septakkord) spielen.
Das ist bedeutend spannungsreicher und ergibt die typische „Farbe“ des Blues.

Pentatonik wie bisher gelernt:

Grundton 6. Saite

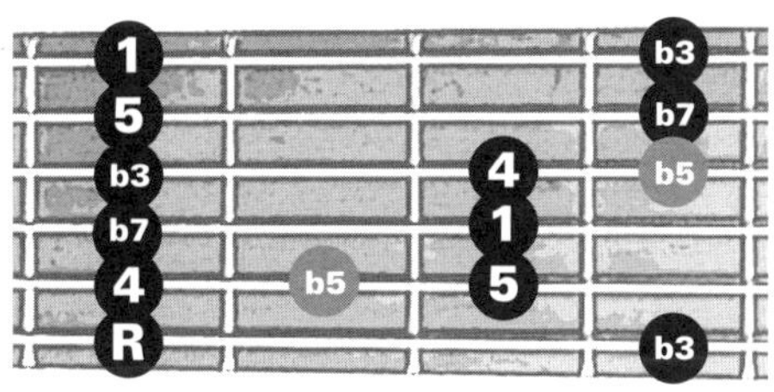

Versuche nun also, die „Gestalt“ des Septakkordes Grifftyp E hinter der schon bekannten Blues-Pentatonik zu sehen.
Die große Terz des Septakkords ist wie alle Töne der Dur-Pentatonik in der Grafik weiß gezeichnet und kommt in der Blues-Pentatonik nicht vor. Vorläufig verwenden wir die große Terz noch nicht in der Griff-Umgebung des Dur-Septakkordes, später wird sie das „Gewürz“ dieses Klanges sein.

Grifftyp E7: Septakkord-Variante von Grifftyp E

E7

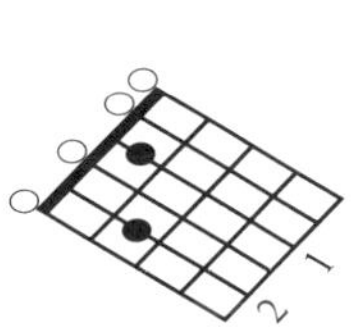

Grundton 6. Saite

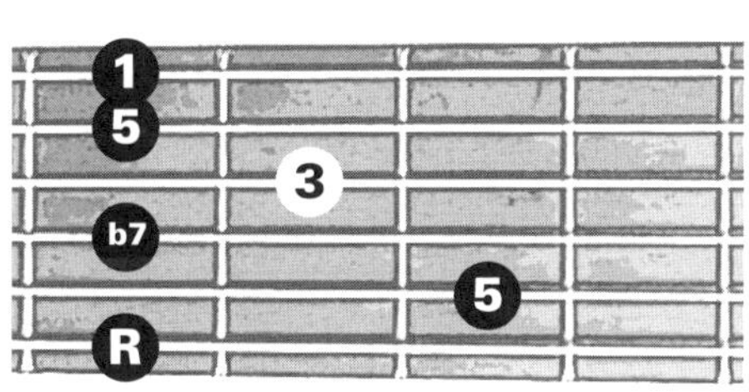

Wir spielen die folgenden Beispiele mit **Grifftyp E**:

Grundton: **III. Bund**
Akkord: **G7**
Tonleiter: **G-Blues-Pentatonik**

Play-Along 5
Begleitung in G7 für die Töne der G-Blues-Pentatonik

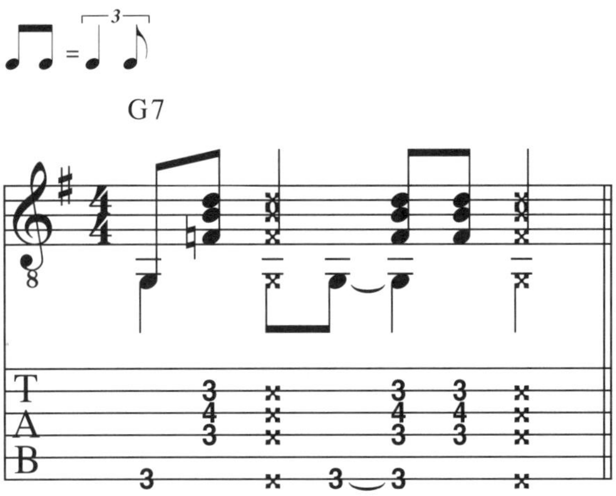

x-Notenkopf: String-Clicking (Perkussion mit der rechten Hand)

Hörübung:

Bitte spiele wieder die einzelnen Töne der G-Blues-Pentatonik zu Play-Along 5 und versuche, die Qualität der Töne – diesmal im Verhältnis zum Akkord G7 – zu hören.

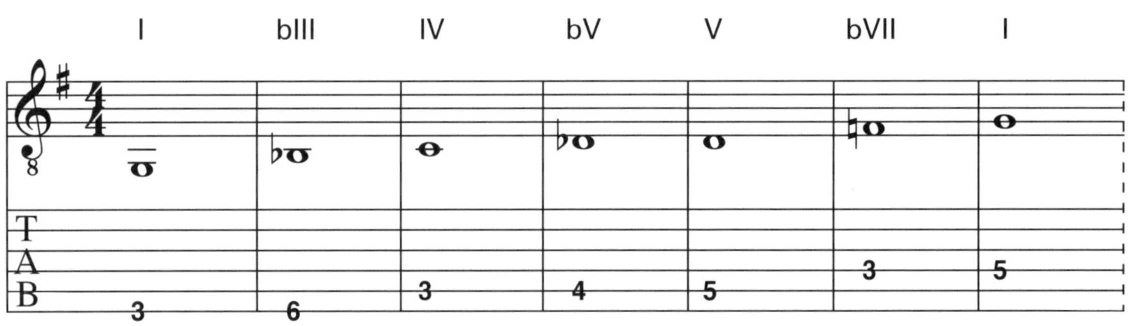

usw.

Check-In-Run:

Das ist der Check-In-Run von Seite 21, diesmal in Achteltriolen.

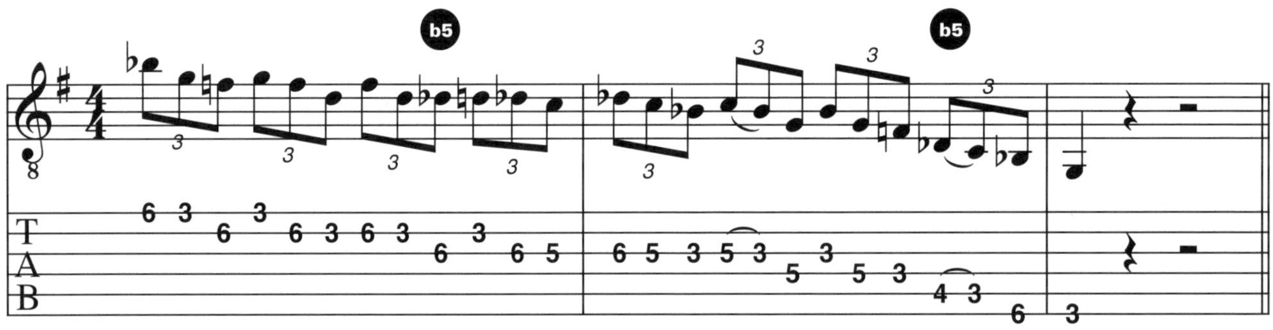

Play-Along 6
Begleitung für die folgenden Improvisationsbeispiele der G-Blues-Pentatonik

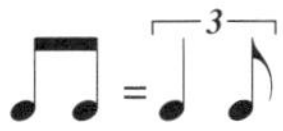

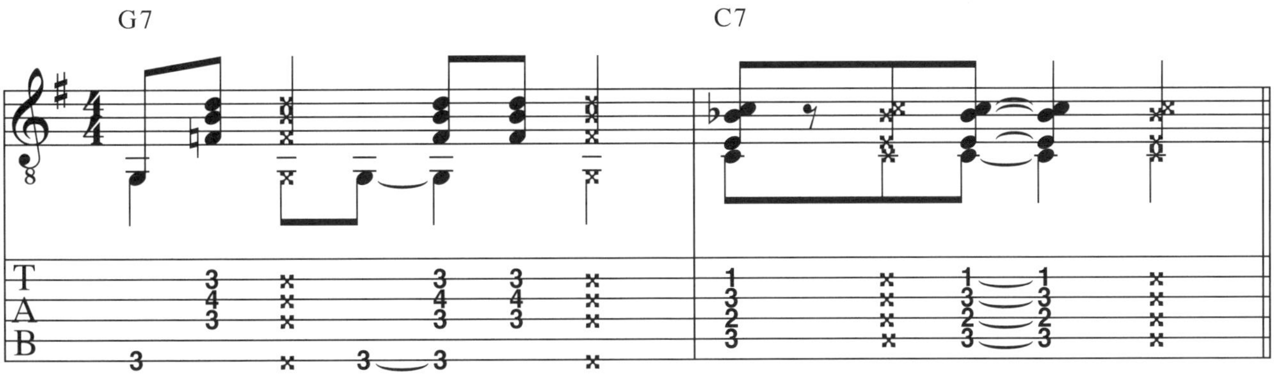

Das sind die drei soeben als Beispiele für C-Blues-Pentatonik gespielten Licks, jetzt über G7 (Grifftyp E).
Für alle drei Beispiele gilt: 

Lick 2

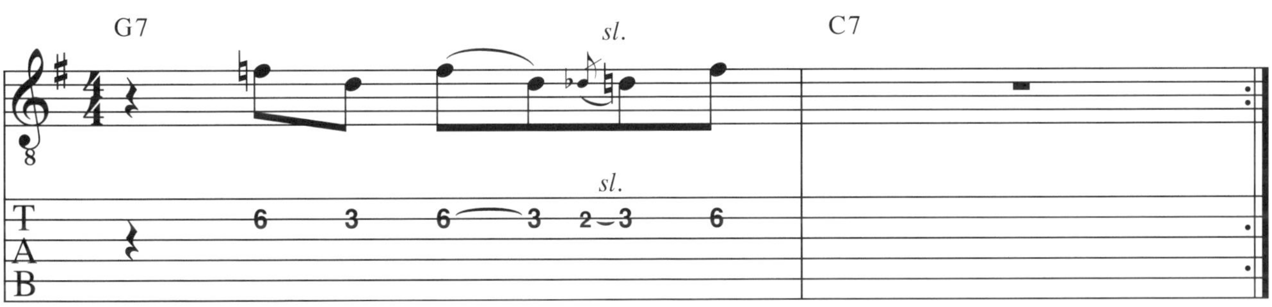

Lick 3

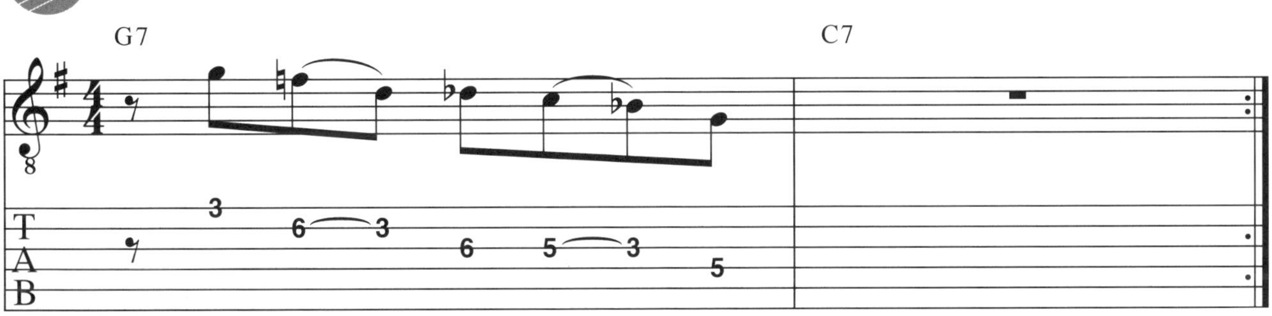

Lick 4

Final Blues 1.0

Hörbeispiel 1
„Final Blues 1.0" ist ein typischer 12-Bar-Blues in A mit den Licks 2 bis 4 aus der Blues-Pentatonik Grifftyp E, kombiniert zu einem kompletten Solo.

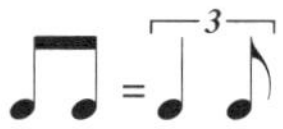

Lick 3
in A, Grundton V. Bund

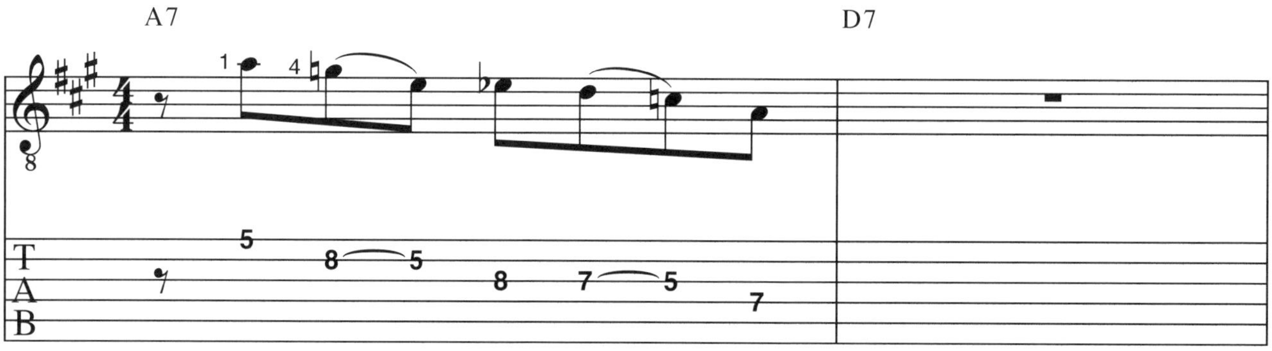

Lick 3a
in A, Grundton V. Bund

Lick 4a
in D, Grundton X. Bund

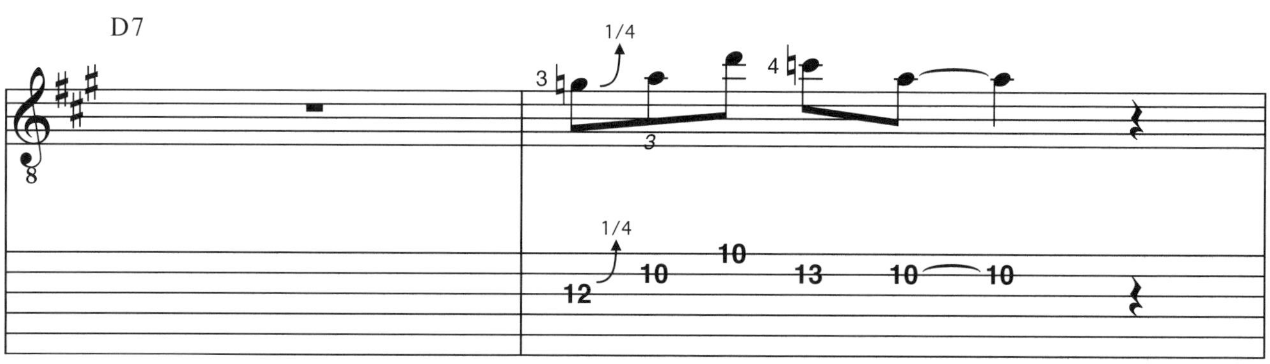

Lick 4
in A, Grundton V. Bund

Lick 4a
in A, Grundton V. Bund

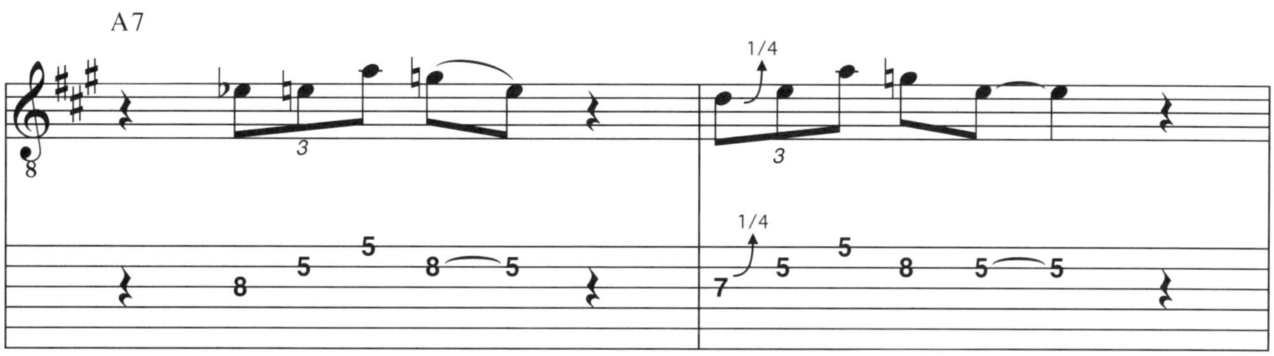

Lick 2a verkürzt
in E, Grundton XII. Bund

Lick 2a verkürzt
in D, Grundton X. Bund

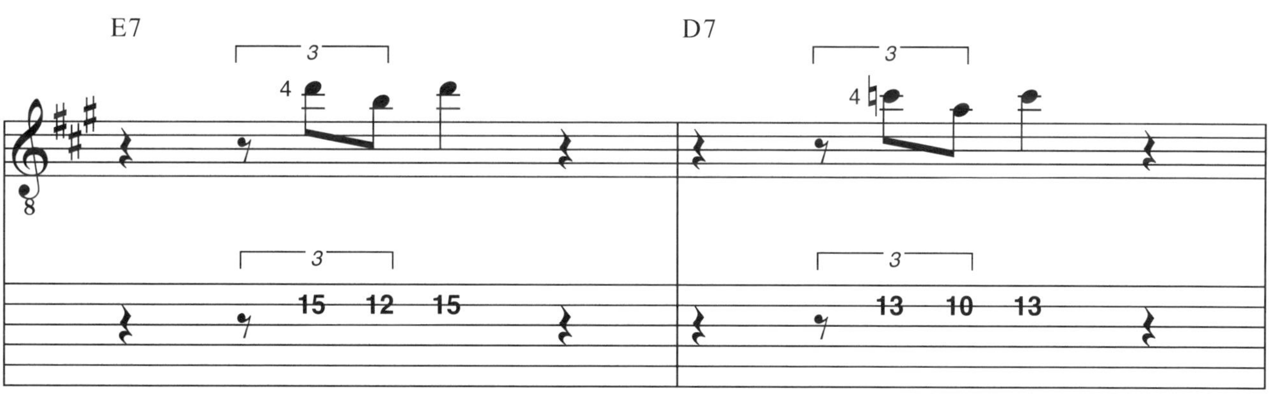

Lick 2
in A, Grundton V. Bund

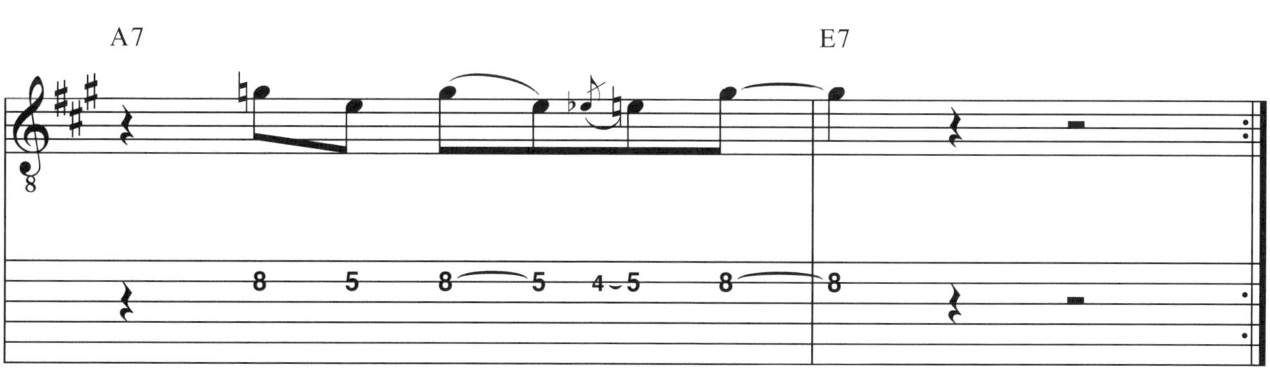

Play-Along 7
Begleitung für „Final Blues 1.0“ in A

Hier habe ich aufgeschrieben, wie ich den „Final Blues 1.0“ auf der CD begleitet habe.
Zu Play-Along 7 kannst du selbst den Final Blues spielen!

Zum anderen besteht so die Möglichkeit, zur Entspannung einmal eine Begleitung zu spielen oder zu zweit loszulegen!

A7
E7
D7
A7
E7

Blues-Pentatonik + Dur-Terz

Die Moll-Terz b3 der Blues-Pentatonik steht in großem Gegensatz zur Dur-Terz des im Hintergrund stehenden Grifftyps E7.

Besonderheit:
Manche Blues-Gitarristen improvisieren in der Blues-Pentatonik, spielen an besonderen Stellen aber die (in der Blues-Pentatonik nicht vorhandene) Dur-Terz an und mischen so diese beiden Farben. Der Unterschied manifestiert sich am Deutlichsten im Gegensatz von **Dur**-Terz 3 des Septakkords und **Moll**-Terz b3 der Blues-Pentatonik.

E7

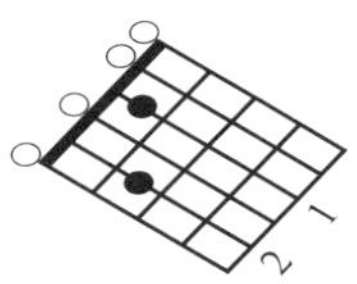

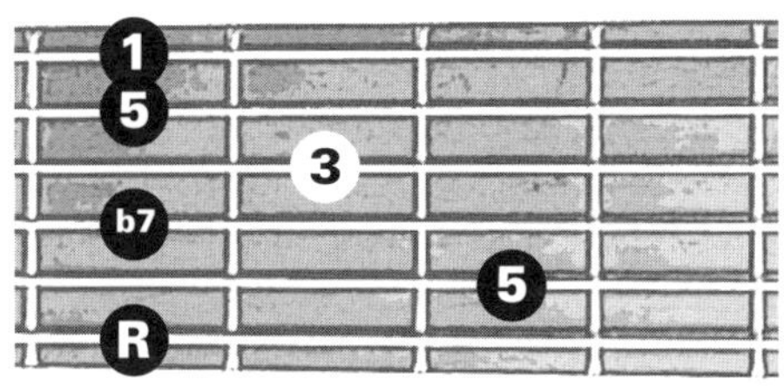

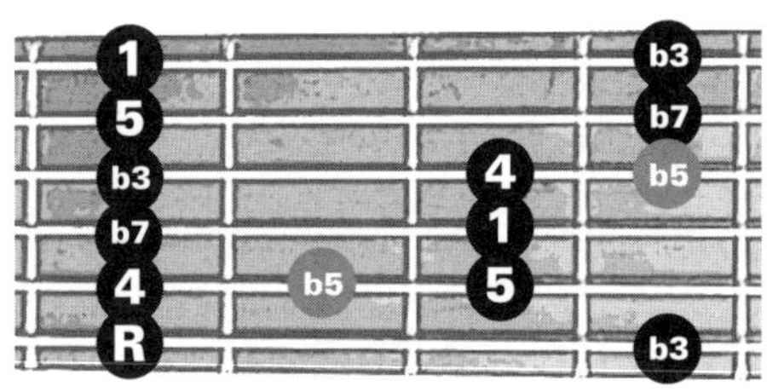

Wir spielen die folgenden Beispiele mit **Grifftyp E**:

Grundton: **V. Bund**
Akkord: **A7**
Tonleiter: **A-Blues-Pentatonik + Dur-Terz**

Play-Along 8
Begleitung für die folgenden beiden Improvisationsbeispiele der A-Blues Pentatonik mit Dur-Terz

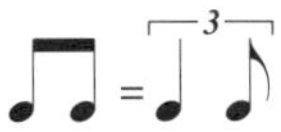

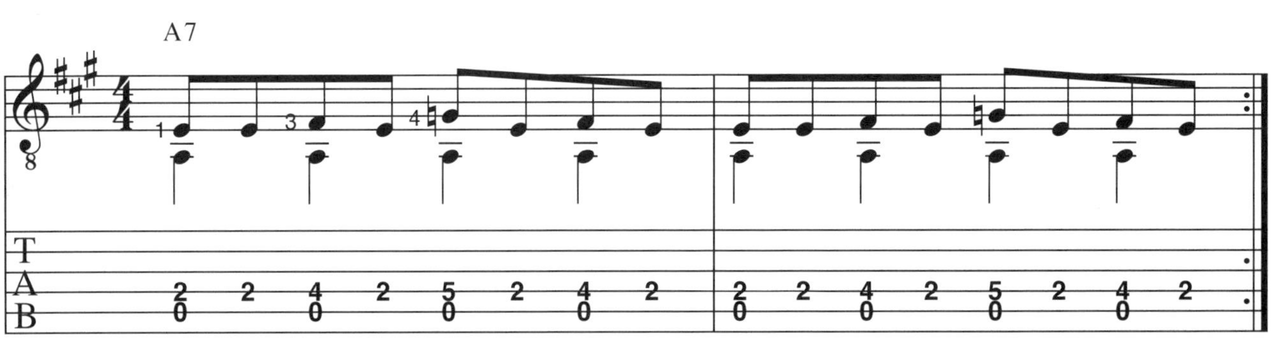

Lick 5

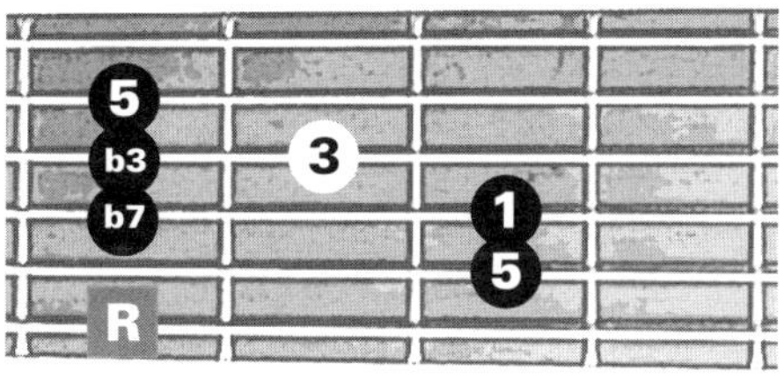

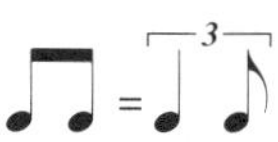

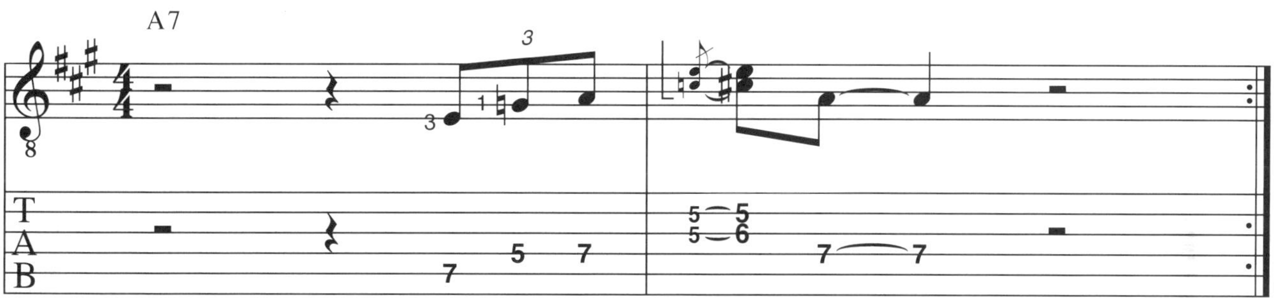

Lick 6

b7 und b3 im Auftakt und dann die „Auflösung“ nach Dur

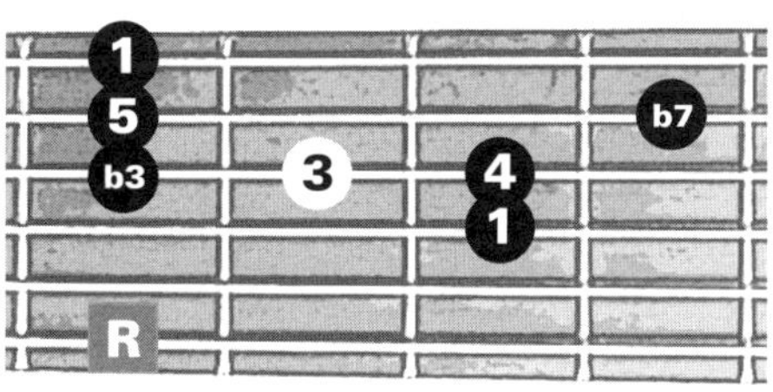

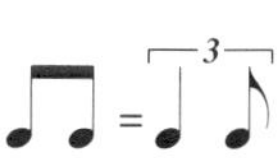

Dur-Pentatonik Grifftyp E

Wichtig: Wie in diesem Buch anfangs angesprochen, geht es uns nicht darum, alle Möglichkeiten umfassend darzustellen, sondern die gebräuchlichsten Varianten vorzustellen. Der Einstieg ins CAGE-Modell soll möglichst einfach sein.

Deswegen spielen wir hier nur mit dem oberen Bereich der Dur-Pentatonik, der sich sehr leicht mit der Gestalt des Grifftyps verbinden lässt.

In der Grafik: Schwarze Töne (Intervalle) werden gespielt, graue Töne spielen wir nicht.

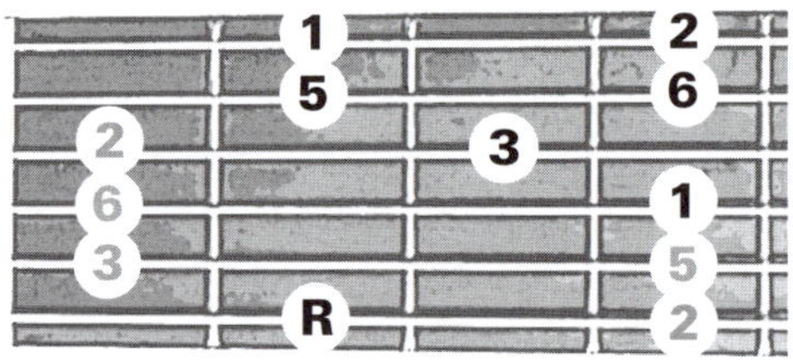

Versuche nun, die Gestalt des Dur-Akkordes Grifftyp E in dieser Dur-Pentatonik zu sehen:

Grifftyp E-Dur: Dur-Variante von Grifftyp E

E

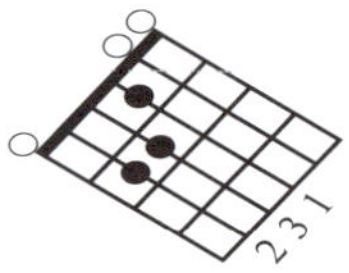

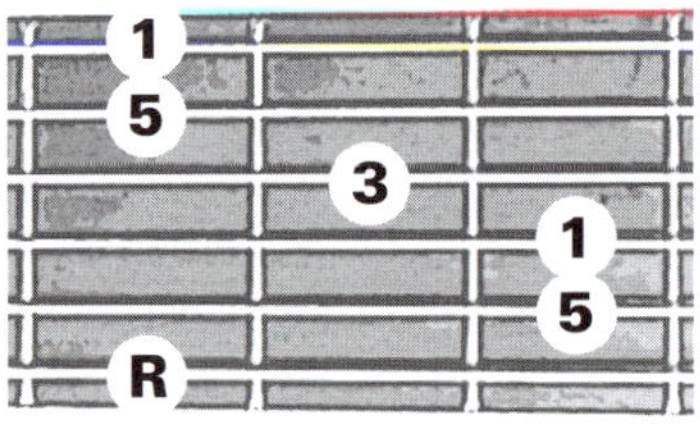

Wir spielen die folgenden Beispiele mit **Grifftyp E**:

Grundton: **V. Bund** Akkord: **A-Dur** Tonleiter: **A-Dur-Pentatonik**

Play-Along 9
Begleitung in A-Dur für die Töne der A-Dur-Pentatonik und die Beispiele auf Seite 36

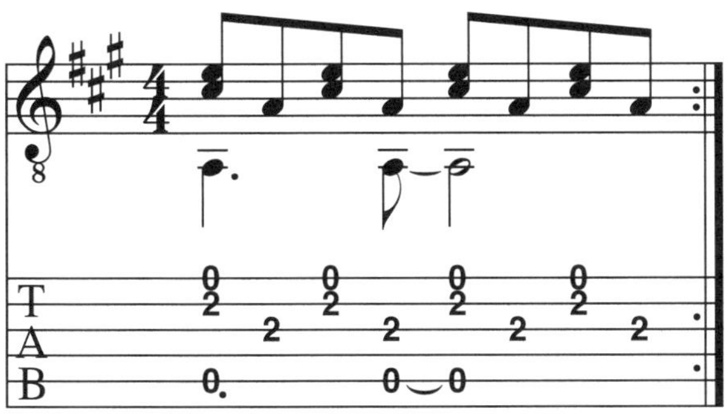

Hörübung:

A-Dur-Pentatonik und Play-Along 9

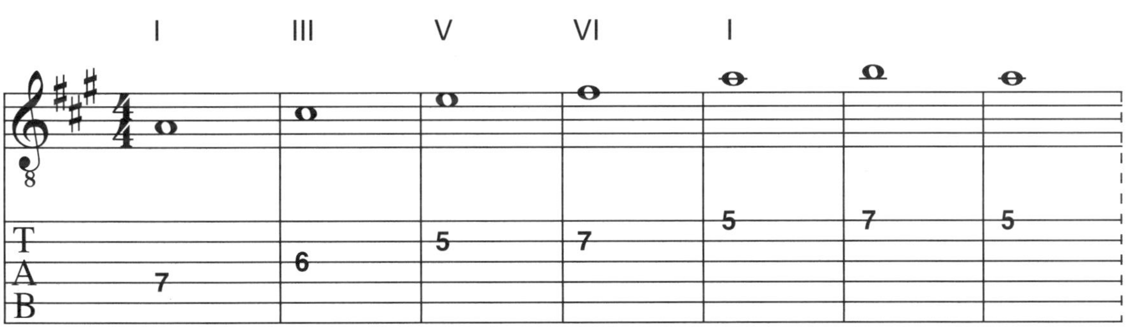

usw.

Check-In-Run:

Lick 7

Lass die beiden Töne ineinanderklingen!

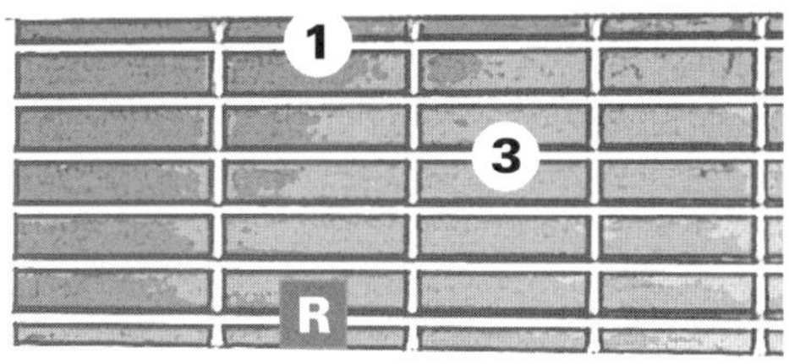

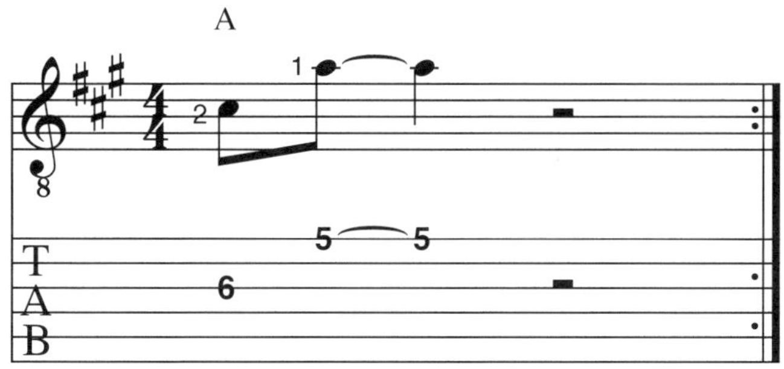

Lick 7a

Variation von Lick Nr. 7
Variationsart: Änderung der Tonhöhe

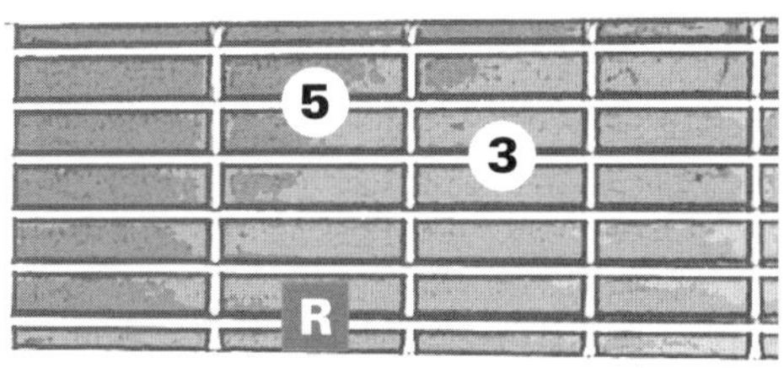

Lick 8

Double-Stop-Lick mit Aufschlagbindung

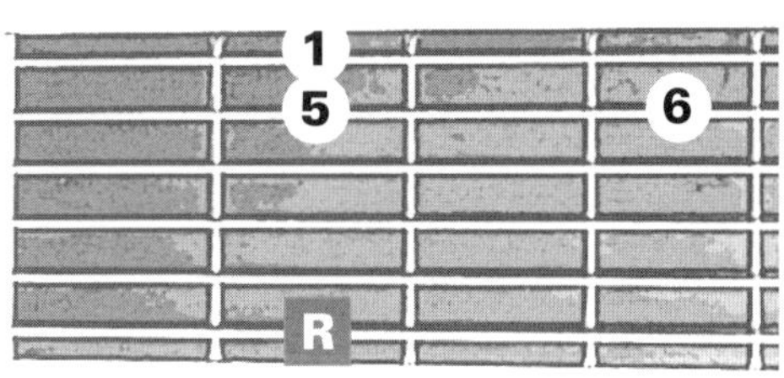

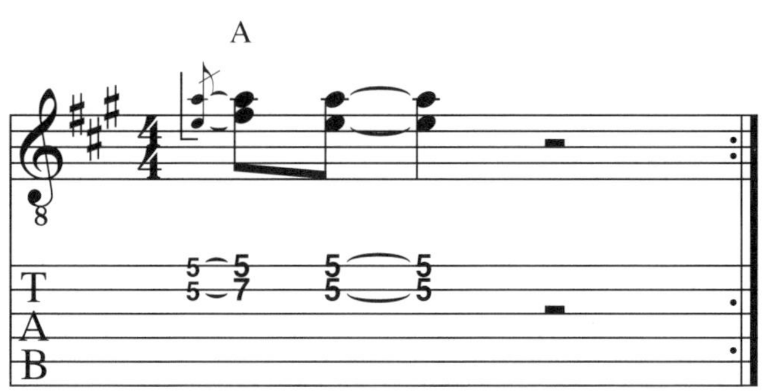

Lick 8a

Variation von Lick Nr. 8
Variationsart: Änderung der Artikulation,
Slide statt Aufschlagsbindung

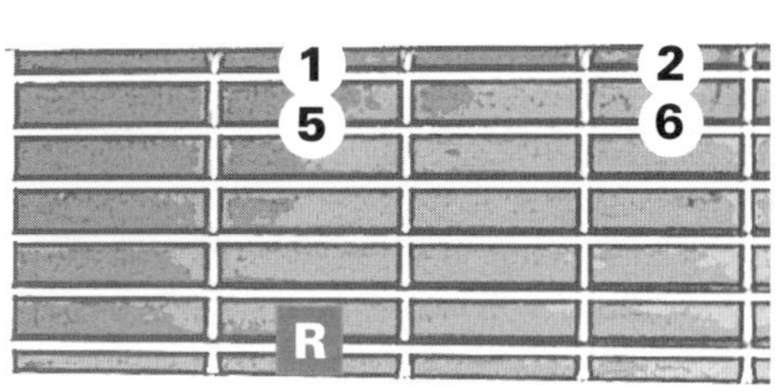

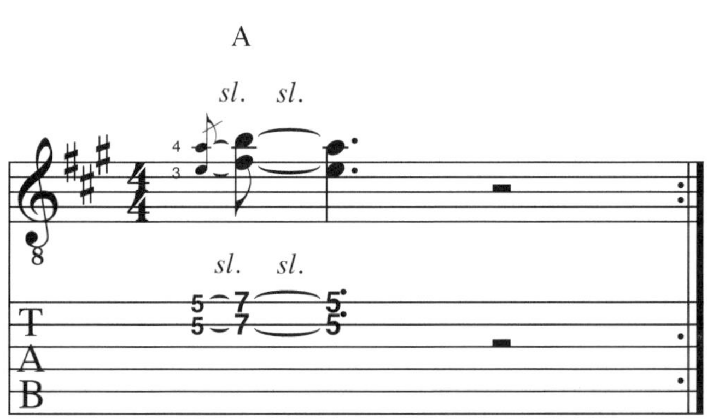

Play-Along 10
Die ersten vier Takte von „(Sittin' On) the Dock Of The Bay" als Begleitpattern für das Üben der Dur-Pentatonik-Licks in verschiedenen Lagen.

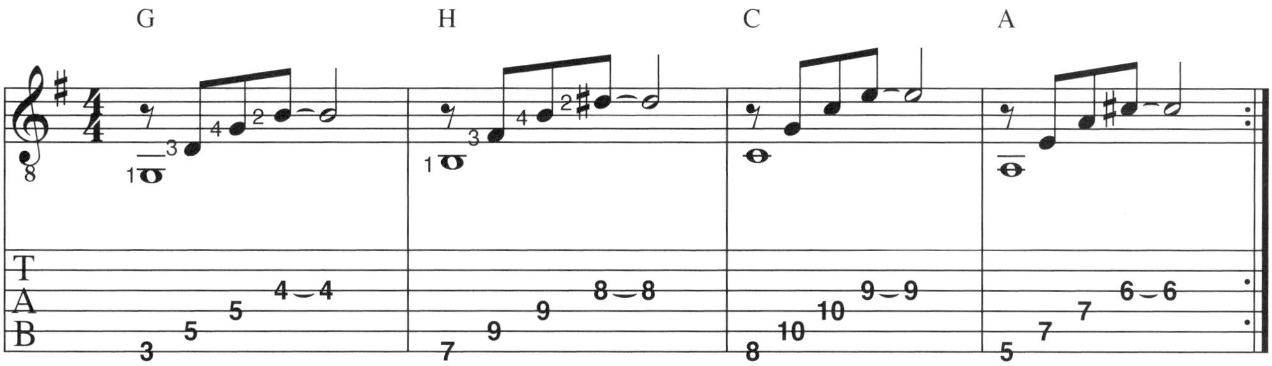

Spiele die zwei Dur-Pentatonik-Licks und ihre beiden Variationen über die Akkordfolge von Play-Along 10: G (Grundton III. Bund) - H (VII. Bund) - C (VIII. Bund) - A (V. Bund)

Erste Möglichkeit:
Das Lick bleibt gleich, nur der Akkord (die Lage) ändert sich.
Hier am Beispiel von Lick 7:

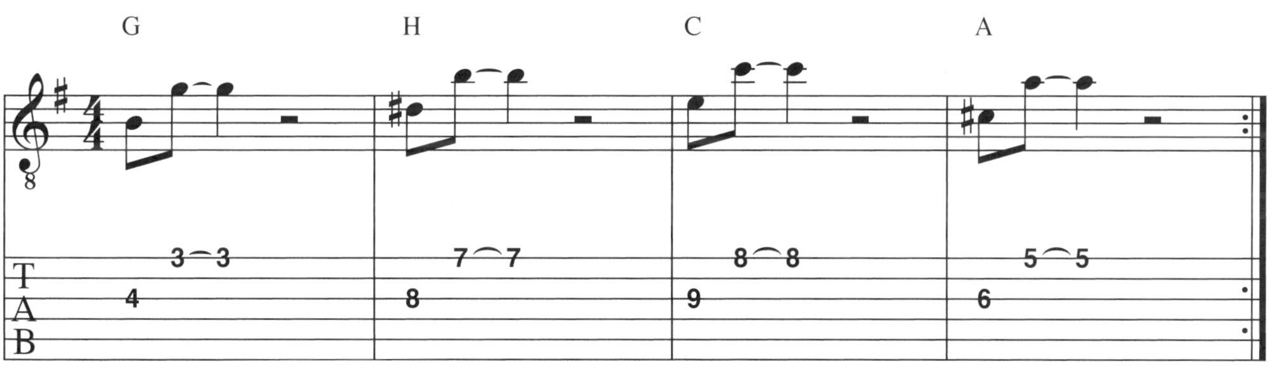

Zweite Möglichkeit:
Das Lick wird in freier Folge von seiner Variation ersetzt.
Hier am Beispiel von Lick 7 und 7a:

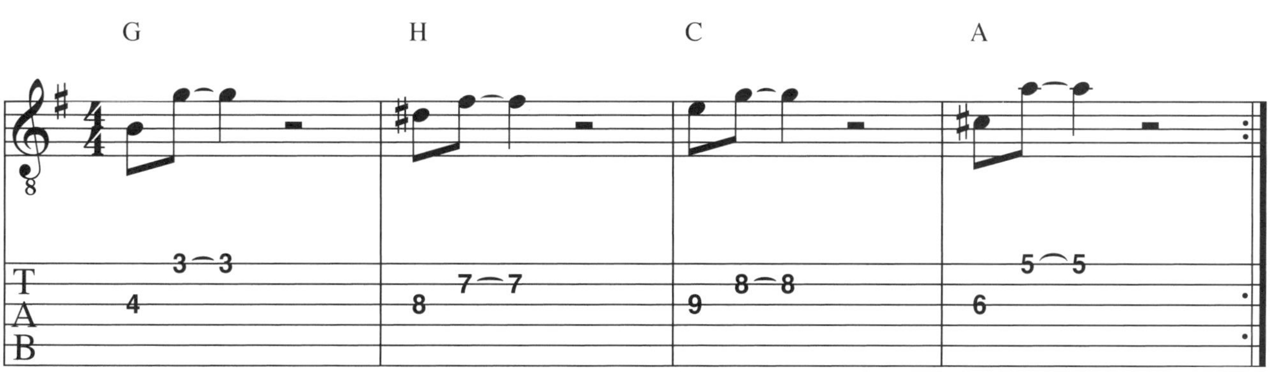

Dritte Möglichkeit:
Wir verwenden beide Licks und variieren sie auch.
Hier eine Möglichkeit von vielen:

Vierte Möglichkeit:
Licks oder Variationen werden nicht nur einmal im Takt gespielt, sondern können auch auf Zählzeit 3 mehr Intensität einbringen.
Hier ein sehr „vollgeladenes" Beispiel:

Im folgenden Beispiel stehen **Dur-Pentatonik**-Licks neben **Moll-(Blues)-Pentatonik**-Licks. Du kannst also die Moll-Pentatonik auch über eine Dur-Akkordfolge spielen!

Was sich ändert, ist die Farbe: Die Dur-Pentatonik „schmiegt" sich an den Dur-Akkord an, die Moll-Pentatonik bringt Schärfe ins Klangbild ein.

Wichtig: Die Blues-Pentatonik-Licks (hier: Lick 2 und 3) haben wir mit Swing-Feeling gespielt. Hier im Pop spielen wir sie gerade.

Hörbeispiel 2
„(Sittin' On) the Dock Of The Bay"- Dur-Version
Höre dir Hörbeispiel 2 an, übe diese Licks aber mit Play-Along 10.

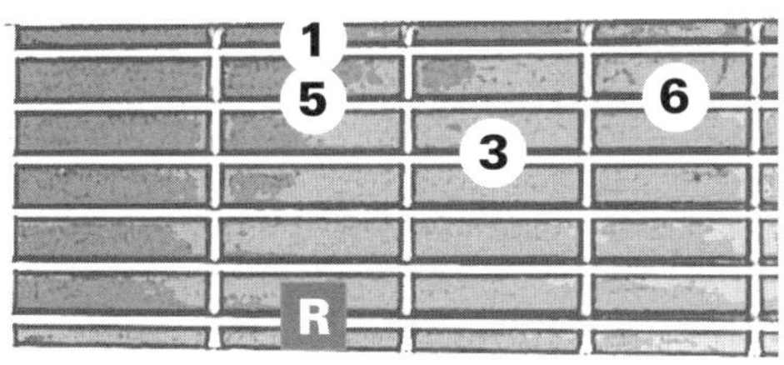

Licks 7 + 8
Grundton: III. Bund

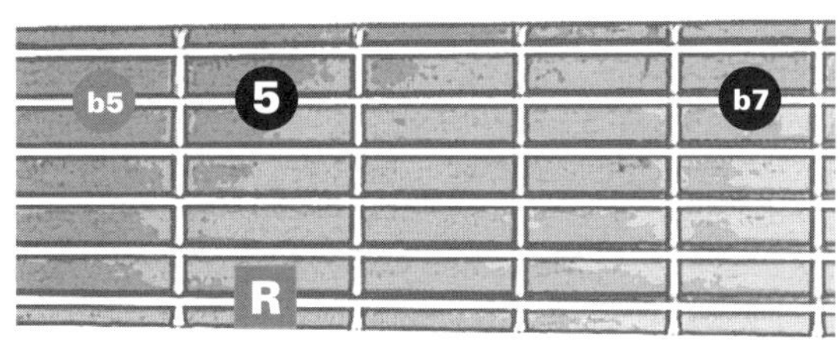

Lick 2
Grundton: VII. Bund

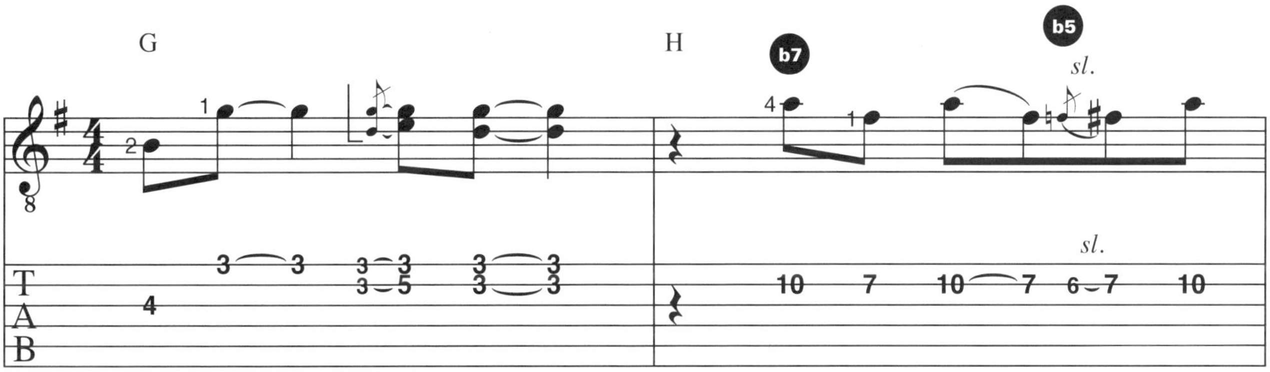

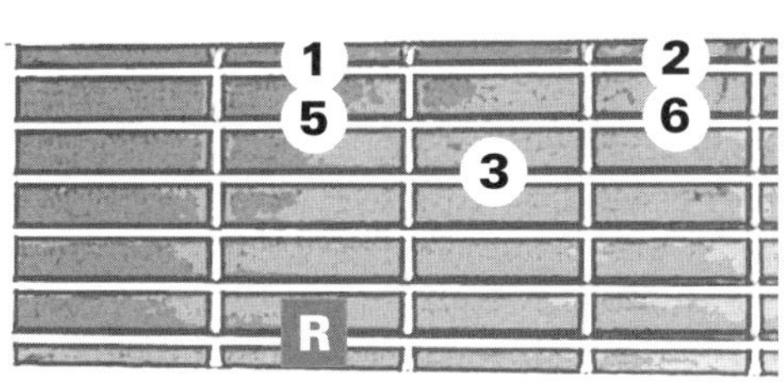

Licks 7a + 8a
Grundton: VIII. Bund

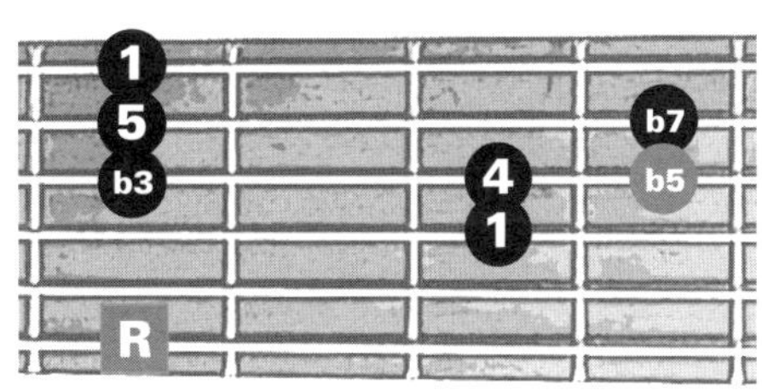

Lick 3
Grundton: V. Bund

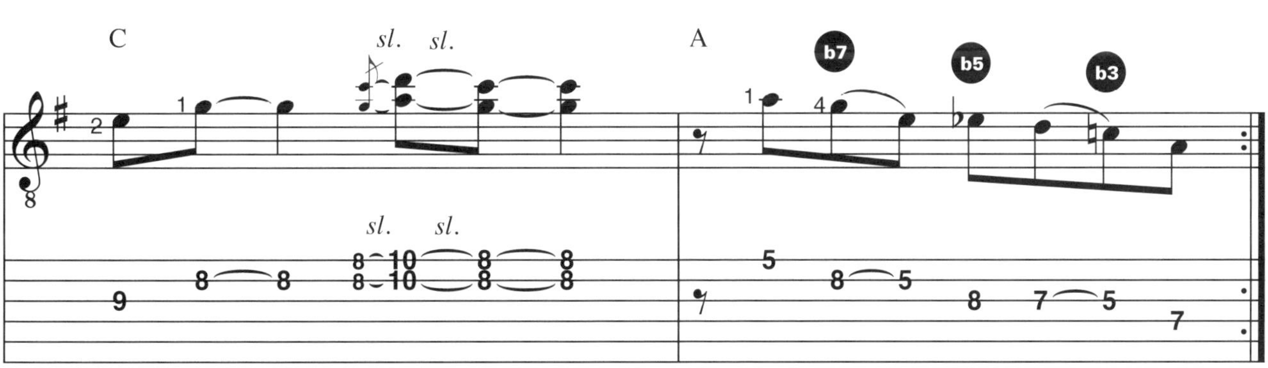

Mix-Pentatonik Grifftyp E

Am Ende unserer Beschäftigung mit Grifftyp E führen wir die verschiedenen Fäden zu einem Ansatz zusammen.

Wir haben drei Varianten für Grifftyp E kennengelernt:

Grifftyp-Variante e-Moll

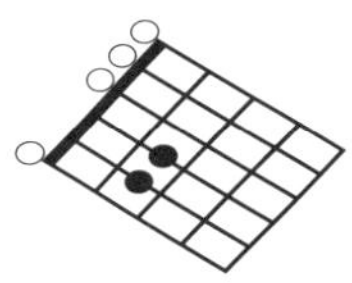

Grifftyp-Variante E7

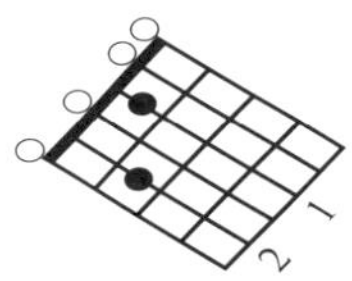

Grifftyp-Variante E-Dur

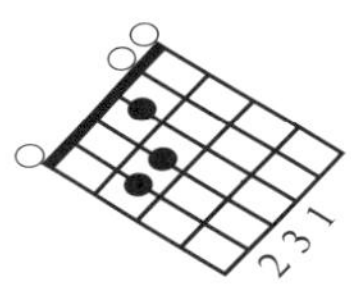

Wir haben drei Skalen für die Akkordumgebung kennengelernt:

Moll-Pentatonik: enthält alle Töne des Moll-Akkordes und passt so sehr harmonisch zum Moll-Akkord.

Blues-Pentatonik: enthält alle Töne der Moll-Pentatonik, aber zusätzlich die b5, die mehr Spannung ins Spiel über einen Moll-Akkord bringt.
Wir können die Blues-Pentatonik aber auch über einen Septakkord spielen, wie im Blues üblich, und so einen sehr spannungsreichen Klang erzielen.

Dur-Pentatonik: enthält alle Töne des Dur-Akkordes und passt so sehr harmonisch zum Dur-Akkord.

Bereits bei der Blues-Pentatonik mit der Dur-Terz haben wir mit dem Effekt gespielt, Farben aus Dur und Moll gegenüberzustellen. In Hörbeispiel 2 (Seite 39) haben wir Moll-Pentatonik-Licks (Lick 5, 6) über einen Dur-Akkord gespielt.
Ich meine, das hat funktioniert, also ergibt sich der nächste Schritt:

Mix-Pentatonik:
Über Dur- und Septakkorde können wir nicht nur entweder Dur- oder Moll- (bzw. Blues-) Pentatonik spielen, sondern beide Skalen **zu einer Akkordumgebung** zusammenfügen.
Wir nennen das in diesem Buch **Mix-Pentatonik**, ein gebräuchlicher Begriff dafür ist auch **Hybrid-Pentatonik** oder **Hip-Scale** (mit der b5, die wir in der folgenden Grafik weglassen, um nicht zu kompliziert zu werden).

Die folgenden Licks und Grafiken sollen das darstellen. Ziel ist es, mit Hilfe der Akkordumgebung unterschiedliche Spannungen zu kreieren und viele Variationsmöglichkeiten zu sehen.

Ausgangspunkt Dur-Pentatonik:

Farbe durch Töne der Moll-Pentatonik (= Blue Notes):

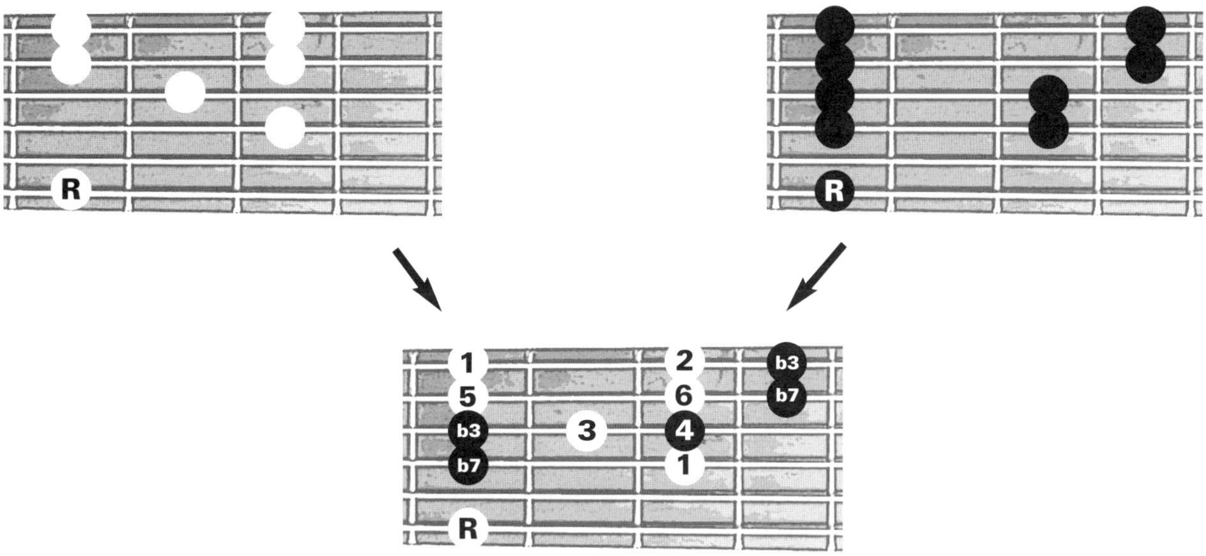

Diese Grafik wirkt jetzt optisch schon ziemlich anspruchsvoll.
Aber bitte bedenke: Die schwarzen Punkte für die Töne der Moll-Pentatonik sind wieder nur das „Gewürz" für die Dur-Pentatonik. Wir streuen sie ein, um den Klang interessanter zu machen. Die „weißen" Töne der Dur-Pentatonik bleiben im Mittelpunkt.

Wir spielen die folgenden Beispiele mit **Grifftyp E**:

Grundton: **V. Bund**
Akkord: **A-Dur** (Play-Along 9)
Tonleiter: **A-Mix-Pentatonik**

Lick 9

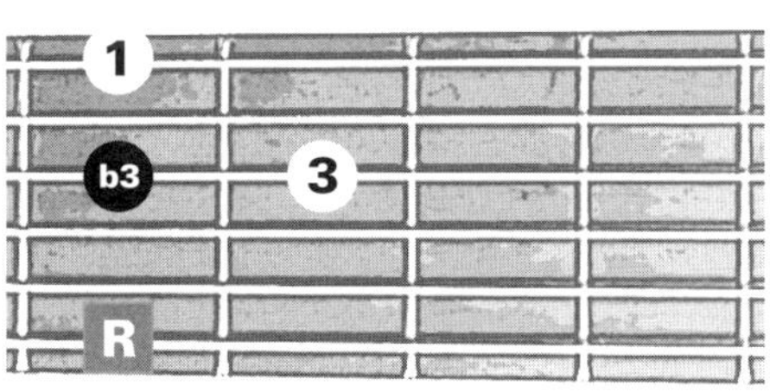

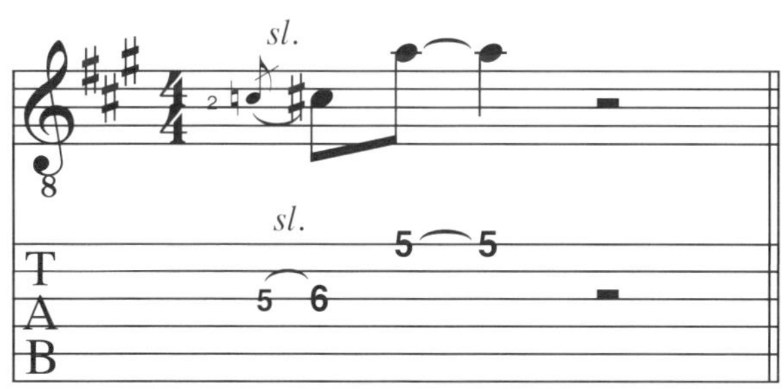

Variationen zu Lick 9:

Motivumkehrung: Tonreihenfolge von hinten nach vorne

Motiverweiterung: Beginnt gleich und wird weitergeführt

Rhythmic Displacement: Motiv beginnt zu einem anderen Zeitpunkt im Takt

Hier eine rhythmischere, bluesigere Begleitvariante zu den ersten vier Takten von „(Sittin' On) the Dock Of The Bay".
Bitte beachte: Hier werden Septakkorde, statt wie bisher reine Dur-Akkorde, gespielt, um mehr Blues-Charakter zu bekommen.

Play-Along 11
„(Sittin' On) the Dock Of The Bay"- Blues-Version

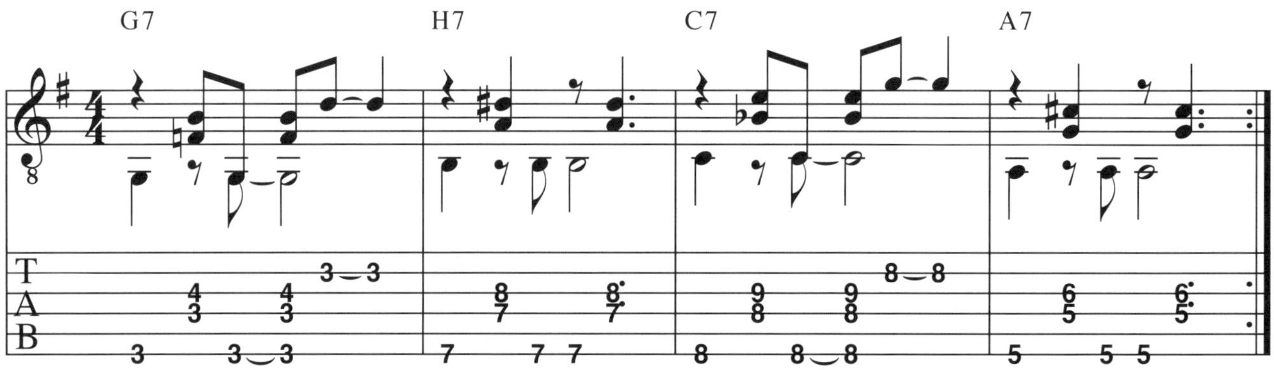

Hier **Lick 9** und seine Variationen über diese bluesigere Begleitvariante:
G (Grundton III. Bund) - H (VII. Bund) - C (VIII. Bund) - A (V. Bund)

Die x-Note in Takt 1 bezeichnet eine Ghost Note: Note am Griffbrett nicht ganz niederdrücken, leise anschlagen.

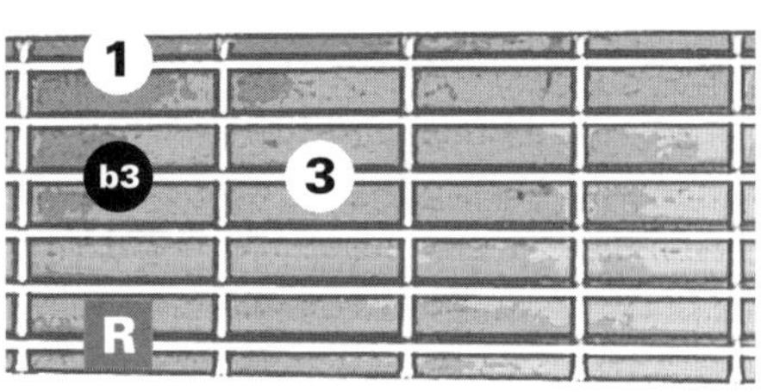

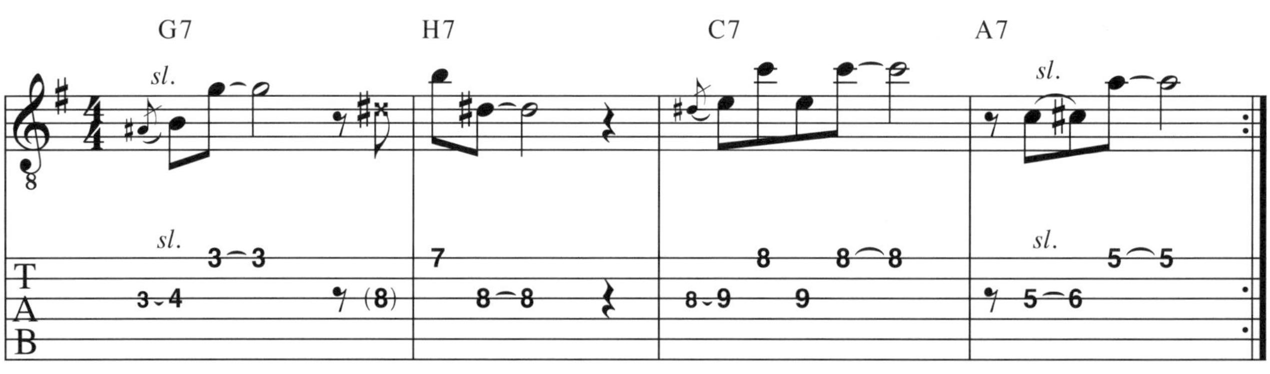

Ich habe noch vier weitere Ideen für Mix-Licks Grifftyp E aufgeschrieben. Wir üben diese über den Septakkord A7.

Beachte, wie der Septakkord mehr Spannung „fordert" und wir mit unserer Mix-Pentatonik – dem Einbau der spannungsreicheren Moll-Pentatonik – reagieren.

Play-Along 12
Begleitung in A7 für die folgenden Licks der A-Mix-Pentatonik

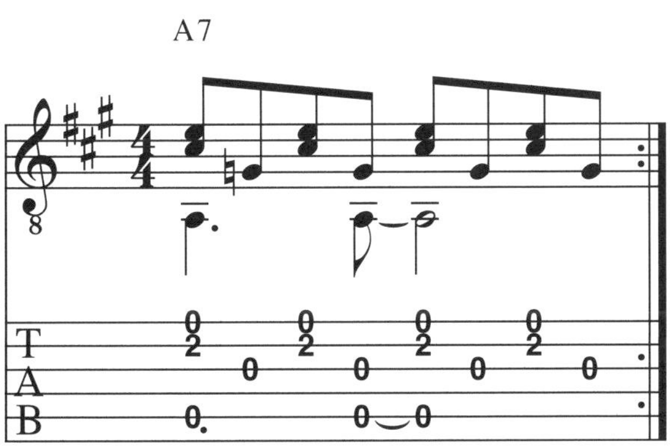

Wir spielen die folgenden Beispiele mit **Grifftyp E**:

Grundton: **V. Bund**
Akkord: **A7** (Play-Along 12)
Tonleiter: **A-Mix-Pentatonik**

Lick 10

Stil: Double-Stop-Lick (Double Stop = zweistimmiger Akkord), Chuck-Berry-Style
Artikulation: straight, nicht swingend

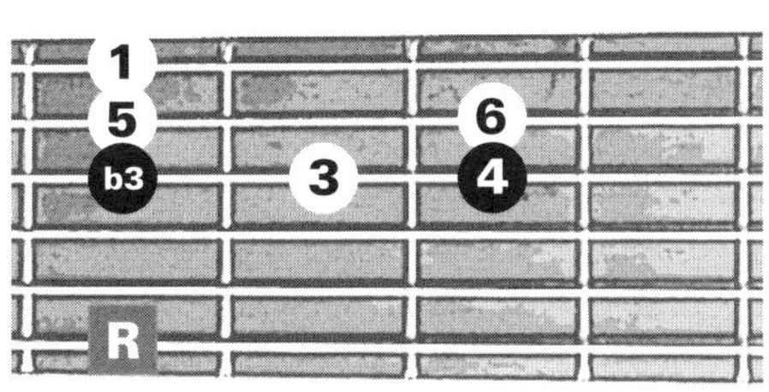

Lick 11

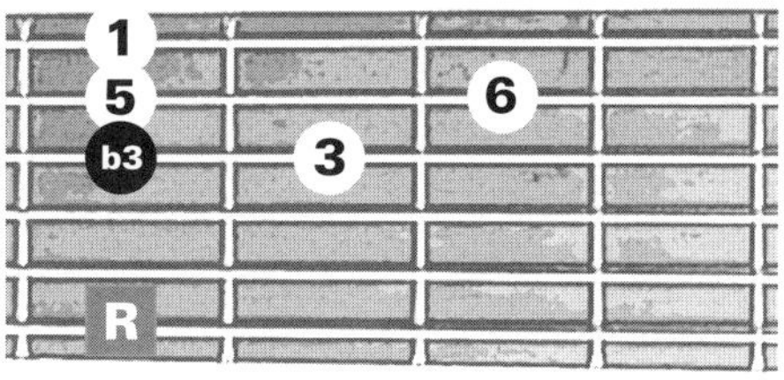

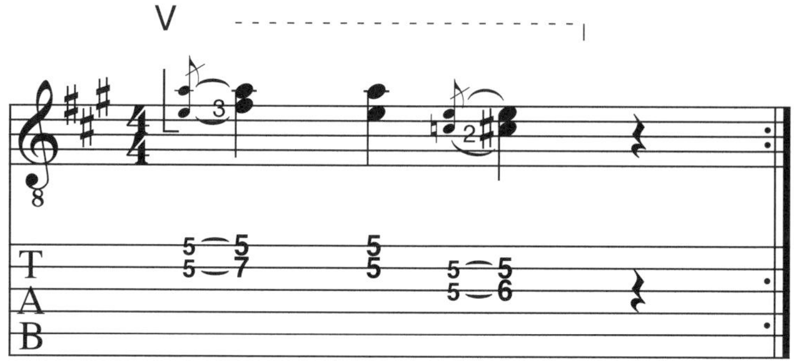

Lick 12

Die b3 in dreierlei Gewand: als Double Stop, als Slide zur Dur-Terz und als Smear Bending angedeutet Richtung Dur-Terz

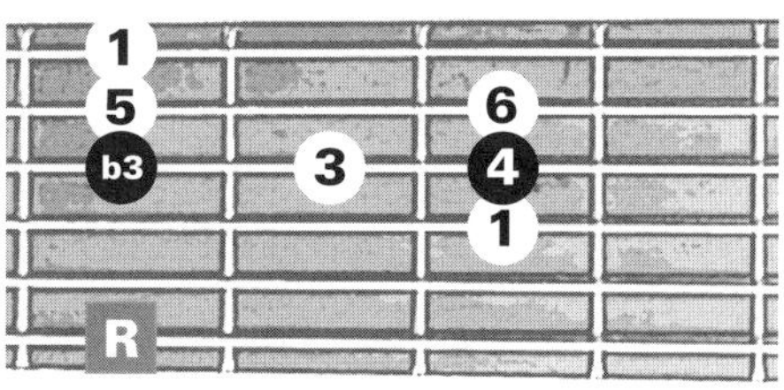

Lick 13

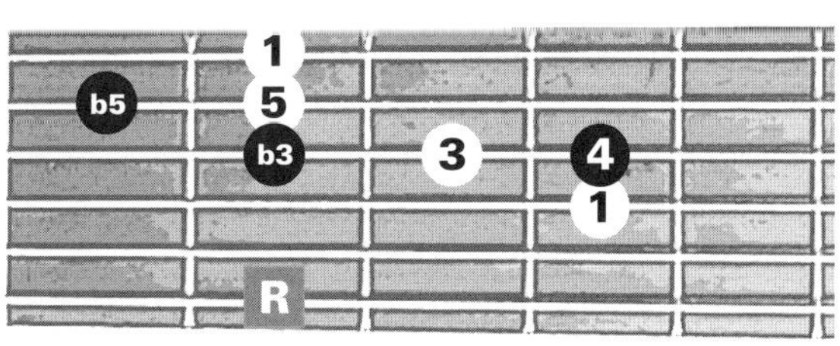

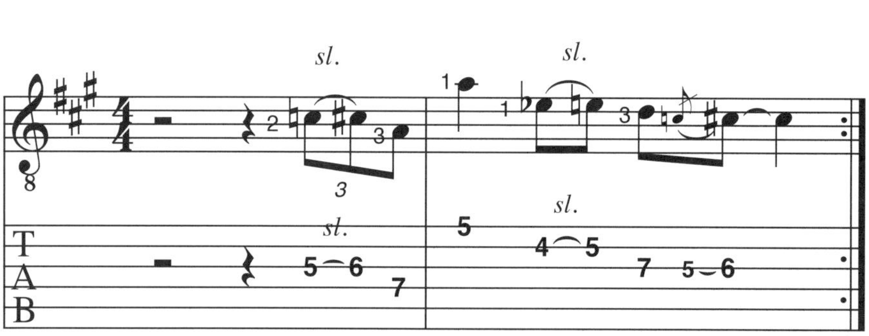

Check-In-Übung für Hörbeispiel 3:

Bitte spiele die Licks 10-13 der Mix-Pentatonik nicht nur in A, sondern auch in G (Grundton III. Bund), H (VII. Bund) und C (VIII. Bund).

Zur Abrundung von Kapitel Grifftyp E ein Beispiel, wie du die gelernten Licks über dieser Akkordfolge einsetzen kannst.

Hörbeispiel 3
„(Sittin' On) the Dock Of The Bay"- Blues-Version
Höre dir Hörbeispiel 3 an, übe diese Licks aber mit Play-Along 10.

Lick 10, Grundton III. Bund **Lick 11**, Grundton VIII. Bund

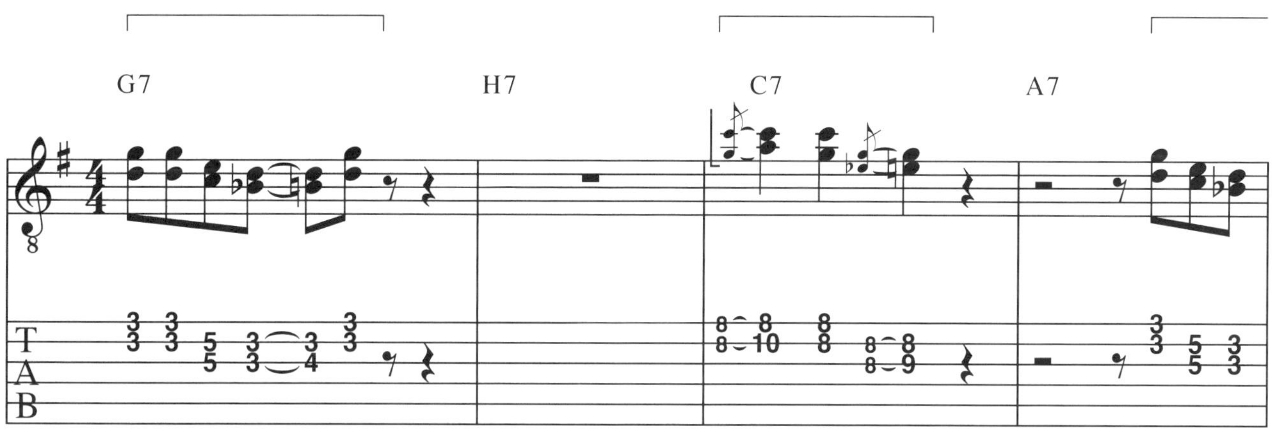

Lick 12, Grundton III. Bund **Lick 13**, Grundton VIII. Bund

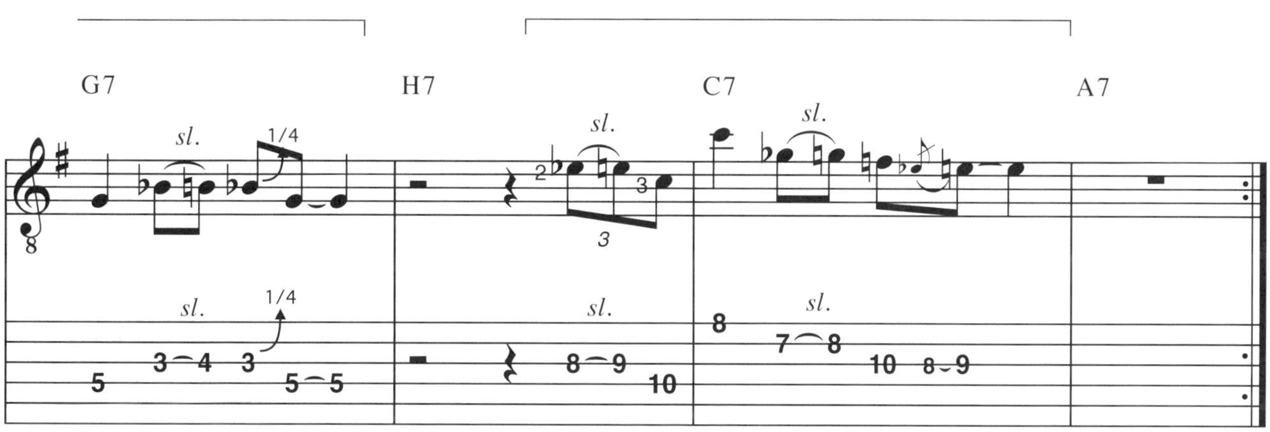

Immer zwei Takte hängen zusammen: Takt 1 - Lick, Takt 2 frei, Takt 3 - Lick, Takt 4 frei (eventuell Auftakt zu) Takt 5 - Lick usw.
Möglich ist auch: Takt 1 frei, Takt 2 - Lick usw.
Und natürlich: Entscheide nach deinem Geschmack die Reihenfolge, in der du welches Lick über welchen Akkord spielst.

Bitte beachte: Es ist gängige Praxis, den Auftakt zu einem Lick schon in der „neuen" Harmonie zu spielen (hier: Takt 4 und 6). Dadurch wirkst du beim Improvisieren sehr aktiv, wie ein „Gestalter", der den Akkordwechsel vorwegnimmt. Es entsteht Spannung, die sich nach dem Taktwechsel, wenn der Lick dann zum Akkord „passt", auflöst.

Akkordumgebung Grifftyp G

Auch bei Grifftyp G geht es darum, nur die gebräuchlichsten Varianten kennenzulernen, um den Einstieg in die kreative Beschäftigung mit dem CAGE-Modell möglichst einfach zu gestalten.

Also verzichte ich auf genaue Ausarbeitung der Grifftyp-Varianten g-Moll und G7 sowie der Moll- und Blues-Pentatonik und beginne gleich mit der bei diesem Grifftyp am häufigsten verwendeten Dur-Pentatonik.

Dur-Pentatonik Grifftyp G

Grundton 6. Saite

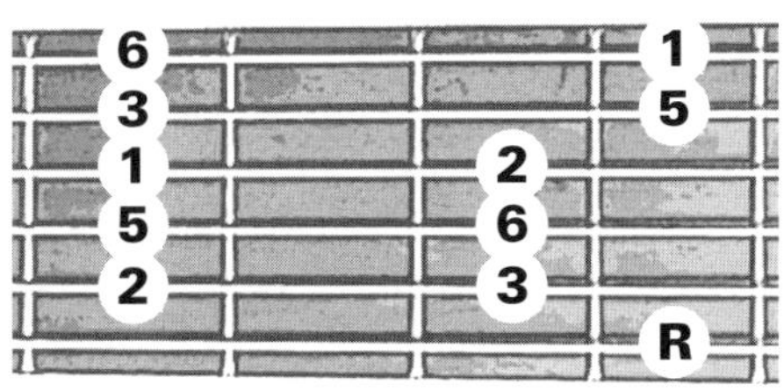

Versuche nun wiederum, die Gestalt des Dur-Akkordes Grifftyp G in dieser Dur-Pentatonik zu sehen:

Grifftyp G-Dur: Dur-Variante von Grifftyp G

Grundton 6. Saite

G

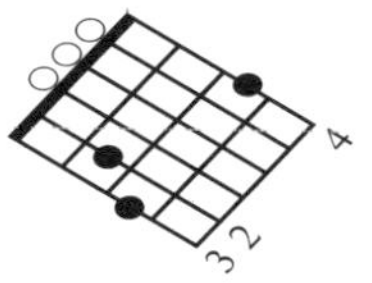

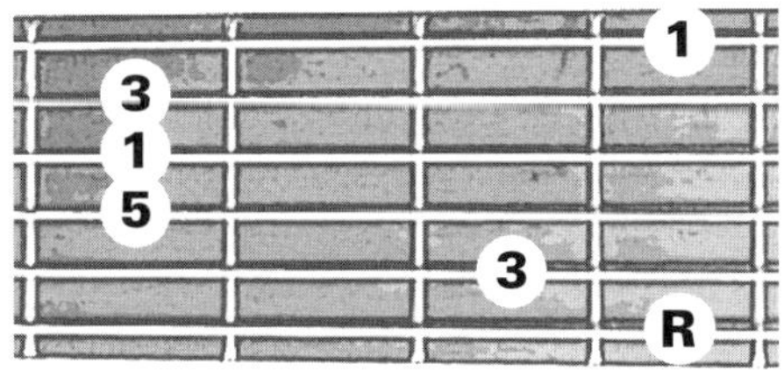

Wir spielen die folgenden Beispiele mit **Grifftyp G**:

Grundton: **VIII. Bund**
Akkord: **C-Dur**
Tonleiter: **C-Dur-Pentatonik**

Play-Along 13
Begleitung in C-Dur für Hörübung und Check-In-Run, Grifftyp G

Hörübung:

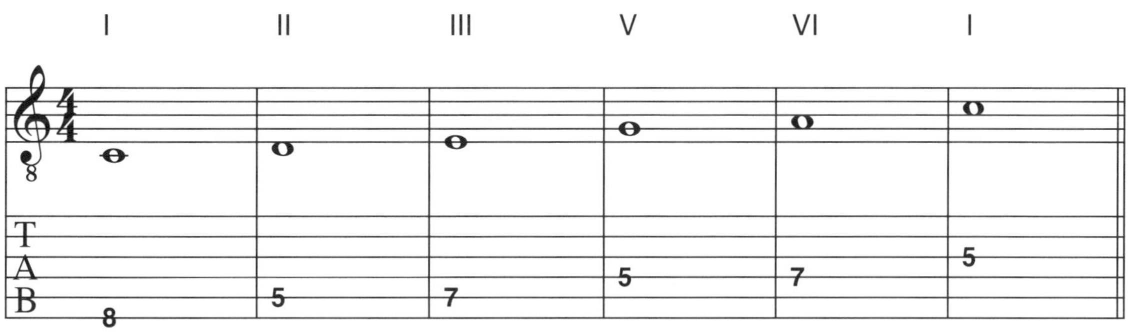

usw.

Check-In-Run:

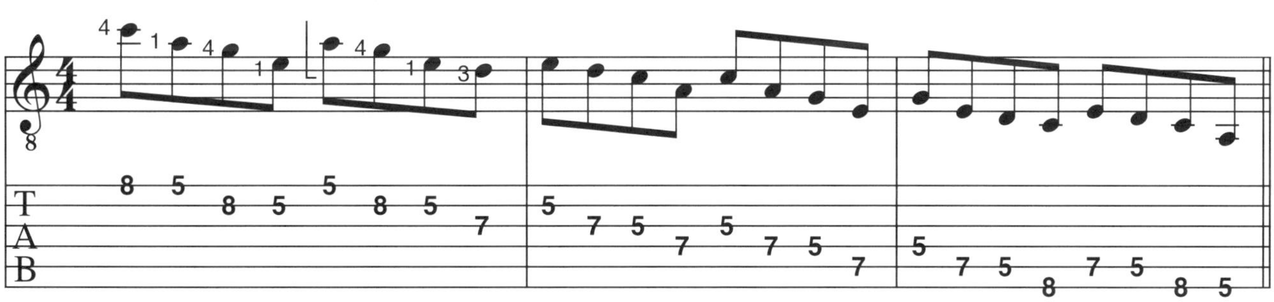

Play-Along 14
Begleitung für die folgenden Improvisationsbeispiele der C-Dur-Pentatonik

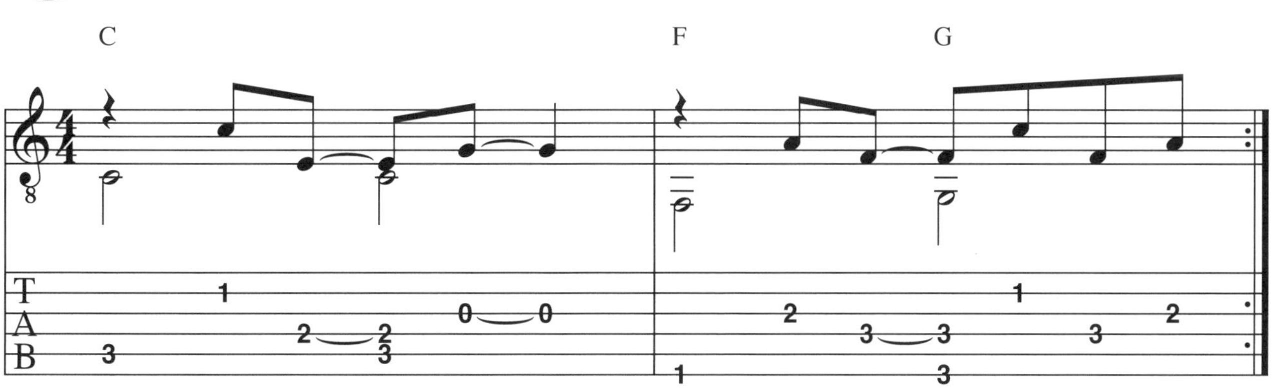

Wieder drei Improvisationsbeispiele, bei denen die Anzahl der Töne und die Phrasierung gleich bleibt und nur die Tonhöhe variiert wird. Grundton C (VIII. Bund).

Lick 14

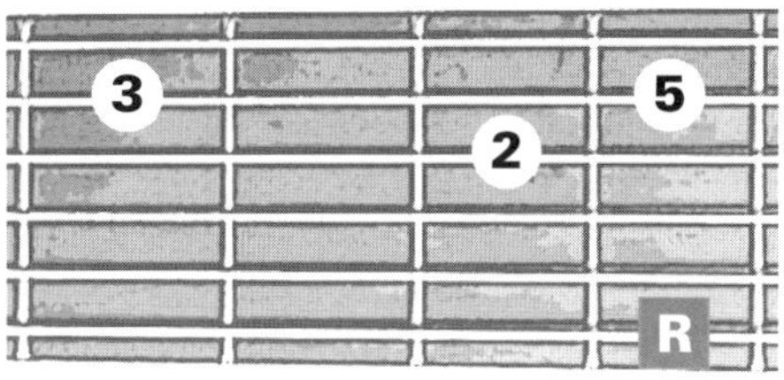

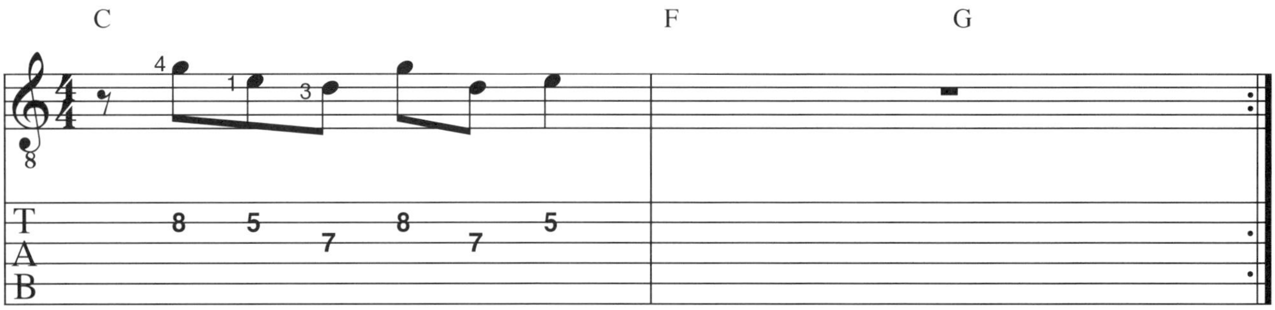

Lick 14a

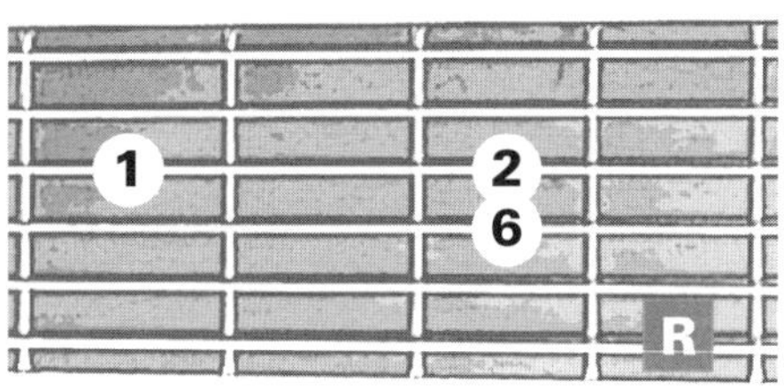

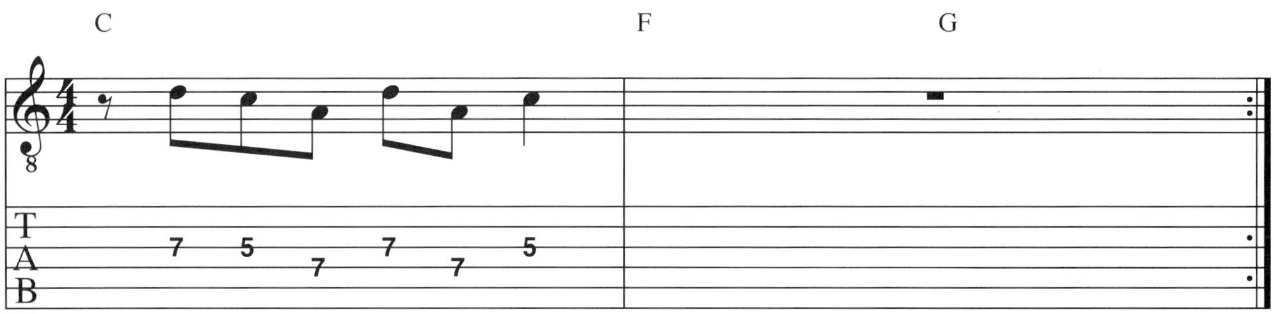

Lick 14b

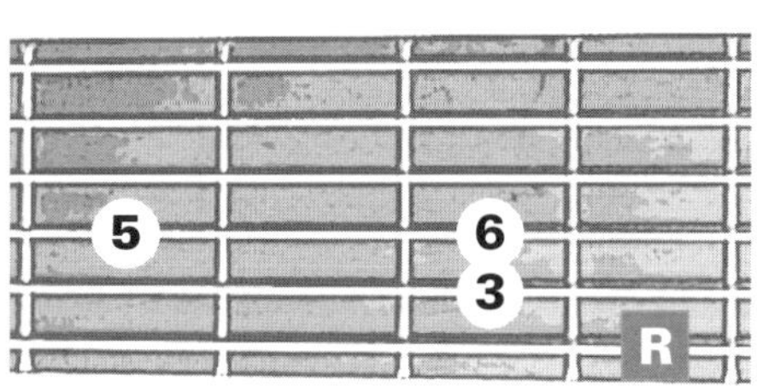

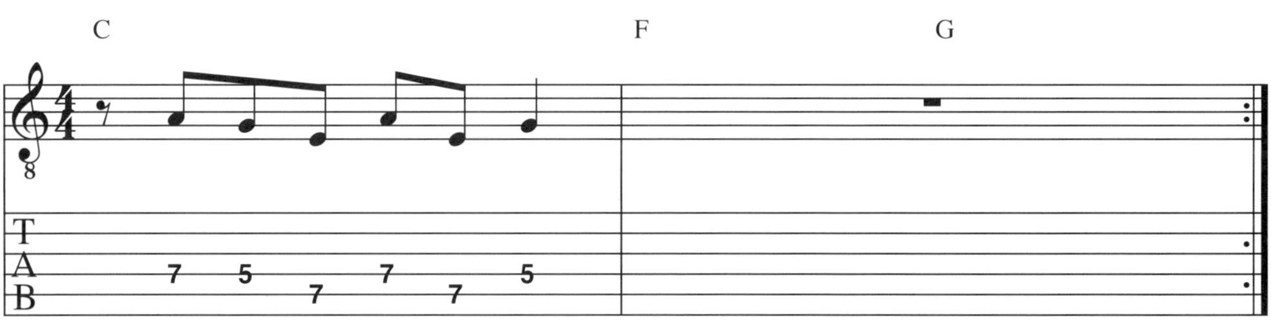

Mix-Pentatonik Grifftyp G

Wie auch bei Grifftyp E mischen wir zu unserer Dur-Pentatonik Grifftyp G Töne der Moll-Pentatonik dazu. So kommen wir zu einer Mix-Pentatonik Grifftyp G mit spannender Färbung.

Bei den nächsten Licks der Mix-Pentatonik beschränken wir uns auf die oberen vier Saiten. Hier ist die Grafik für die Mix-Pentatonik:

Ausgangspunkt Dur-Pentatonik Grifftyp G:

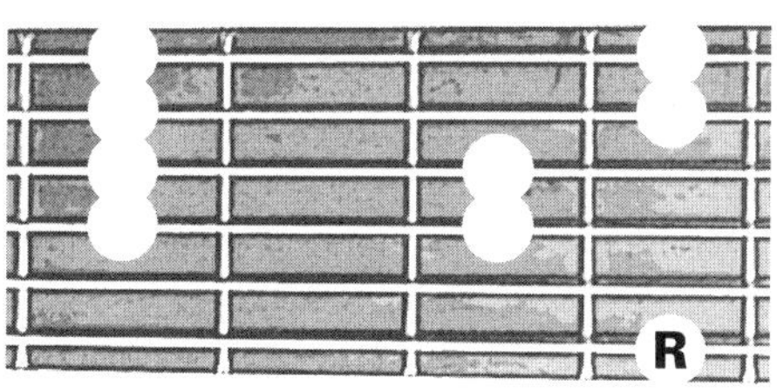

Farbe durch Töne der Moll-Pentatonik Grifftyp G:

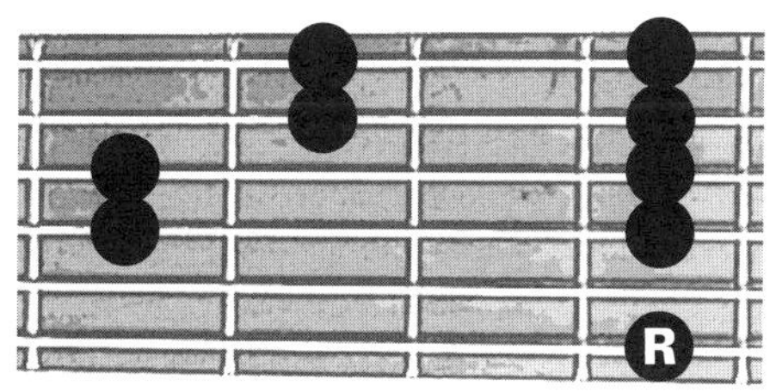

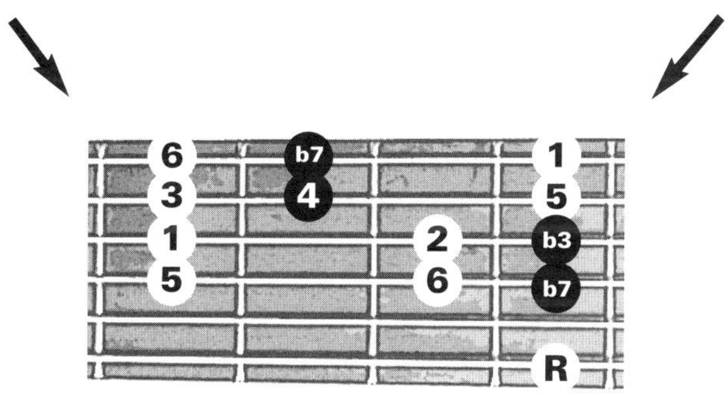

Play-Along 15
Begleitung mit Akkord C7 für die Licks der C-Mix-Pentatonik, Grifftyp G

Wir spielen die folgenden Beispiele mit **Grifftyp G**:

Grundton: **VIII. Bund**
Akkord: **C7** (Play-Along 15)
Tonleiter: **C-Mix-Pentatonik**

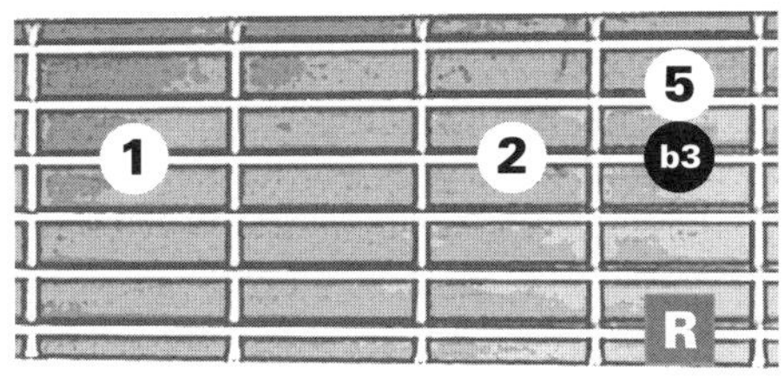

Lick 15 + 15a

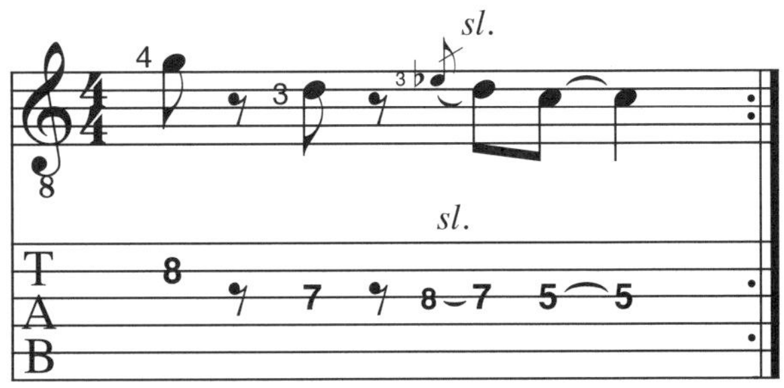

Lick 16

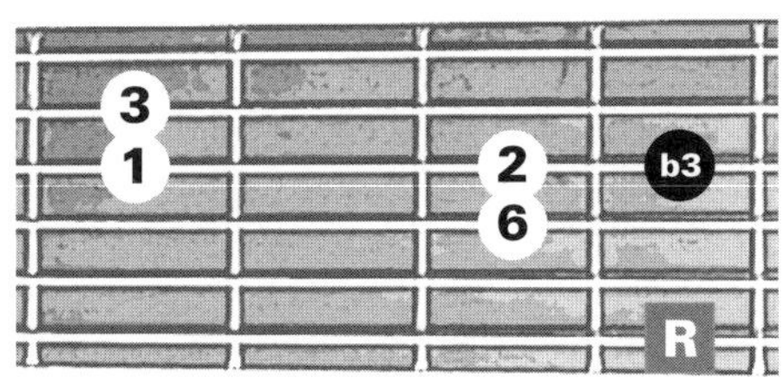

Stil: Country

Lick 17

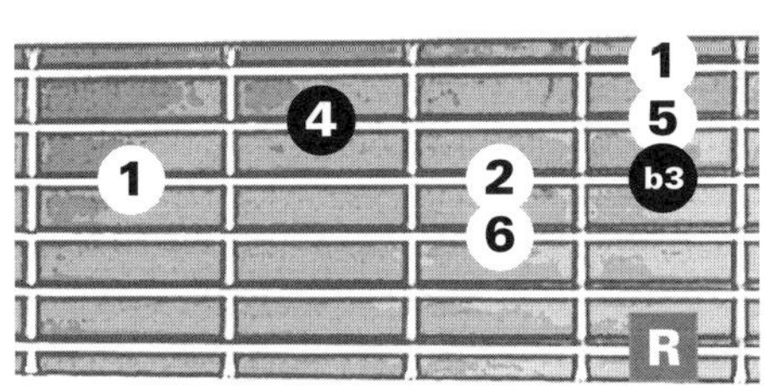

Dieser Lick beginnt mit Moll-Pentatonik und endet mit Tönen der Dur-Pentatonik.

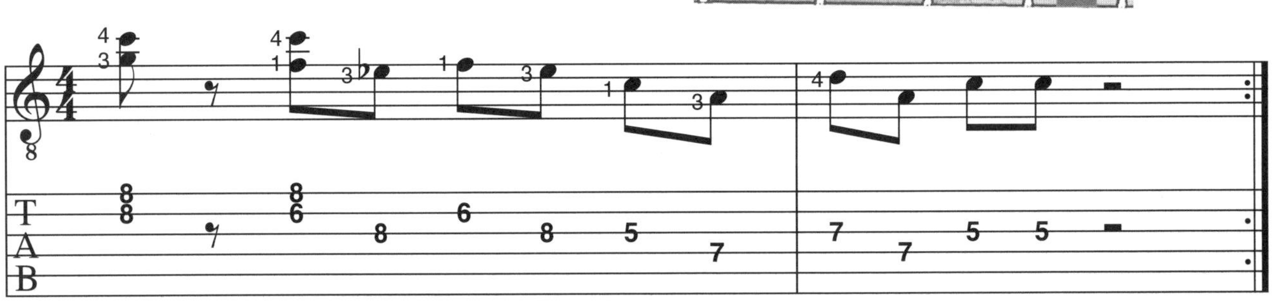

Verbindung der Grifftypen G und E (Grundton 6. Saite)

Einer der großen Vorteile dieser Verbindung ist die Tatsache, dass beide Akkorde der Grifftypen G und E denselben Grundton auf der 6. Saite haben.

Fassen wir beide Akkordumgebungen zusammen, haben wir den Überblick über ein großes, sieben Bünde umfassendes „Gebiet" am Griffbrett, das wir einem Grundton zuordnen können.

Grifftyp G **Grifftyp E**

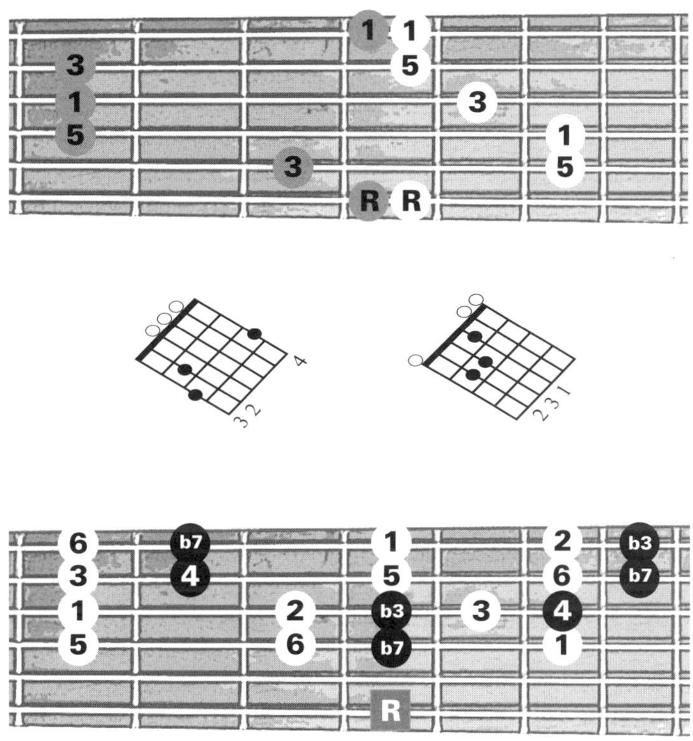

„links" **Grundton** **„rechts"**

Wichtig: Die „weißen" Töne der Dur-Pentatonik bleiben im Mittelpunkt dieser Grafik.
Vom Grundton R aus **links** sehen wir die Dur-Pentatonik von Grifftyp G, **rechts** die Dur-Pentatonik von Grifftyp E.

Die schwarzen Punkte für die Töne der Moll-Pentatonik sind zusätzliches „Material", um den Klang interessanter zu machen.

Die folgenden Licks geben dir Ideen, wie du diese beiden Umgebungen links und rechts des Grundtons verbinden kannst.

Wir spielen das folgende Beispiel mit **Grifftyp G ➞ E ➞ G**:

Grundton: **VIII. Bund**
Akkord: **C7** (Play-Along 15)
Tonleiter: **C-Dur-Pentatonik**

Lick 18

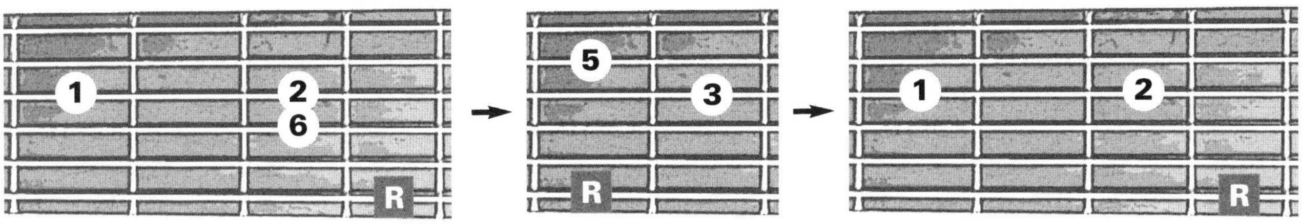

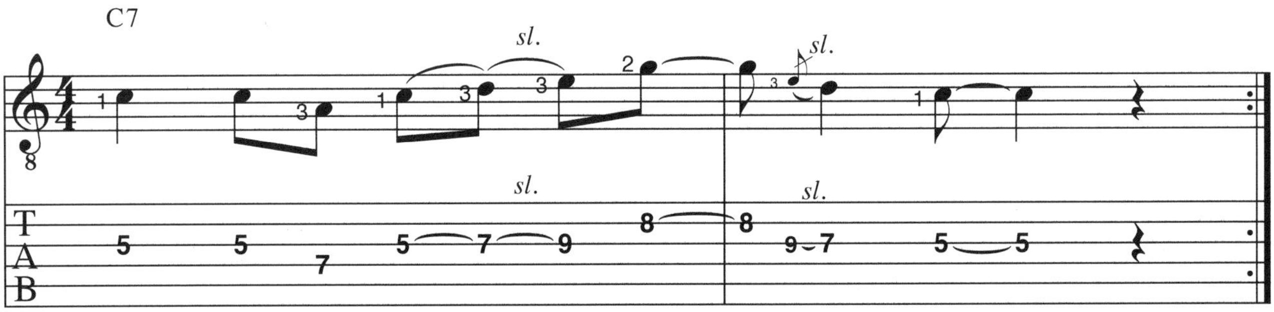

Wie du bemerkt hast, haben wir mit Hilfe eines Slide einen kurzen Ausflug in den Grifftyp E gemacht, kehren dann auf die gleiche Art wieder zurück.

Wir spielen das folgende Beispiel mit **Grifftyp G ➞ E**:

Grundton: **VIII. Bund**
Akkord: **C7** (Play-Along 15)
Tonleiter: **C-Dur-Pentatonik**

Lick 19

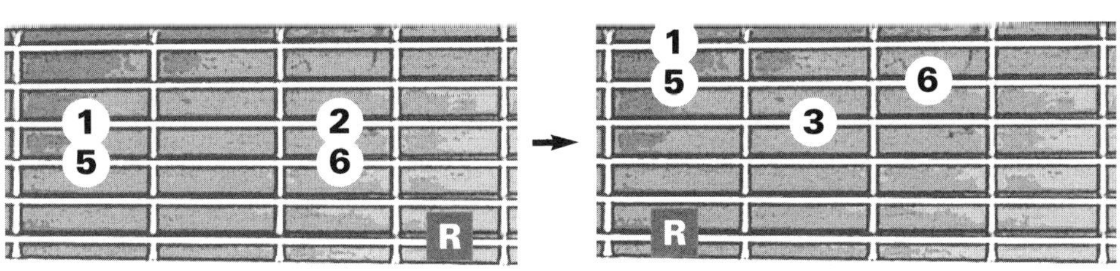

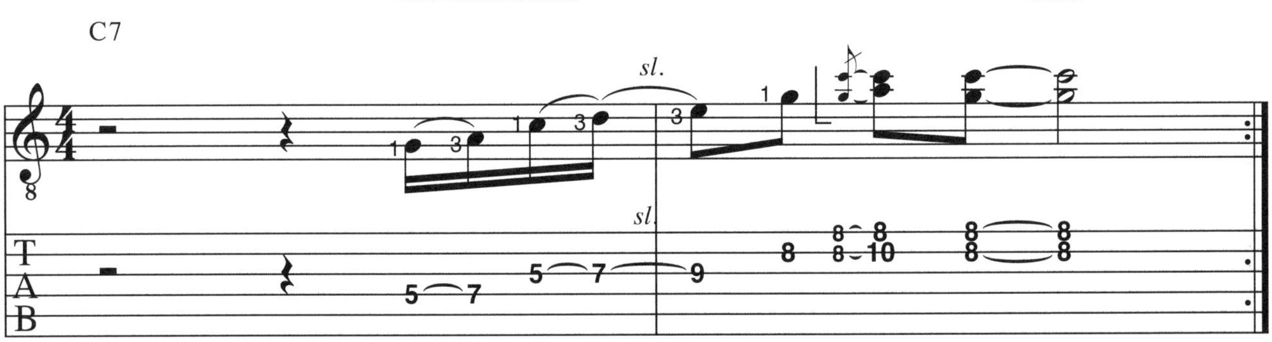

Eigentlich müssen wir aber keine neuen Licks für unsere Wechsel zwischen den Grifftypen lernen, sondern können bereits bekannte Licks verwenden.
Die zwei großen Bögen im folgenden Beispiel zeigen die beiden Phrasen an:

Hörbeispiel 4
Höre dir Hörbeispiel 4 an, übe die folgenden vier Takte aber mit Play-Along 15.

Wir spielen das folgende Beispiel mit **Grifftyp E → G → E**:

Grundton: **VIII. Bund**
Akkord: **C7** (Play-Along 15)
Tonleiter: **C-Dur-Pentatonik**

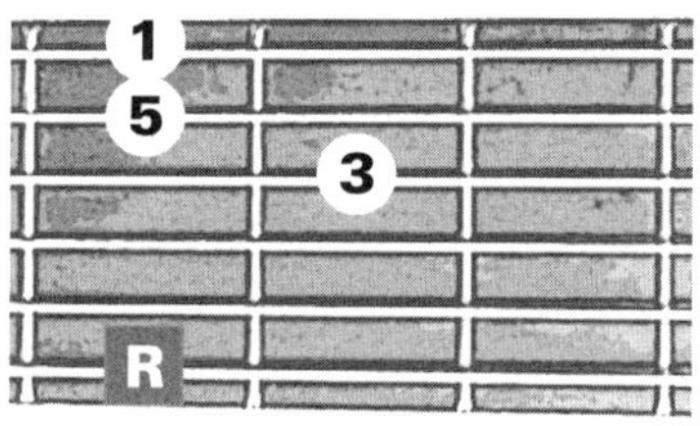

Lick 7 variiert
Grifftyp E VIII. Bund

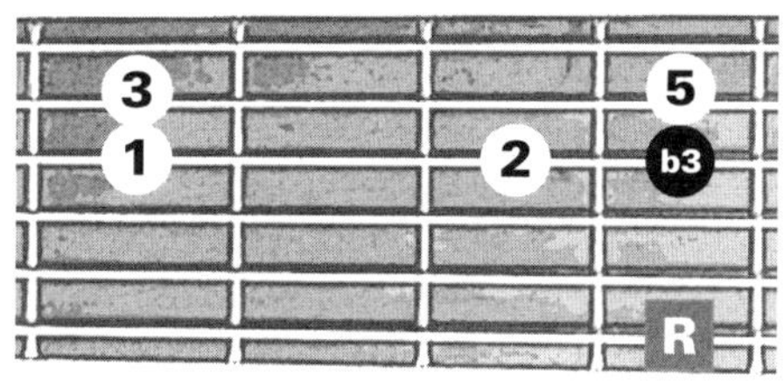

Lick 15a
Grifftyp G VIII. Bund

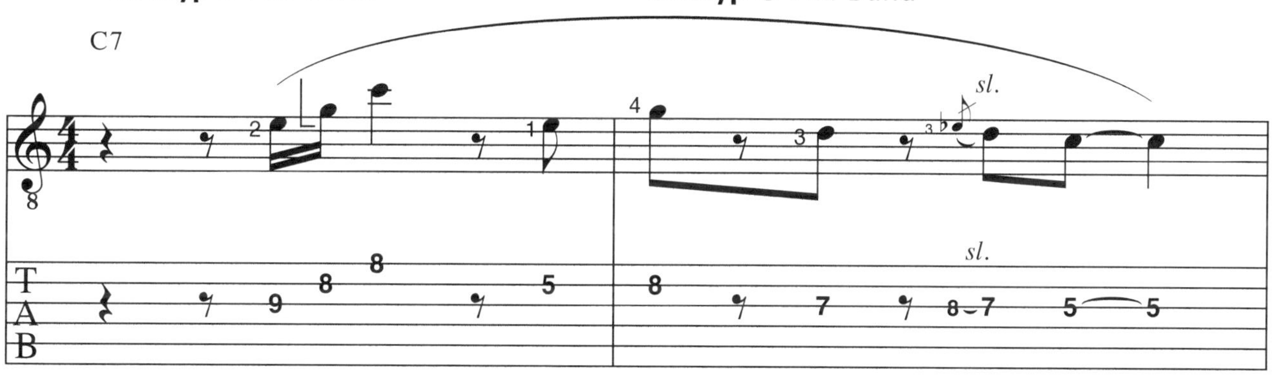

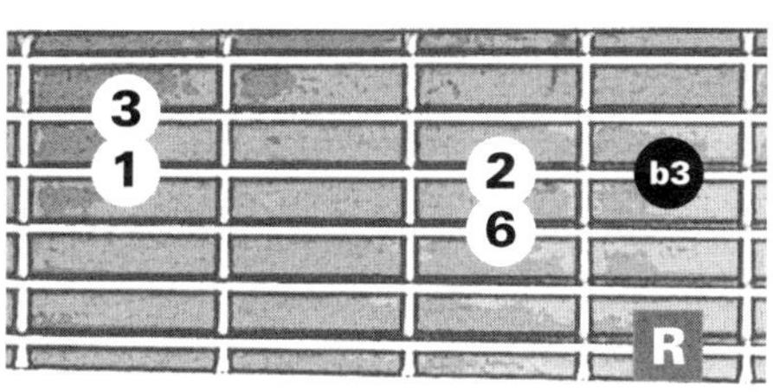

Lick 16
Grifftyp G VIII. Bund

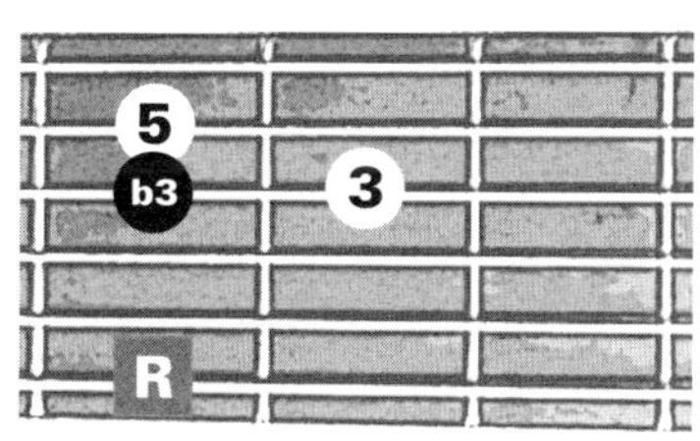

Lick 7a
Grifftyp E VIII. Bund

Hörbeispiel 5
Höre dir Hörbeispiel 5 an, übe die folgenden vier Takte aber mit Play-Along 11.

Noch ein abschließendes Beispiel für die Verbindung der Grifftypen G und E:
Hier spielen wir noch einmal beide Phrasen von Hörbeispiel 4, aber diesmal **mit** Akkordwechsel über „(Sittin' On) the Dock Of The Bay".

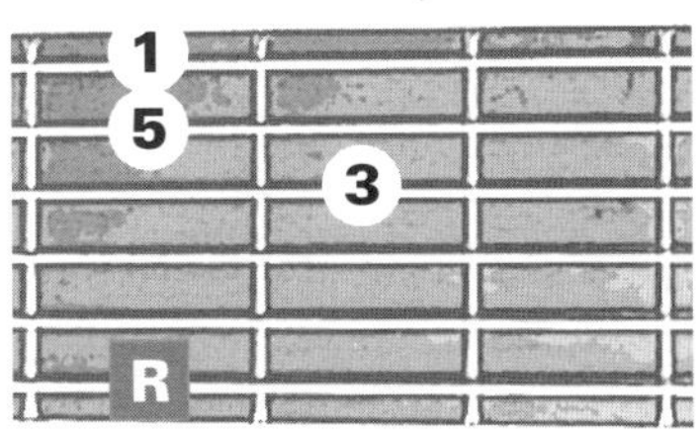

Lick 7 variiert
Grifftyp E III. Bund

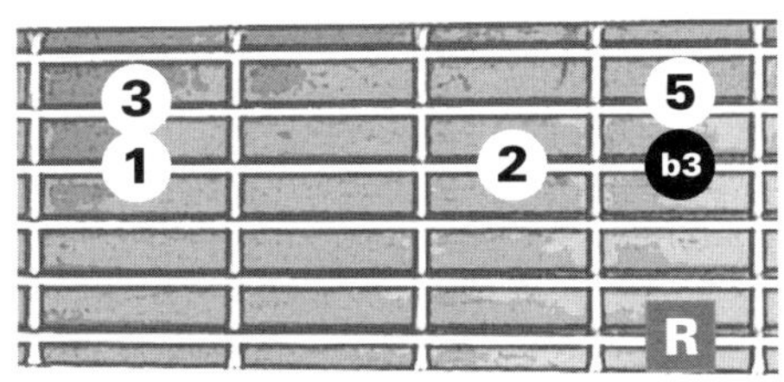

Lick 15a
Grifftyp G, Grundton VII. Bund

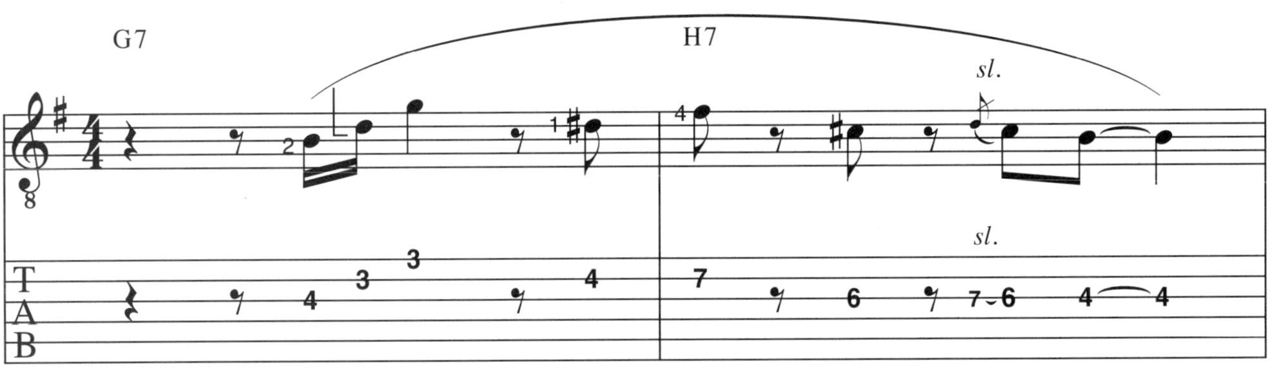

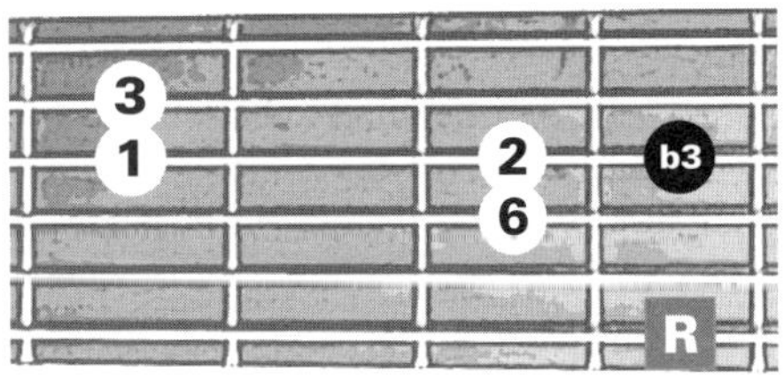

Lick 16
Grifftyp G, Grundton VIII. Bund

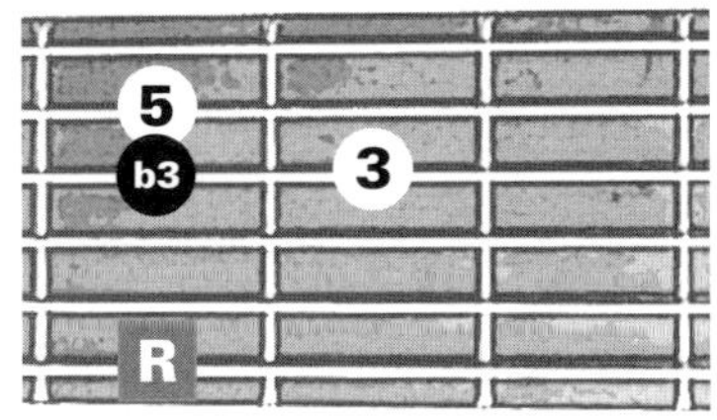

Lick 7a
Grifftyp E, Grundton V. Bund

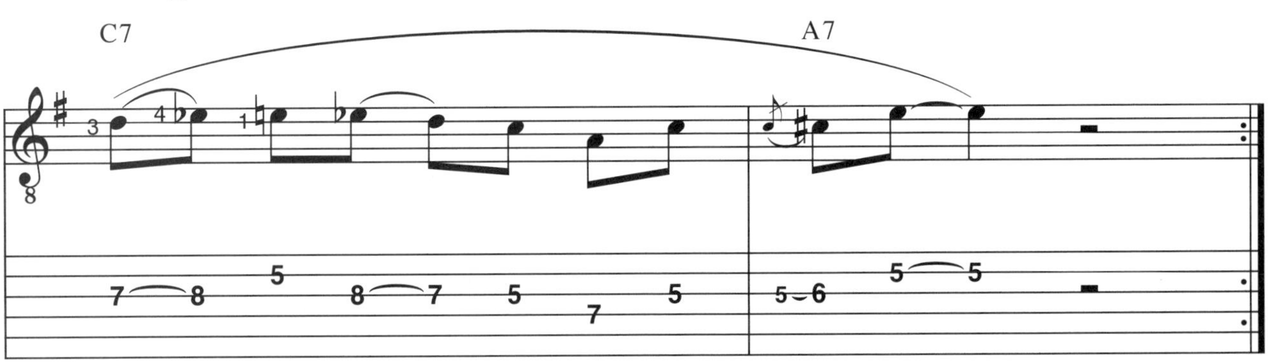

ACOUSTIC POP GUITAR - SONGBEISPIELE, Teil 1

An dieser Stelle folgt ein Übungsteil zum Abschluss der Arbeit mit den Grifftypen E und G. Ich habe drei für Popsongs typische Akkordfolgen ausgewählt und zu jedem ein Solo aufgenommen und aufgeschrieben.
Diese drei Solos bauen auf den gelernten Grifftypen und Pentatoniken auf.

1.) Akkordfolge D - Em - G - A

z. B. wie Takt 1-2 von „Love Is All Around“ (aus APG Solos Band 1)

Verwendete Töne:

Dur-Pentatonik:

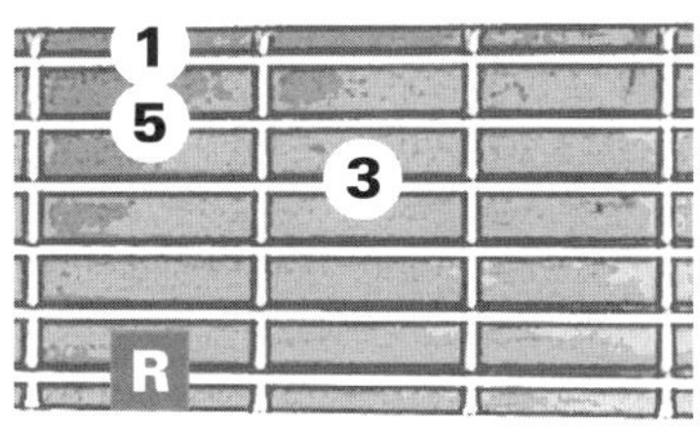

Moll-Pentatonik:

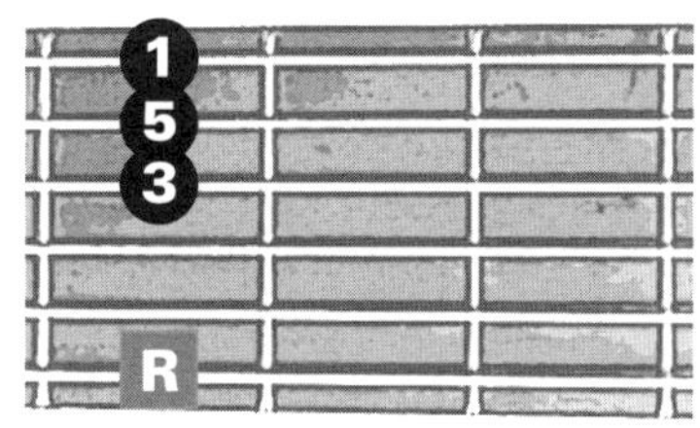

Hörbeispiel 6
Höre dir Hörbeispiel 6 an, übe die folgenden vier Takte aber mit Play-Along 16.

Grifftyp: **E** Grundton: **X. Bund** Tonleiter: **Dur-Pentatonik**	Grifftyp: **E** Grundton: **XII. Bund** Tonleiter: **Moll-Pentatonik**	Grifftyp: **E** Grundton: **III. Bund** Tonleiter: **Dur-Pentatonik**	Grifftyp: **E** Grundton: **V. Bund** Tonleiter: **Dur-Pentatonik**

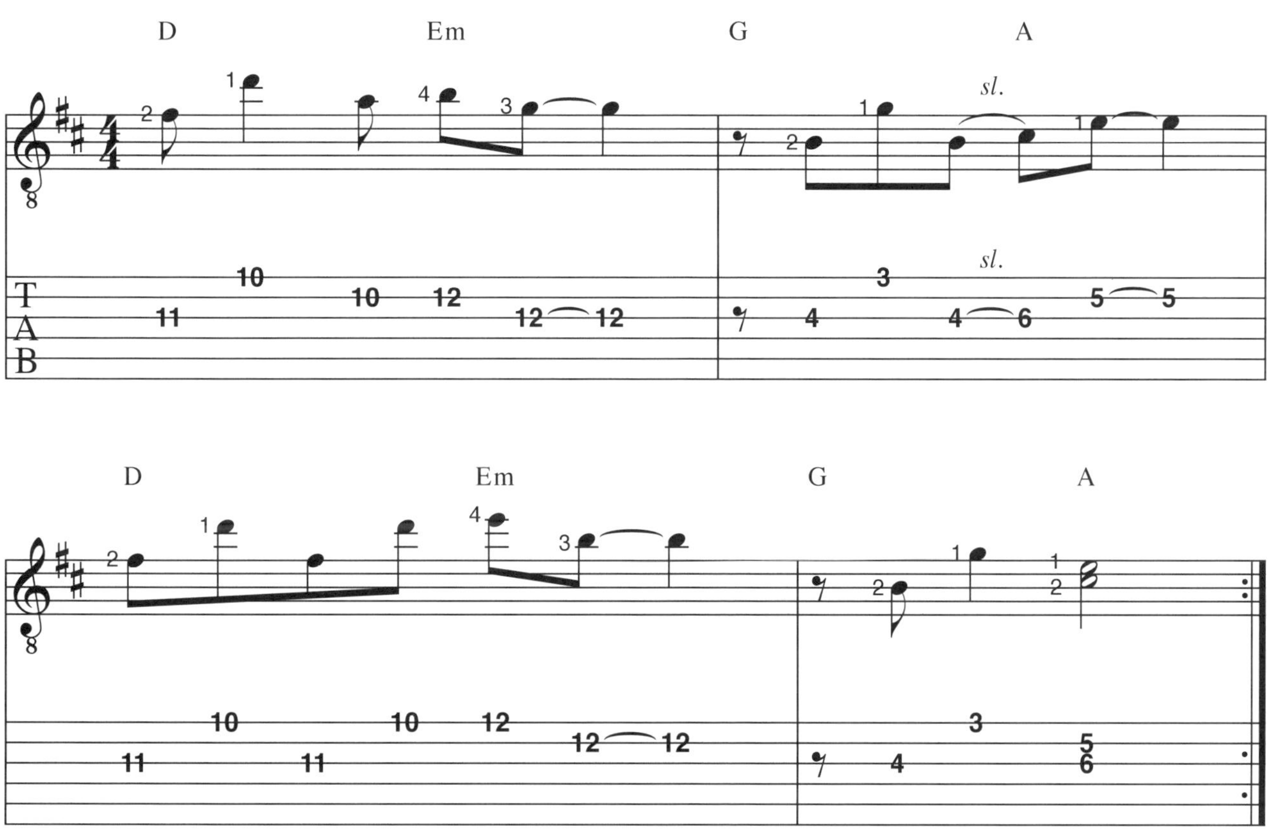

2.) Akkordfolge G - Em - C - D

z. B. wie Takt 1-8 von „Every Breath You Take“ (aus APG Solos Band 1)

Hörbeispiel 7
Höre dir Hörbeispiel 7 an, übe die folgenden vier Takte aber mit Play-Along 17.

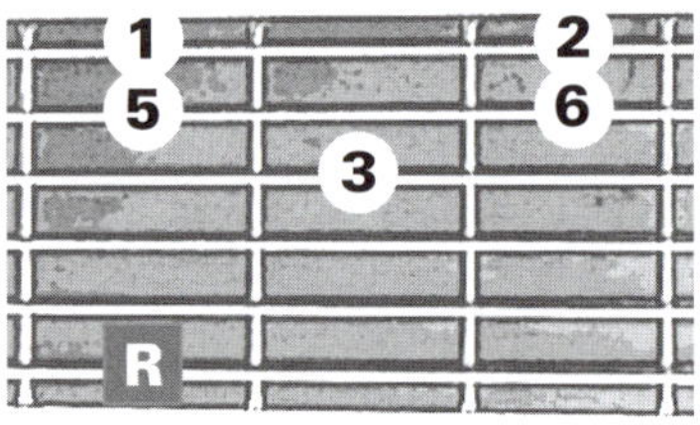

Grifftyp: **E**
Grundton: **III. Bund**
Tonleiter: **Dur-Pentatonik**

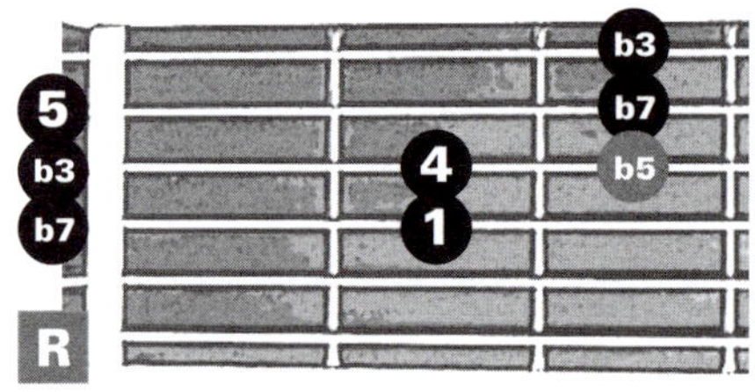

Grifftyp: **E(m)**
Grundton: **Leere Saite**
Tonleiter: **Blues-Pentatonik**

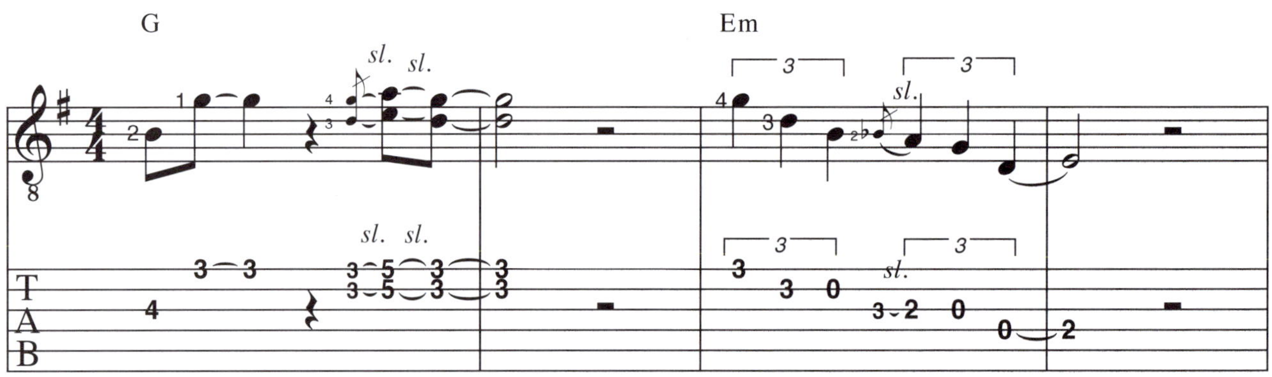

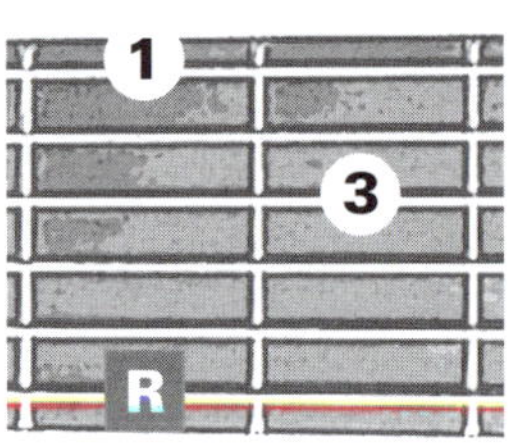

Grifftyp: **E**
Grundton: **VIII. Bund**
Tonleiter: **Dur-Pentatonik**

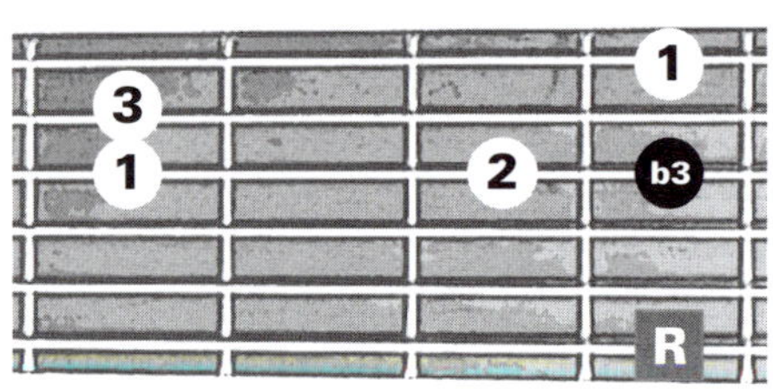

Grifftyp: **G**
Grundton: **X. Bund**
Tonleiter: **Mix-Pentatonik**

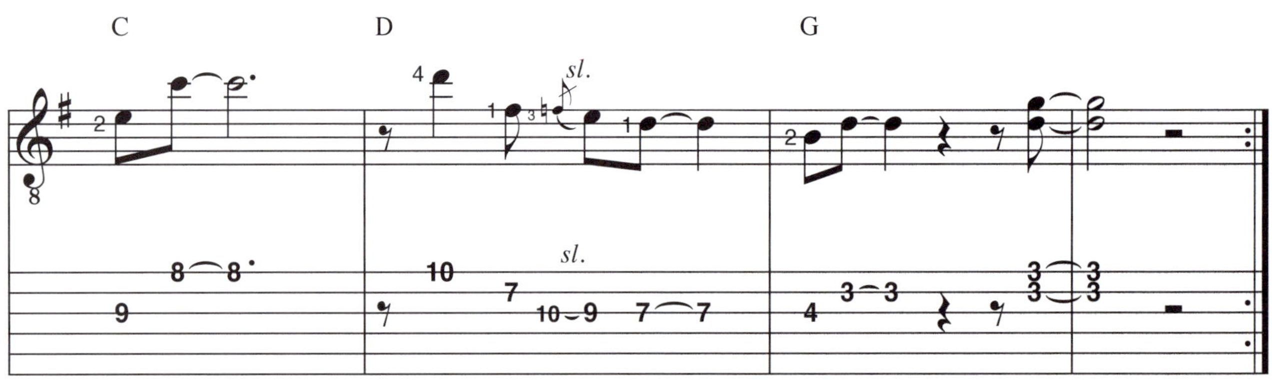

3.) Akkordfolge C - G - Am - F

z. B. wie Vers, Takt 1-4 von „Let It Be“ (aus APG Solos Band 1)

Hörbeispiel 8
Höre dir Hörbeispiel 8 an, übe die folgenden vier Takte aber mit Play-Along 18.

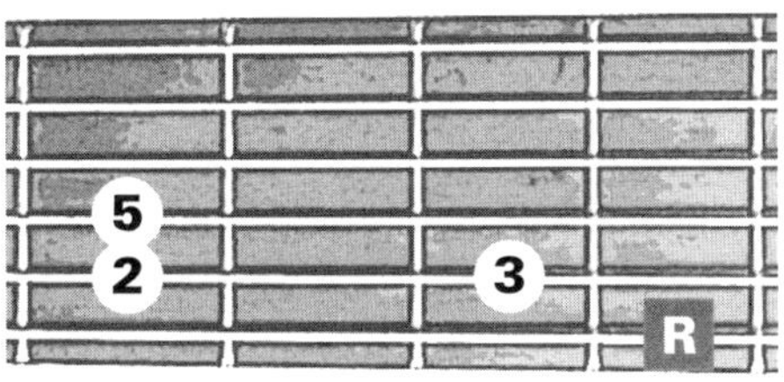

Grifftyp: **G**
Grundton: **VIII. Bund**
Tonleiter: **Dur-Pentatonik**

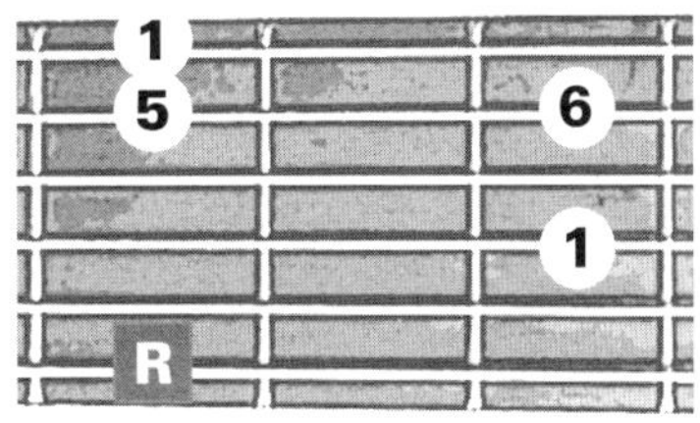

Grifftyp: **E**
Grundton: **III. Bund**
Tonleiter: **Dur-Pentatonik**

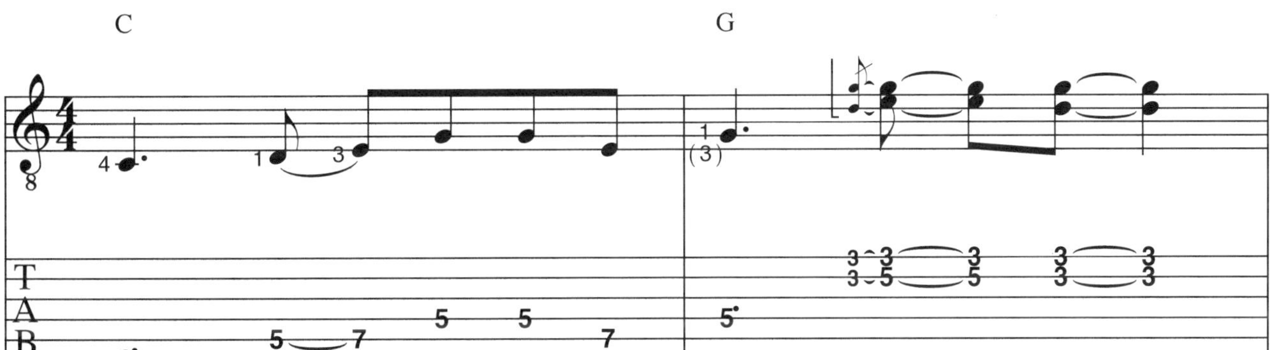

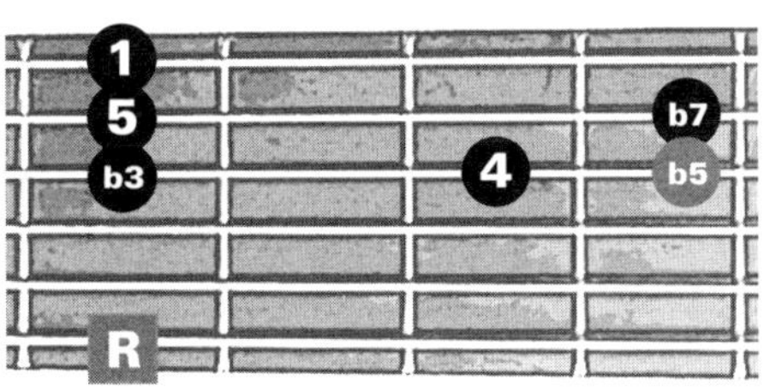

Grifftyp: **E**
Grundton: **V. Bund**
Tonleiter: **Blues-Pentatonik**

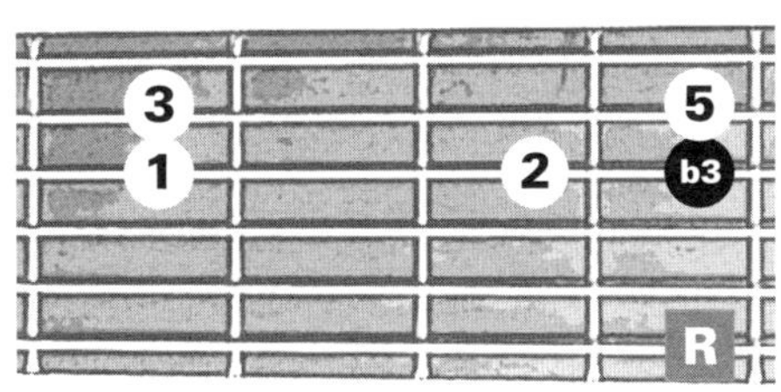

Grifftyp: **G**
Grundton: **XIII. Bund**
Tonleiter: **Mix-Pentatonik**

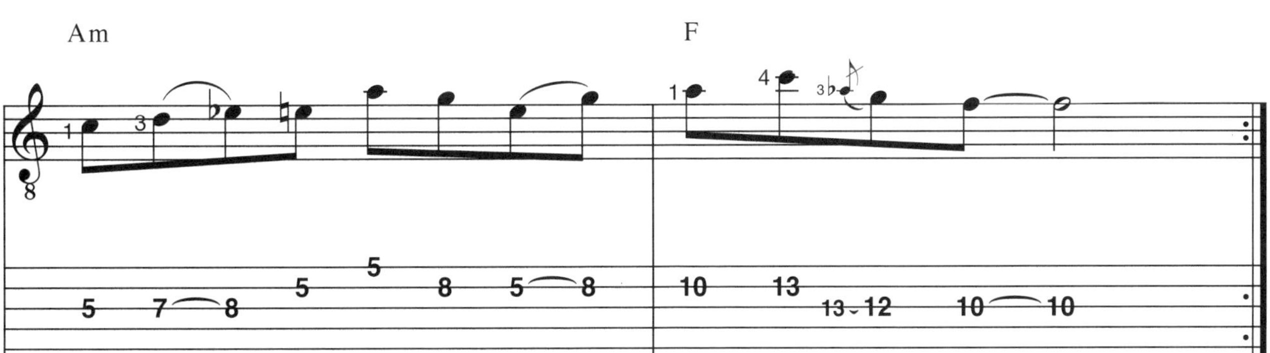

Play-Along 16
Begleitpattern für Hörbeispiel 6

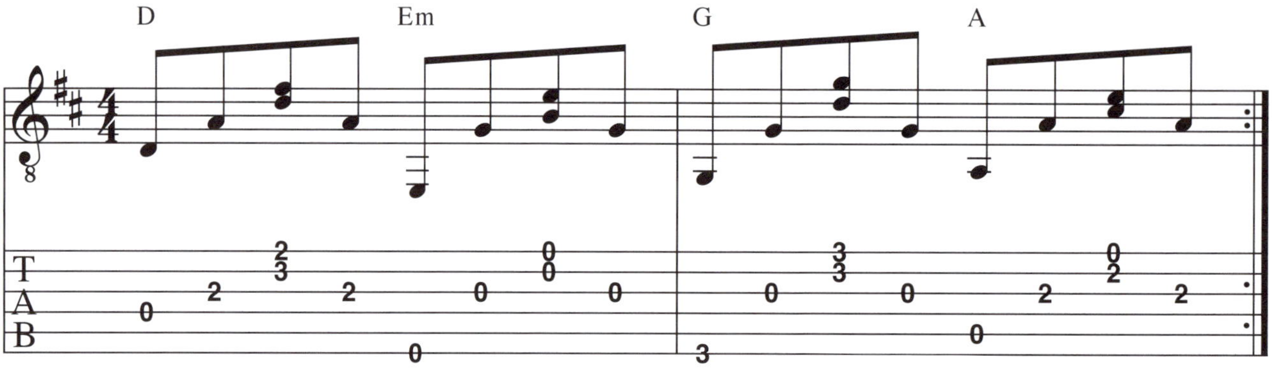

Play-Along 17
Begleitpattern für Hörbeispiel 7

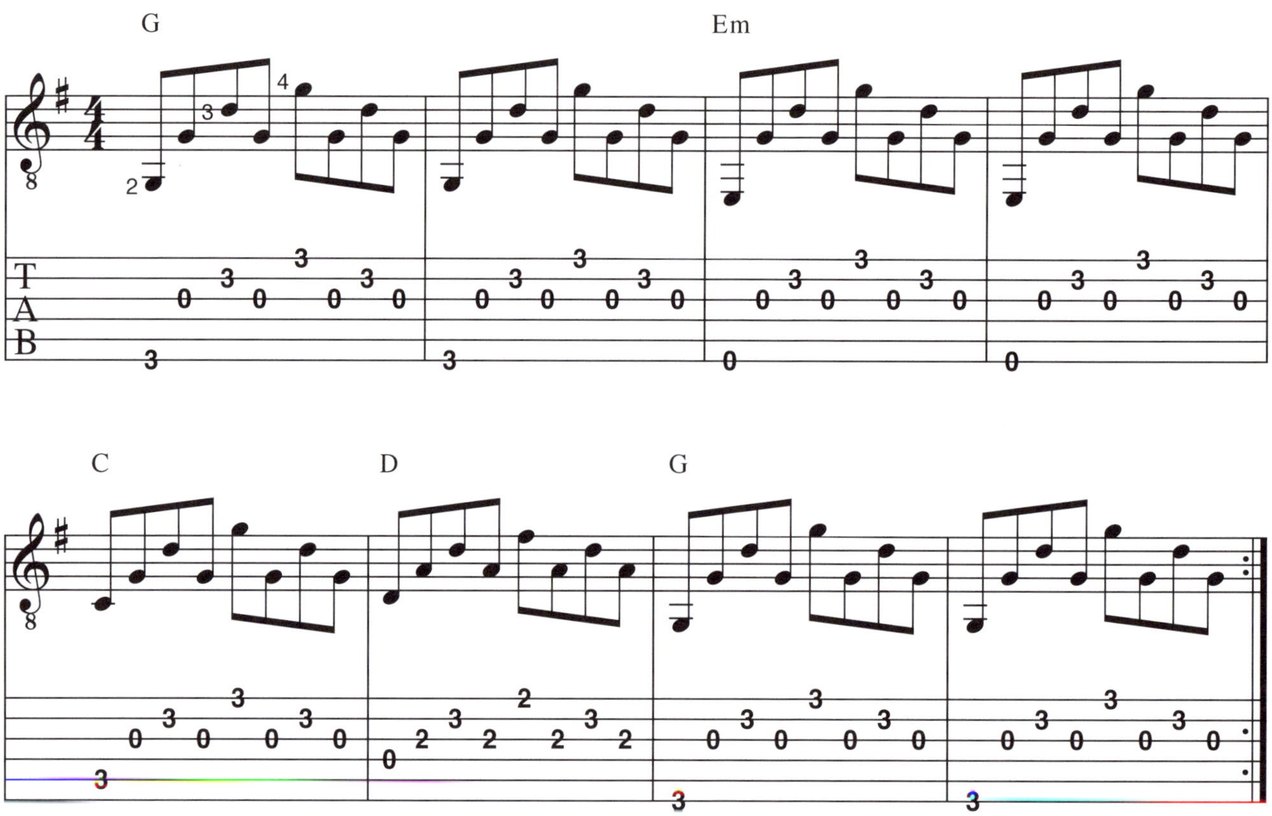

Play-Along 18
Begleitpattern für Hörbeispiel 8

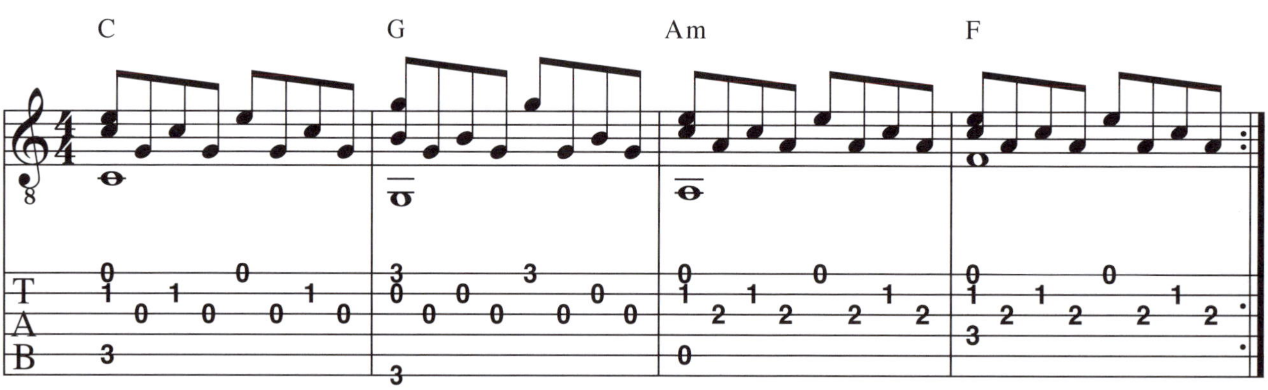

Akkordumgebung Grifftyp A

Wenn wir das CAGE-System in zwei Teile gliedern, beginnt der zweite Teil mit dem Grundton auf der 5. Saite, zunächst mit dem Grifftyp A, später mit Grifftyp C.
Wir brauchen nun etwas Geduld für das Erlernen der neuen Akkordumgebung, werden aber mit vielen neuen Möglichkeiten belohnt.

Moll-Pentatonik Grifftyp A

Grundton 5. Saite

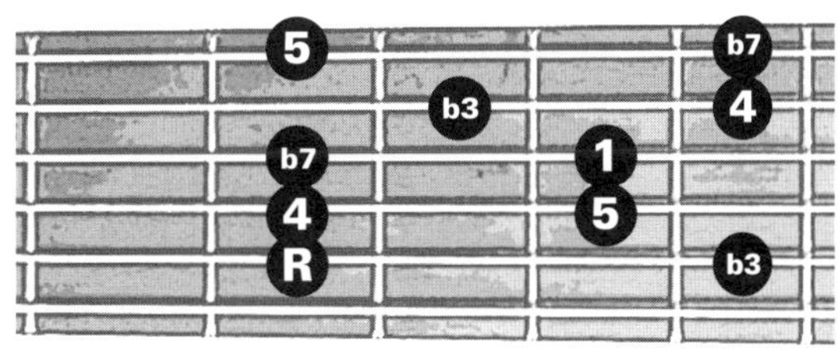

Jetzt ist es die Gestalt der Moll-Variante von Grifftyp A, die wir mit dieser Moll-Pentatonik zu verbinden versuchen:

Grifftyp a-Moll: Moll-Variante von Grifftyp A

Am

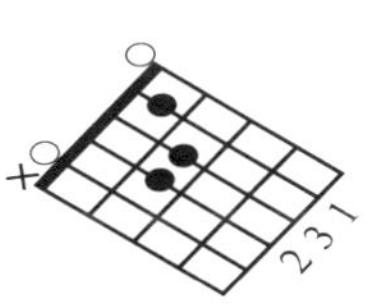

Grundton 5. Saite

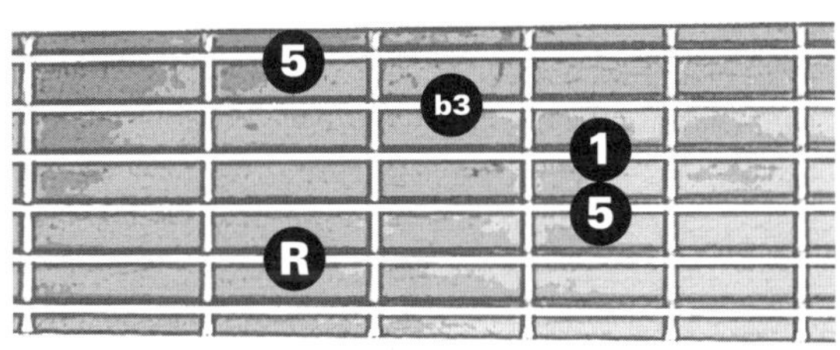

Wir spielen die folgenden Beispiele mit **Grifftyp A**:

Grundton: **V. Bund**
Akkord: **d-Moll**
Tonleiter: **d-Moll-Pentatonik**

Play-Along 19
Begleitung für Hörbeispiel, Check-In-Run und Lick 20
der d-Moll-Pentatonik

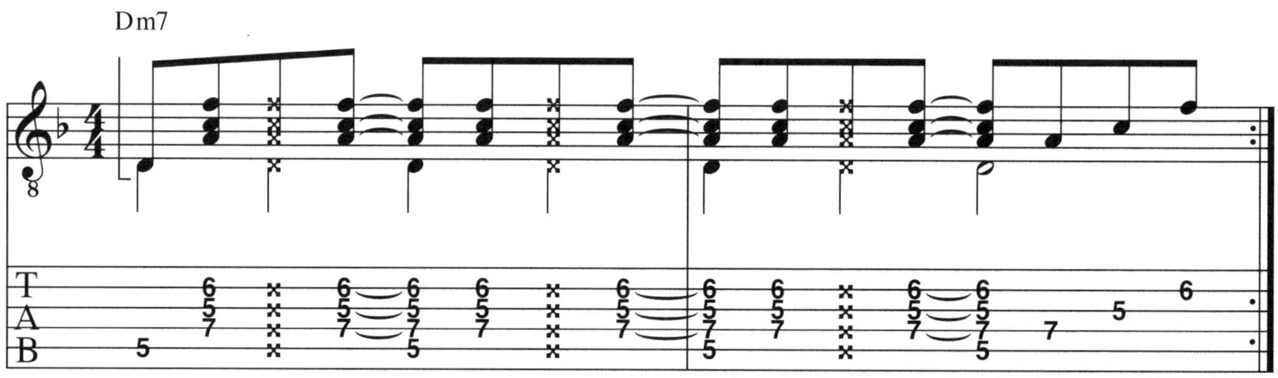

Hörübung:

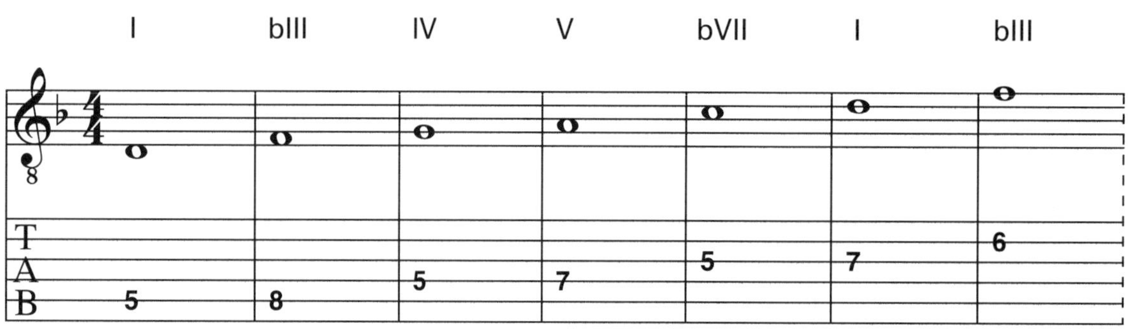

usw.

Check-In-Run:

In den folgenden drei Improvisationsbeispielen können wir die d-Moll-Pentatonik üben.
Es variiert nur die Tonhöhe.

Wir spielen die folgenden Beispiele mit **Grifftyp A, Moll-Variante**:

Grundton: **V. Bund**
Akkord: **Dm7** (Play-Along 19)
Tonleiter: **d-Moll-Pentatonik**

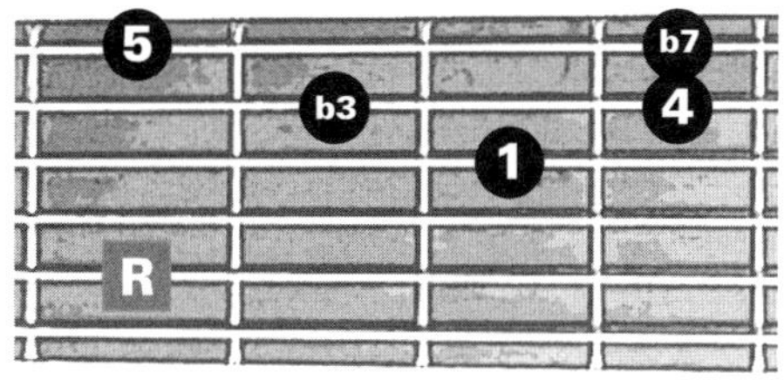

Lick 20

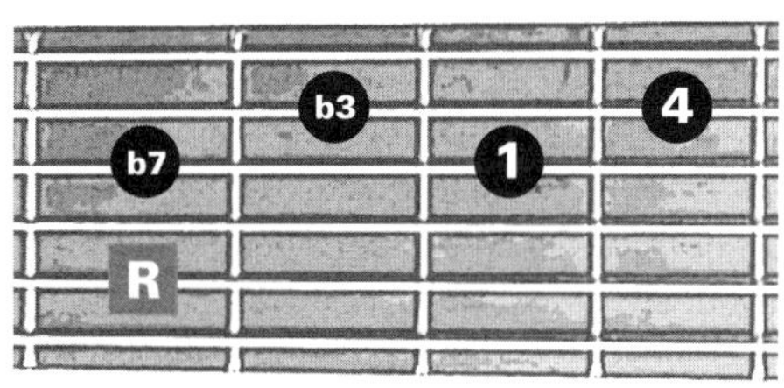

Lick 20a

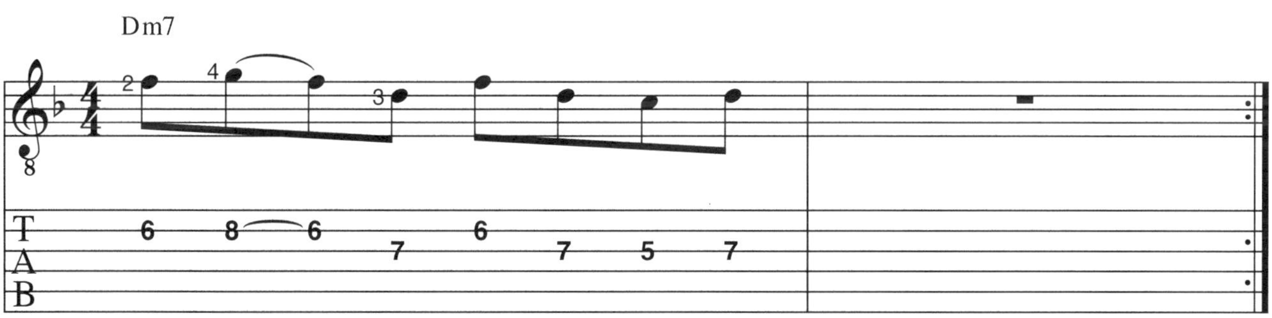

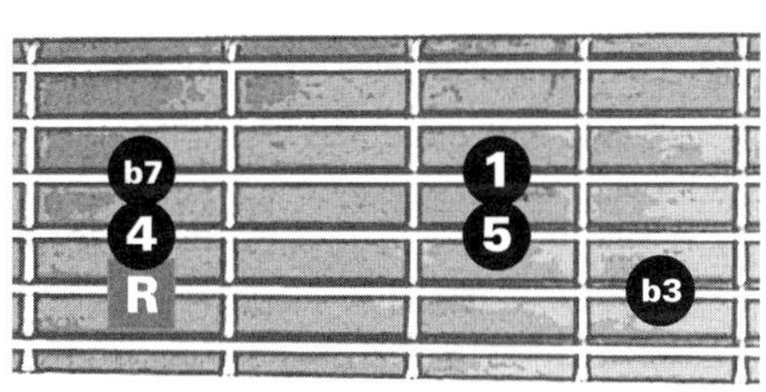

Lick 20b

Blues-Pentatonik Grifftyp A:

Grundton 5. Saite

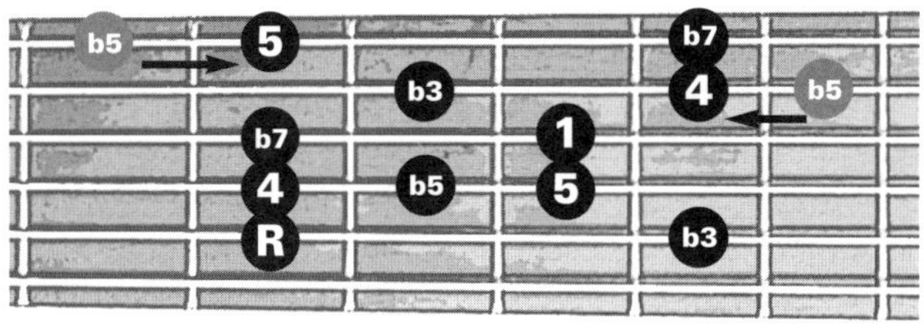

Blues-Pentatonik = Moll-Pentatonik + b5

Für die b5 im höheren Bereich der Blues-Pentatonik Grifftyp A gibt es zwei Möglichkeiten: Man kann sie auf der 1. oder auf der 2. Saite spielen. Meistens ist entscheidend, welche Note nachher gespielt werden soll. Das wird in der Grafik durch Pfeile verdeutlicht.

Versuche nun und in den folgenden Beispielen in dieser Blues-Pentatonik die Gestalt des Moll-Akkordes Grifftyp A zu sehen:

Grifftyp a-Moll: Moll-Variante von Grifftyp A

Am

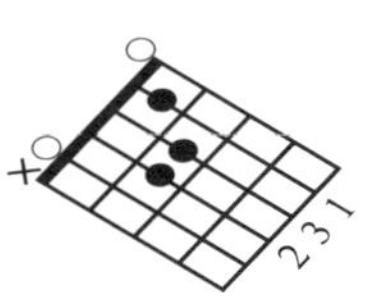

Grundton 5. Saite

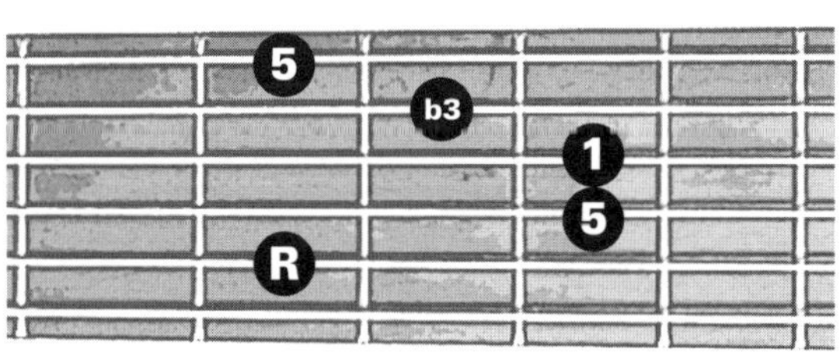

Wir spielen die folgenden Beispiele mit **Grifftyp A:**

Grundton: **VII. Bund**
Akkord: **e-Moll**
Tonleiter: **E-Blues-Pentatonik**

Play-Along 20
Begleitung für Hörbeispiel und Check-In-Run
der E-Blues-Pentatonik, Grifftyp A

Hörübung:

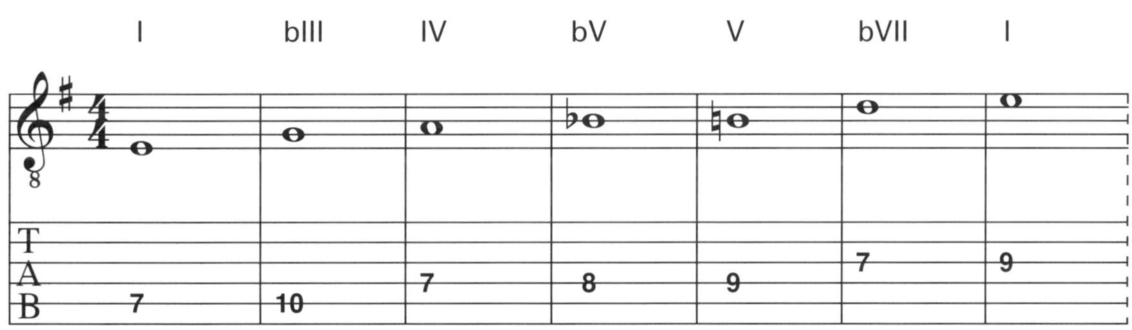

usw.

Check-In-Run:

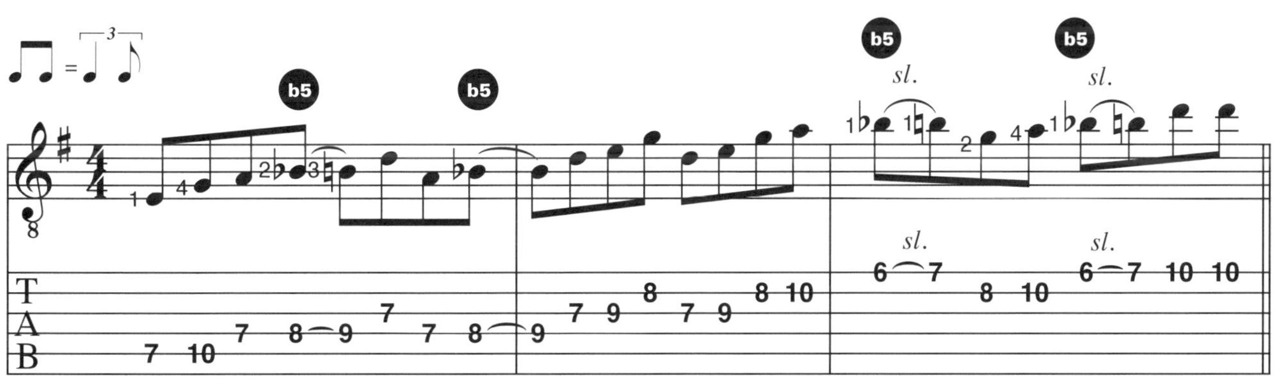

Play-Along 21
Begleitung für die folgenden Improvisationsbeispiele der E-Blues-Pentatonik

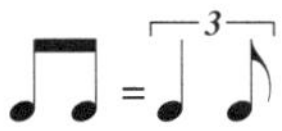

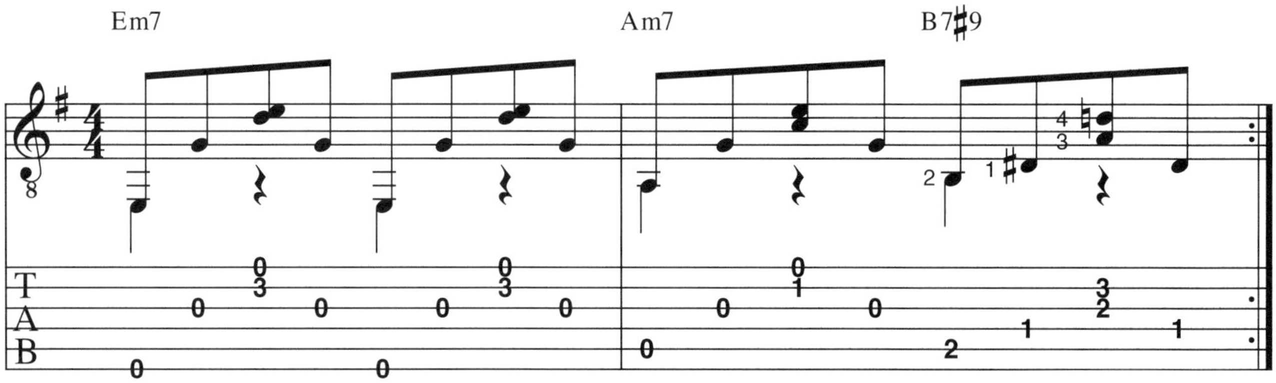

Wir spielen die folgenden Beispiele mit **Grifftyp A**:

Grundton: **VII. Bund**
Akkord: **Em7** (Play-Along 21)
Tonleiter: **E-Blues-Pentatonik**

Lick 21

Dieser Double-Stop-Lick im Terz-Abstand kann auch auf anderen Saitenpaaren gespielt werden.

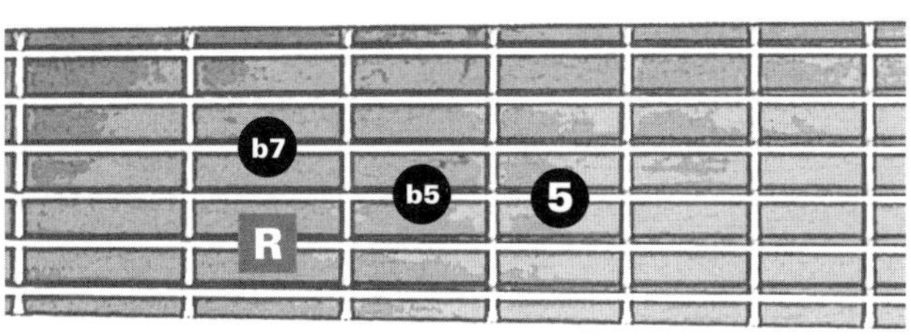

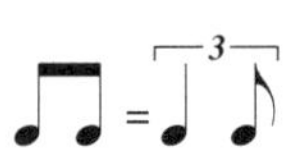

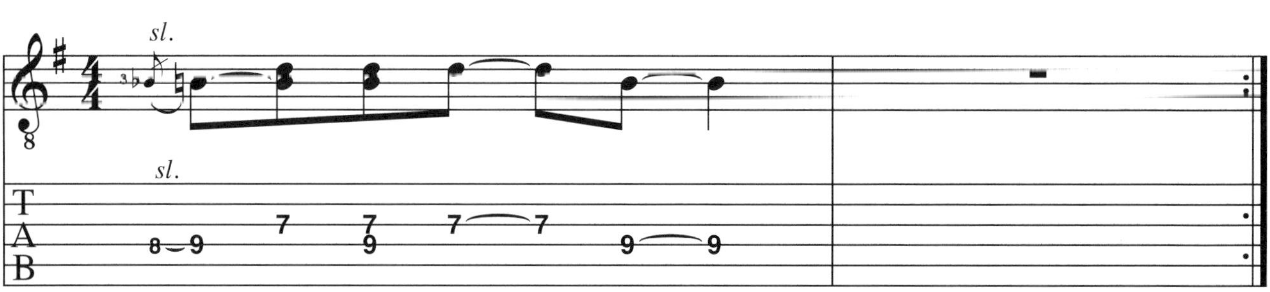

Lick 22

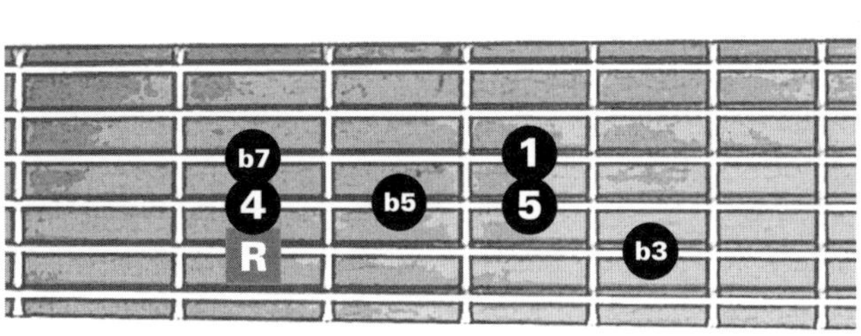

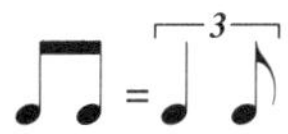

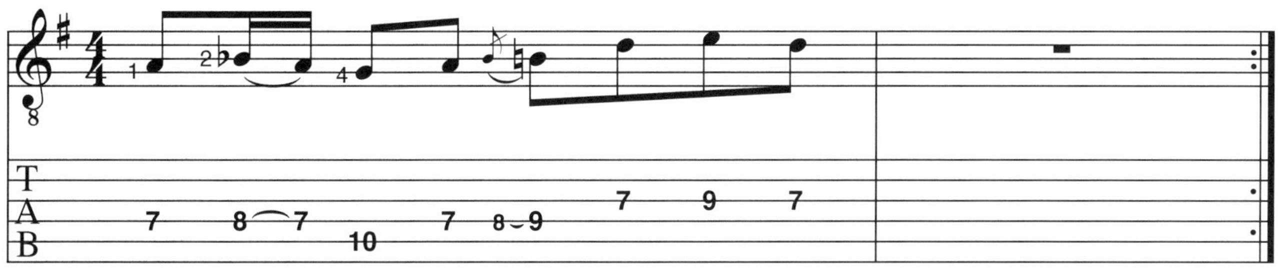

Lick 23

Ein Slide, zwei unterschiedliche Fingersätze:
Die b5 als Vorschlag zur Quinte h spielt man auf der 1. Saite, die b5 als Vorschlag zur Quarte a auf der 2. Saite.

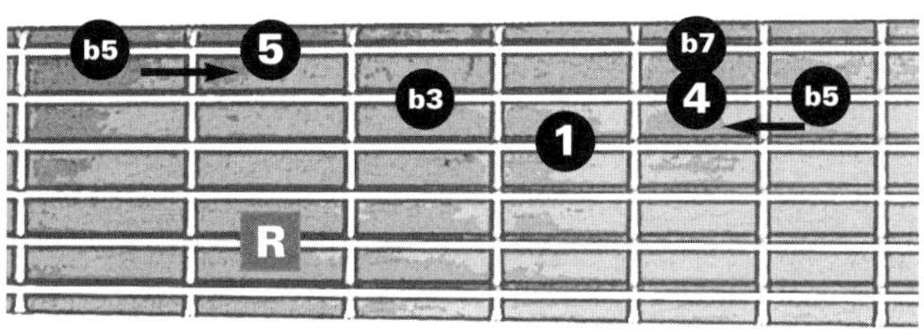

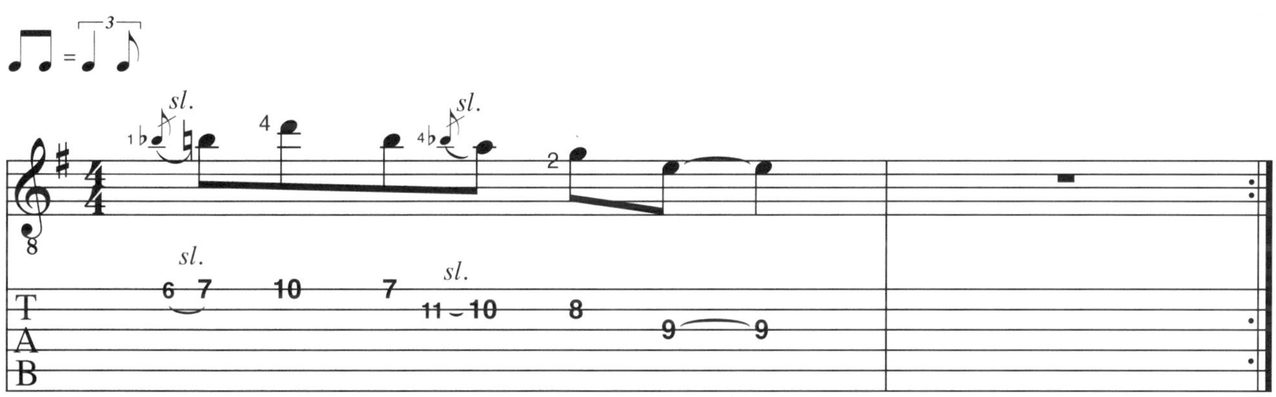

Lick 24

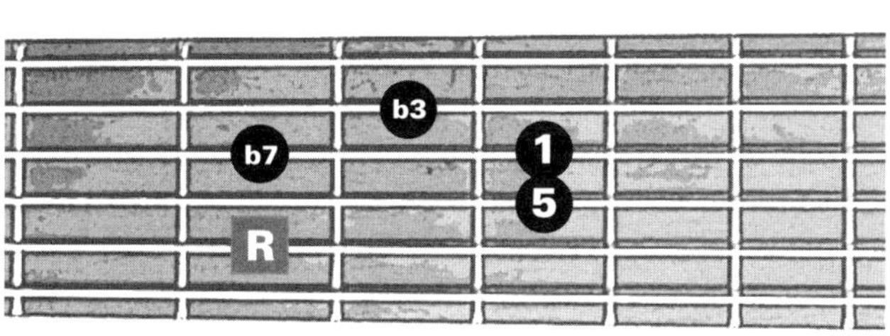

Blues-Pentatonik über den Septakkord (Grifftyp A)

Wir spielen jetzt auch beim Grifftyp A die Blues-Pentatonik nicht nur zum Moll-Akkord, sondern ebenfalls über den Septakkord. Das ist bedeutend spannungsreicher und ergibt die typische „Farbe" des Blues.

Versuche nun also, die „Gestalt" des Septakkordes Grifftyp A hinter der schon bekannten Blues-Pentatonik zu sehen, obwohl die große Terz des Septakkords in der Blues-Pentatonik nicht vorkommt.

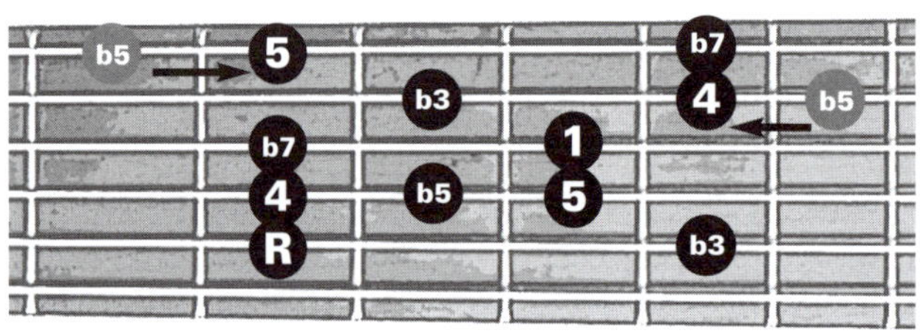

Grifftyp A7: Septakkord-Variante von Grifftyp A

A7

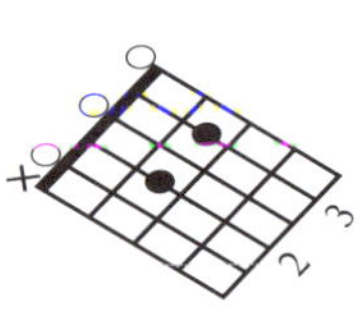

Grundton 5. Saite

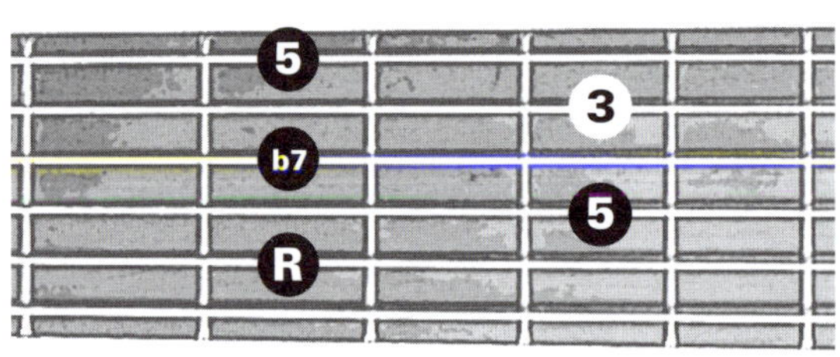

Wir spielen die folgenden Beispiele mit **Grifftyp A**:

Grundton: **V. Bund**
Akkord: **D7**
Tonleiter: **D-Blues-Pentatonik**

Play-Along 22
Begleitung für Hörbeispiel und Check-In-Run
der D-Blues-Pentatonik, Grifftyp A

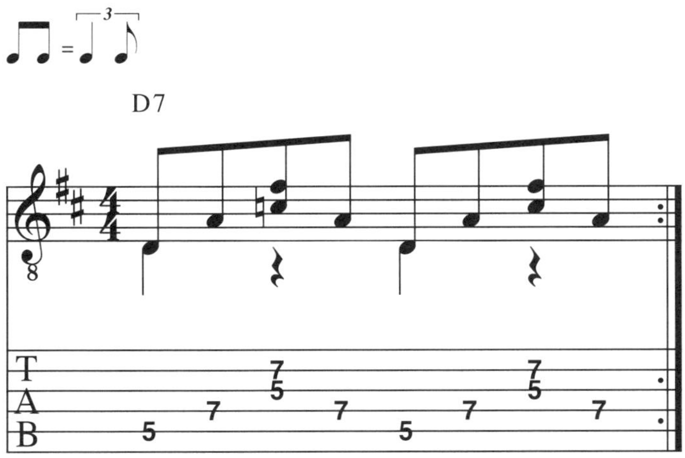

Hörübung:

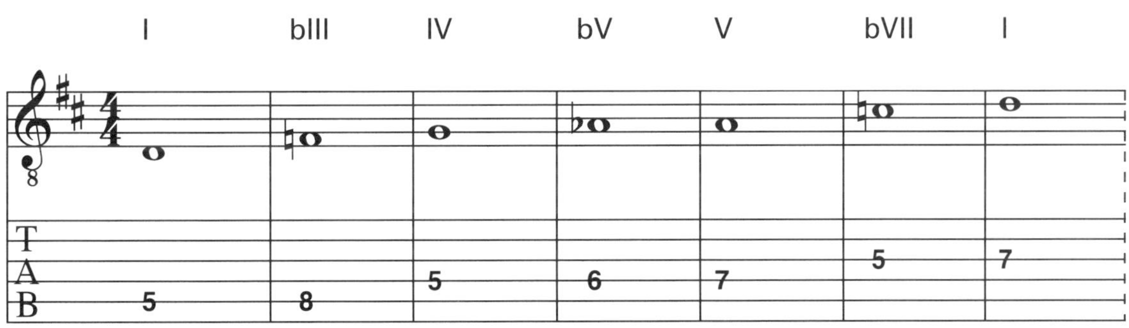

usw.

Check-In-Run:

Play-Along 23
Begleitung für die folgenden Improvisationsbeispiele der D-Blues-Pentatonik, Grifftyp A

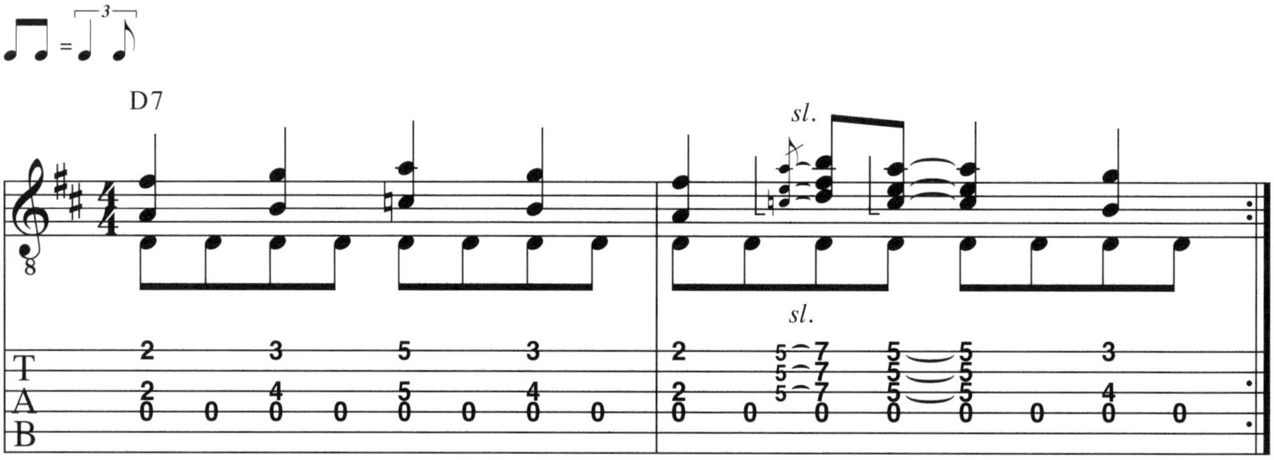

Wir spielen die vier soeben gelernten Licks jetzt über D7 statt über Dm.

Für alle fünf Beispiele gilt: 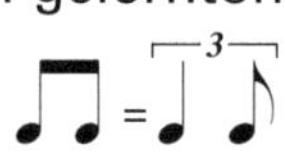

Wir spielen die folgenden Beispiele mit **Grifftyp A**:

Grundton: **V. Bund** Akkord: **D7** (Play-Along 23) Tonleiter: **D-Blues-Pentatonik**

Lick 21

Lick 21a

Variation von Lick 21
Variationsart: Tonhöhenänderung (anderes Saitenpaar)

Lick 22

Lick 23

Lick 24

Final Blues 2.0

Hörbeispiel 9
„Final Blues 2.0“ in D mit den Licks 21 bis 24 aus der Blues-Pentatonik, Grifftyp A

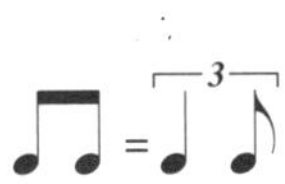

Lick 24
in D, V. Bund

Lick 21
in D, V. Bund

Lick 21 verkürzt
in D, V. Bund

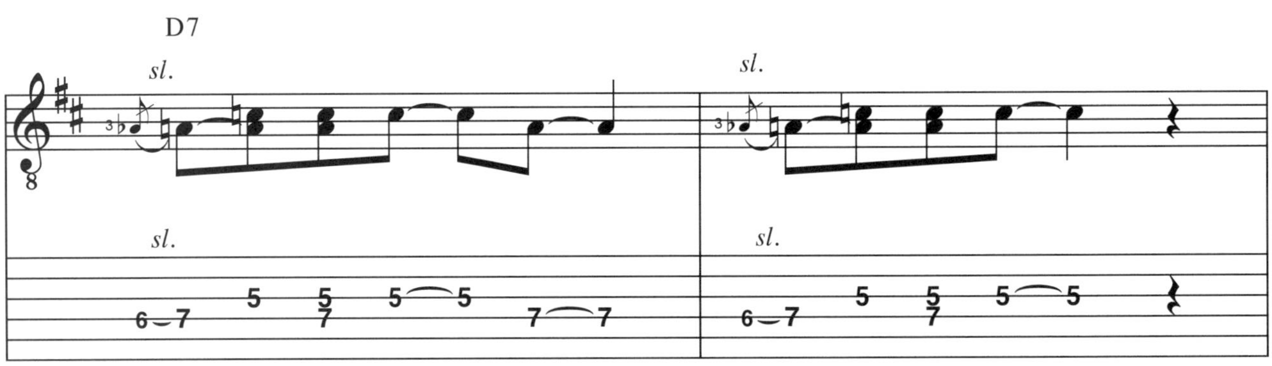

Lick 24
in G, X. Bund

Lick 22
in G, X. Bund

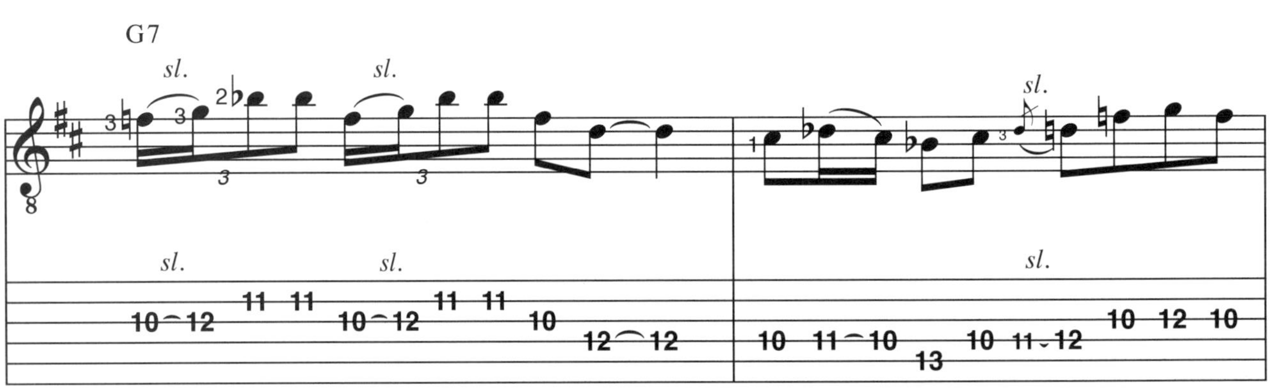

Lick 21a
in D, V. Bund

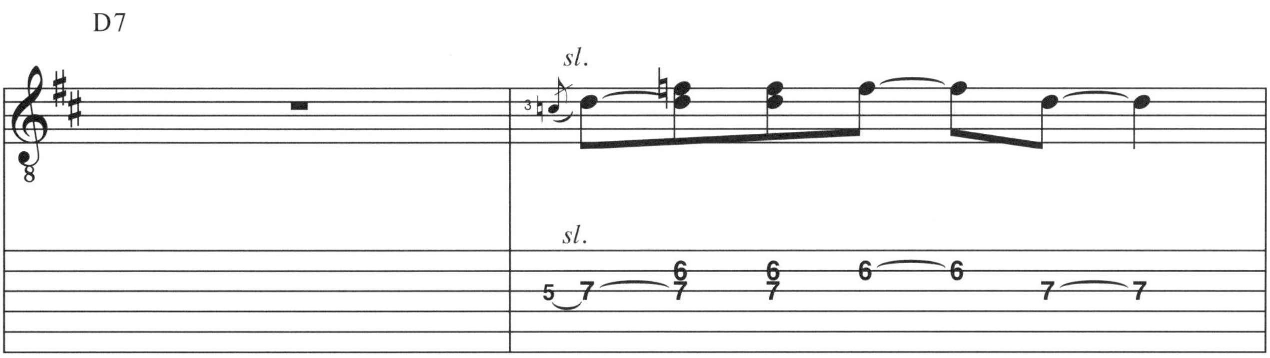

Lick 23
in G, X. Bund

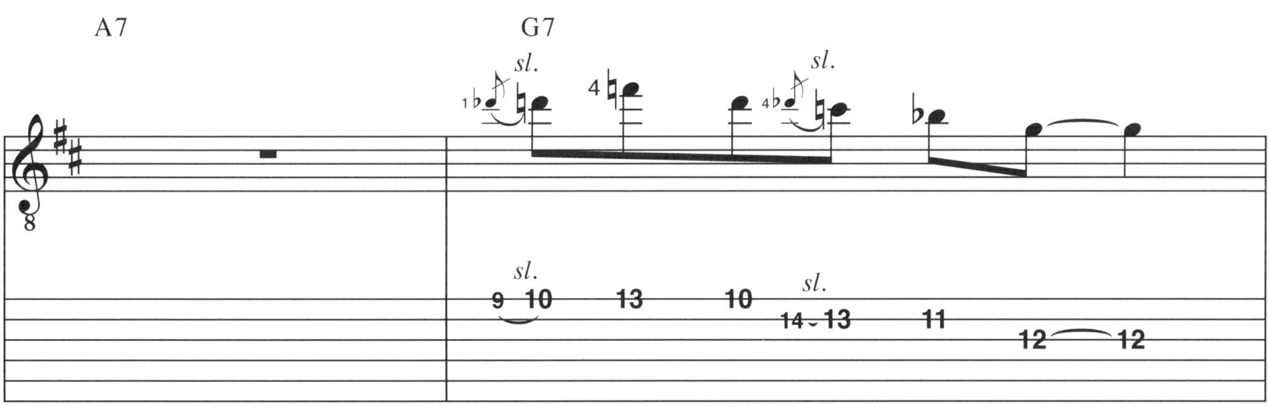

Lick 23
in D, V. Bund

Play-Along 24 für „Final Blues 2.0“ in D

D7
sl.
sl.
sl.
sl.
A7
G7
D7
sl.
sl.
A7

Dur-Pentatonik Grifftyp A

Auch bei der Dur-Pentatonik Grifftyp A brauchen wir nicht gleich alle Töne auf allen Saiten zu lernen, sondern beschäftigen uns nur mit dem oberen Bereich dieser Dur-Pentatonik, der sich sehr leicht mit der Gestalt des Grifftyps verbinden lässt.

In der Grafik: Schwarze Intervalle werden gespielt, graue Intervalle ausgelassen.

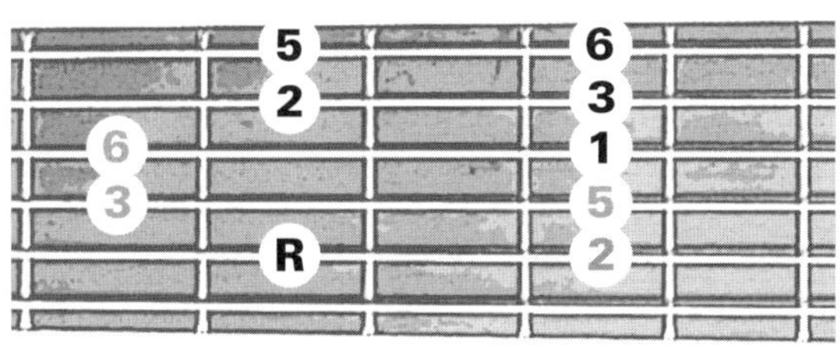

Versuche nun, die Gestalt des Dur-Akkordes Grifftyp A in dieser Dur-Pentatonik zu sehen:

Grifftyp A-Dur: Dur-Variante von Grifftyp A

A

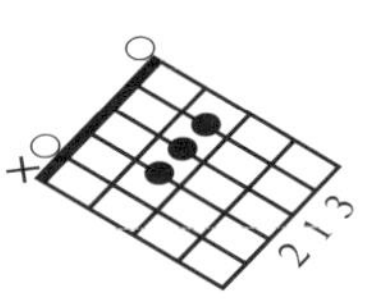

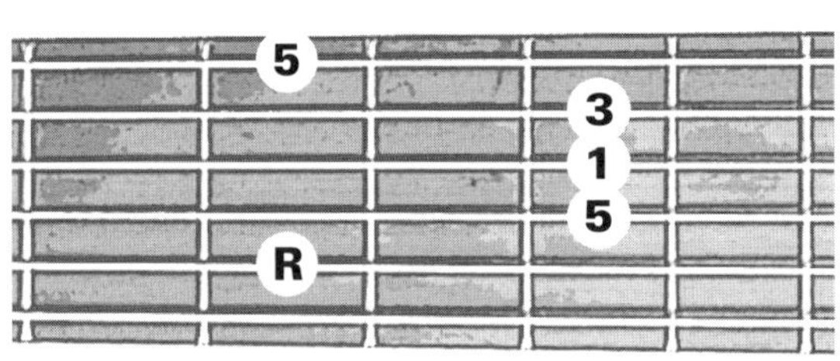

Wir spielen die folgenden Beispiele mit **Grifftyp A**:

Grundton: **III. Bund**
Akkord: **C-Dur**
Tonleiter: **C-Dur-Pentatonik**

Play-Along 25
Begleitung in C-Dur für die Töne der C-Dur-Pentatonik, Grifftyp A

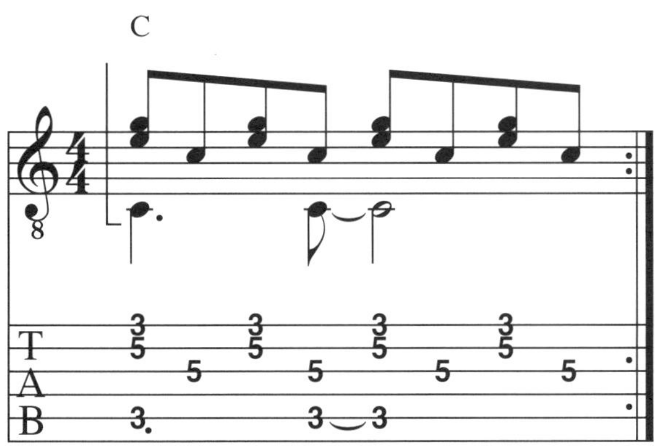

Hörübung:

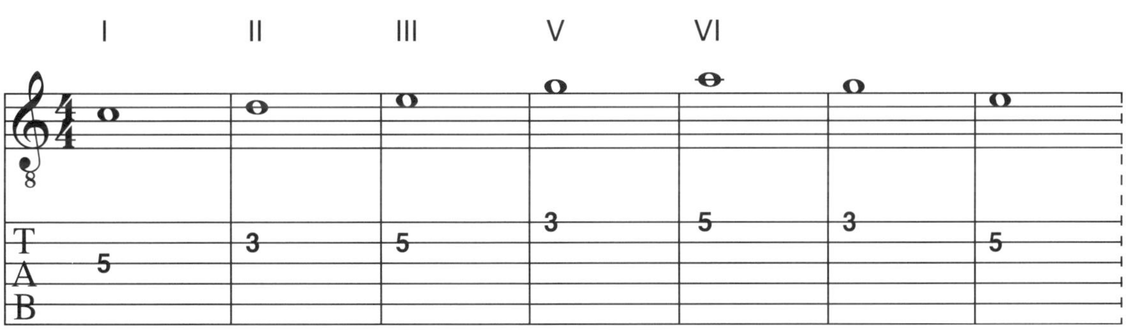

usw.

Check-In-Run:

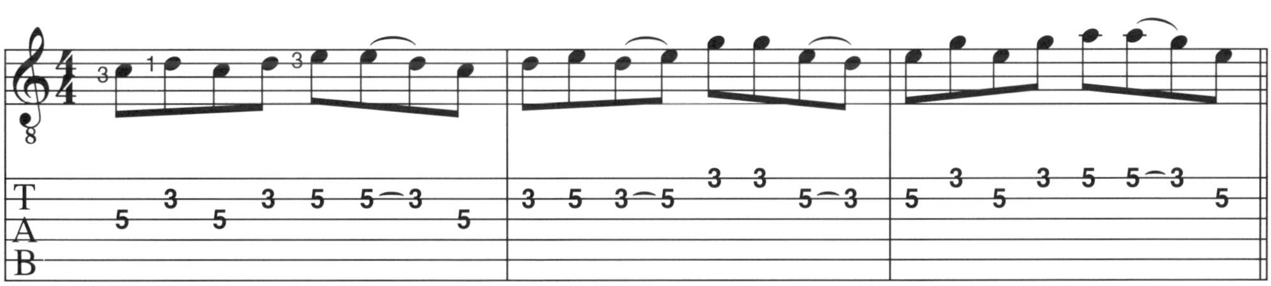

Grundton: **III. Bund**
Akkord: **C-Dur** (Play-Along 25)
Tonleiter: **C-Dur-Pentatonik**

Lick 25

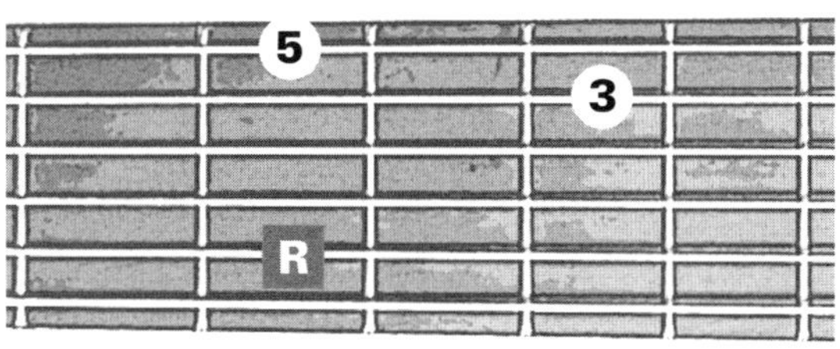

Lick 25a

Variationsart: melodische Verzierung, Rhythmic Displacement

Die Terz e wird von der Sekunde d mit einem Slide angespielt.

Die rhythmische Stellung im Takt verschiebt sich, die Quinte g wird jetzt auf eine betonte Taktzeit (Zählzeit 2) gespielt.

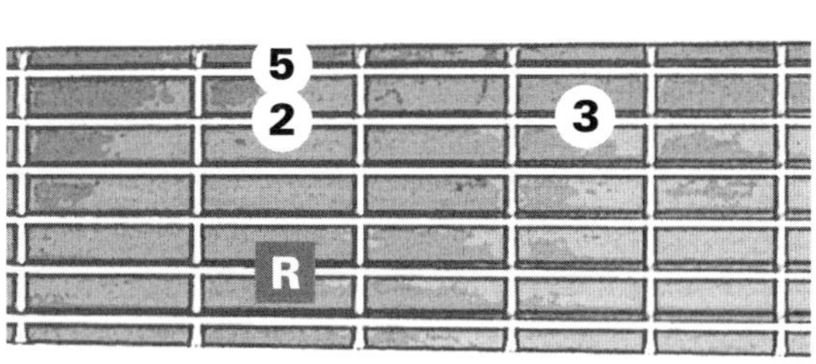

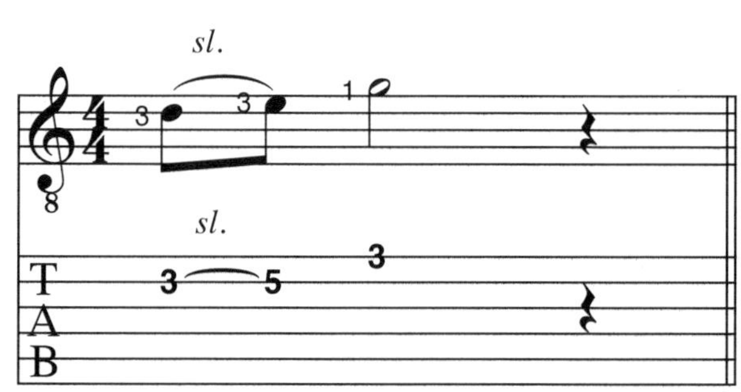

Lick 25b

Variationsart: melodische Verzierung
Das e wird von unten, das g von oben angespielt.

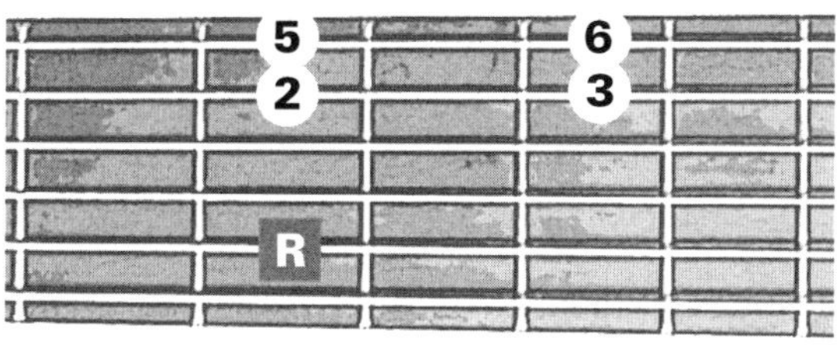

Lick 25c

Variationsart: Double Stop (zweistimmiger Akkord) mit Verzierung

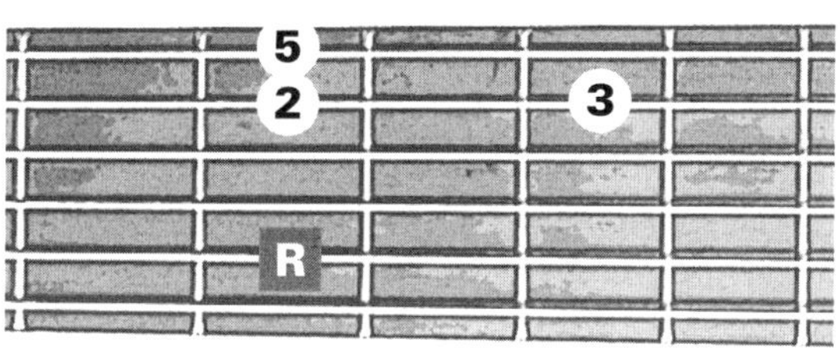

Lick 25d

Variationsart: Motiverweiterung

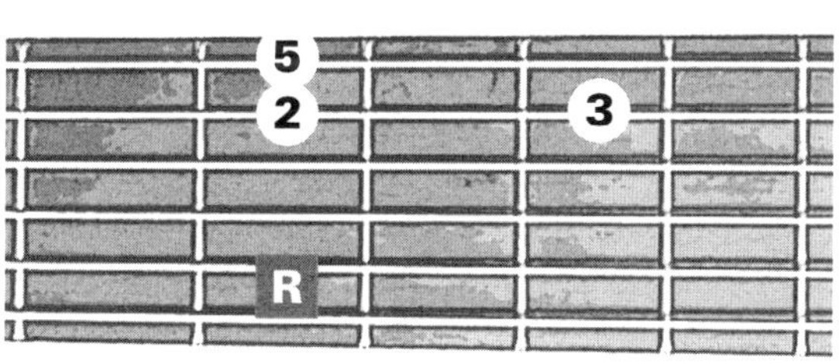

Hörbeispiel 10
„(Sittin' On) the Dock Of The Bay"- Dur-Version
Höre dir Hörbeispiel 10 an, übe diese Licks aber mit Play-Along 10.

Lick 25d
Grifftyp A, Dur-Pentatonik
Grundton X. Bund

Lick 9
Grifftyp E, Mix-Pentatonik
Grundton VII. Bund

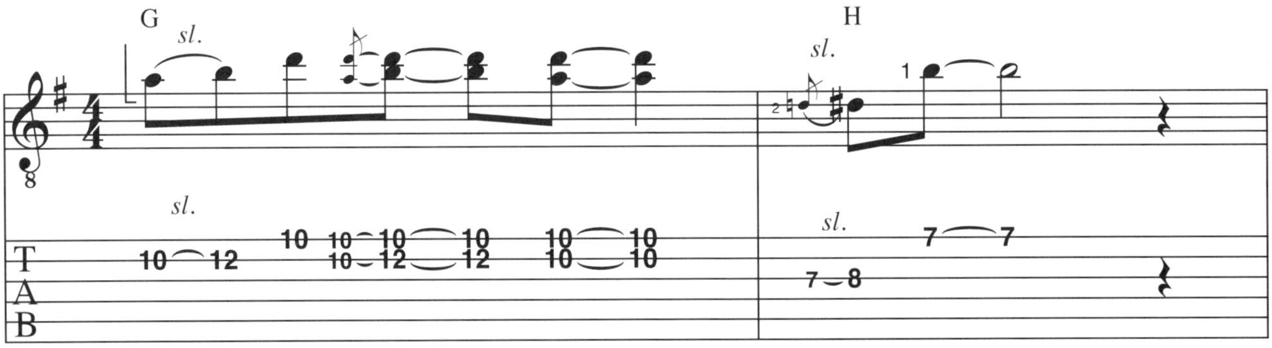

Lick 25d
Grifftyp A, Dur-Pentatonik
Grundton III. Bund

Lick 9 Variation
Grifftyp E, Mix-Pentatonik
Grundton V. Bund

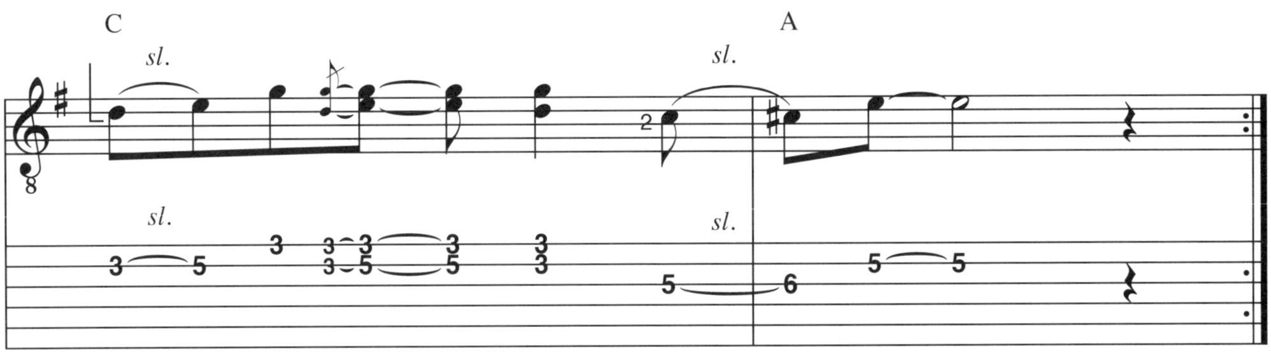

Beachte die schönen Verbindungen, die durch den Wechsel von Grifftyp A nach E entstehen:

Grifftyp: **E** ← Grifftyp: **A**
Grundton: **H** Grundton: **G**
VII. X.

Takt 1 zu 2:

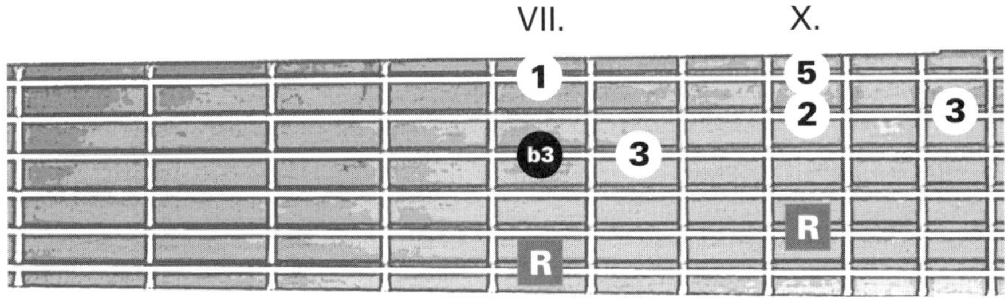

Grifftyp: **A** → Grifftyp: **E**
Grundton: **C** Grundton: **A**
III. V.

Takt 3 zu 4:

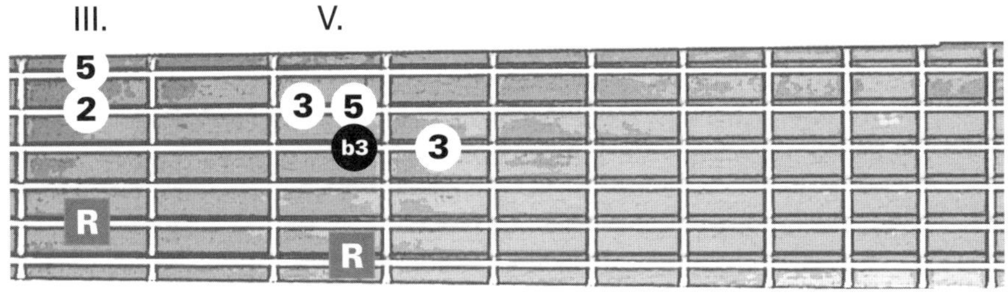

Mix-Pentatonik Grifftyp A

Auch am Ende unserer Beschäftigung mit Grifftyp A führen wir die verschiedenen Fäden zusammen zu einem Ansatz.

Wir haben drei Varianten für Grifftyp A kennengelernt:

Grifftyp-Variante a-Moll

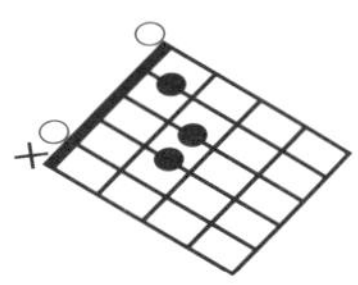

Grifftyp-Variante A7

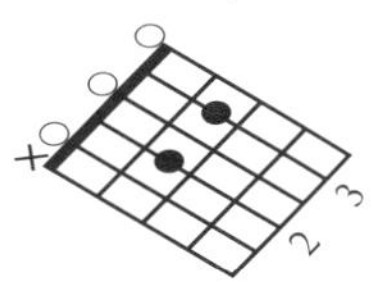

Grifftyp-Variante A-Dur

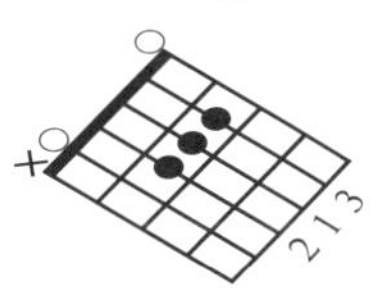

Wir haben drei Skalen für die Akkordumgebung kennengelernt:

Moll-Pentatonik: passt harmonisch zum Moll-Akkord, ergibt viel Spannung, wenn wir sie über Sept- oder Dur-Akkorde spielen.
Blues-Pentatonik: bringt mehr Spannung im Spiel über einen Moll-Akkord, wird im Blues hauptsächlich über einen Septakkord gespielt, ergibt viel Spannung über einen Dur-Akkord.
Dur-Pentatonik: passt harmonisch zum Dur-Akkord, ohne Spannung zum Septakkord, passt nicht zum Moll-Akkord.

Auch über die Dur-Akkorde A und A7 können wir nicht nur entweder die Dur- oder Moll- (bzw. Blues-)Pentatonik spielen, sondern beide Skalen **zu einer Akkordumgebung** zusammenfügen.

Ausgangspunkt Dur-Pentatonik:

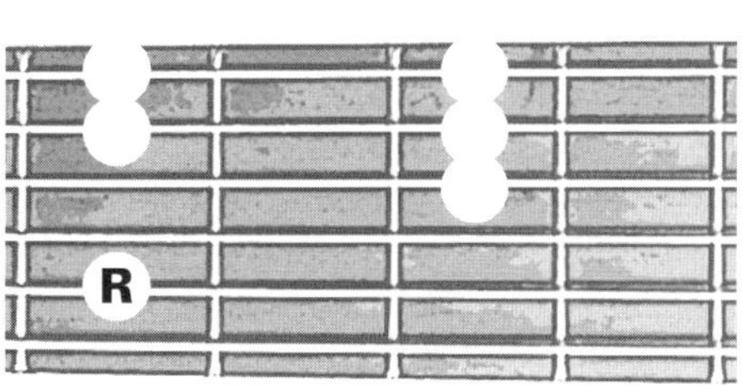

Farbe durch Töne der Moll-Pentatonik (= Blue Notes):

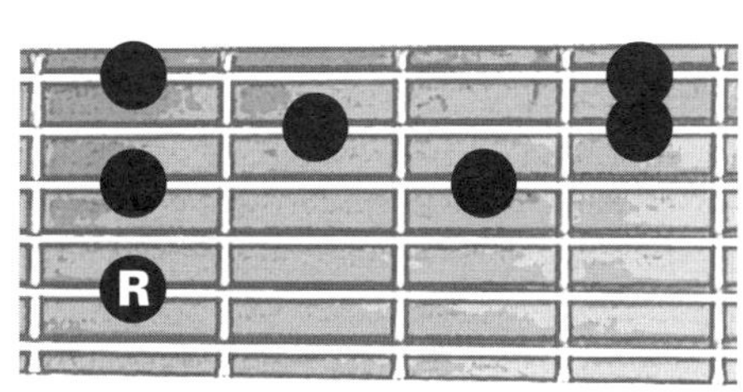

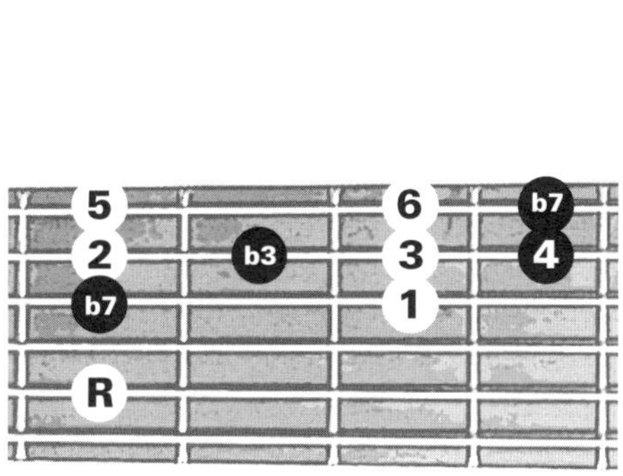

Wir spielen die folgenden Beispiele mit **Grifftyp A**:

Grundton: **V. Bund**
Akkord: **D7**
Tonleiter: **D-Mix-Pentatonik**

Play-Along 26
Spiele die folgenden Licks 26-28 über den D7-Akkord.
Der Übergangstakt mit C7 bleibt frei.

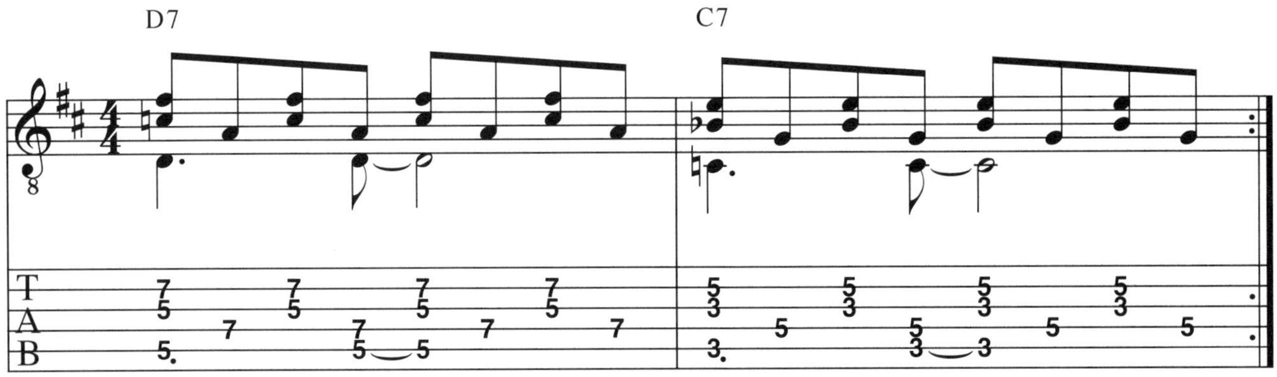

Lick 26

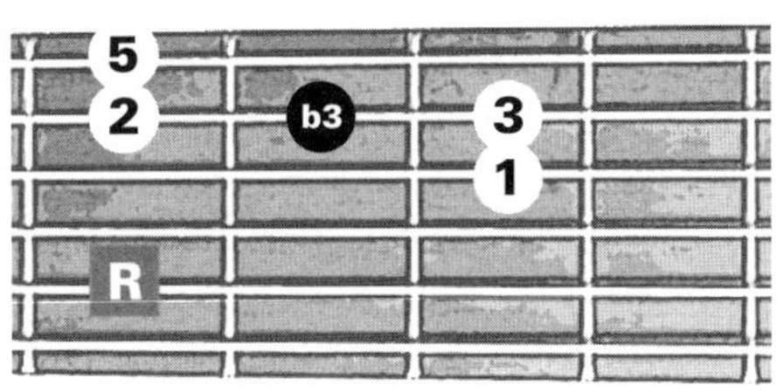

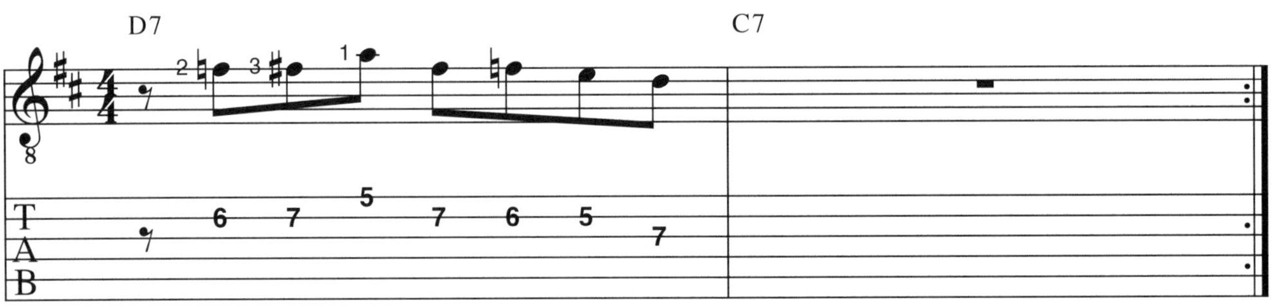

Lick 27

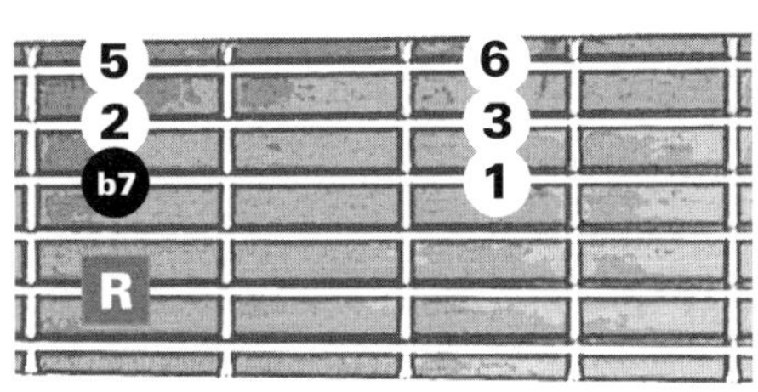

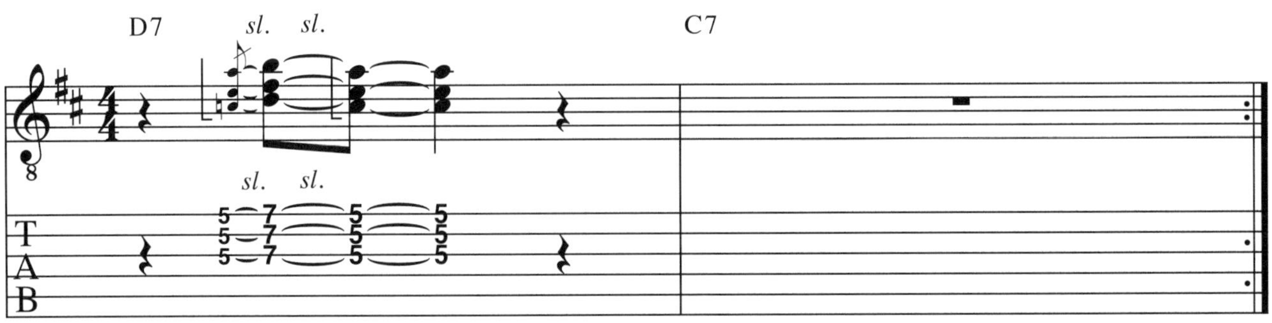

Lick 28

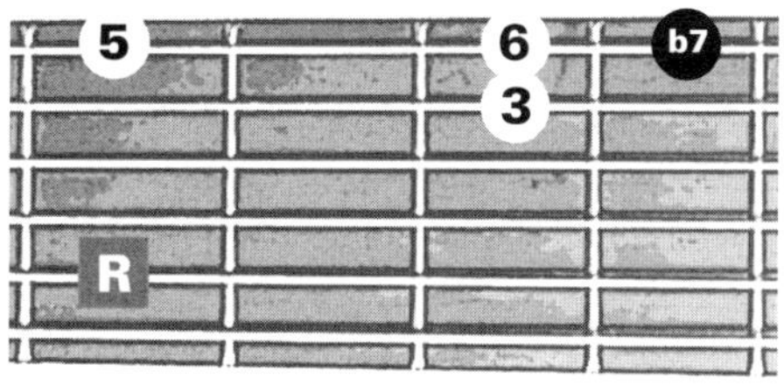

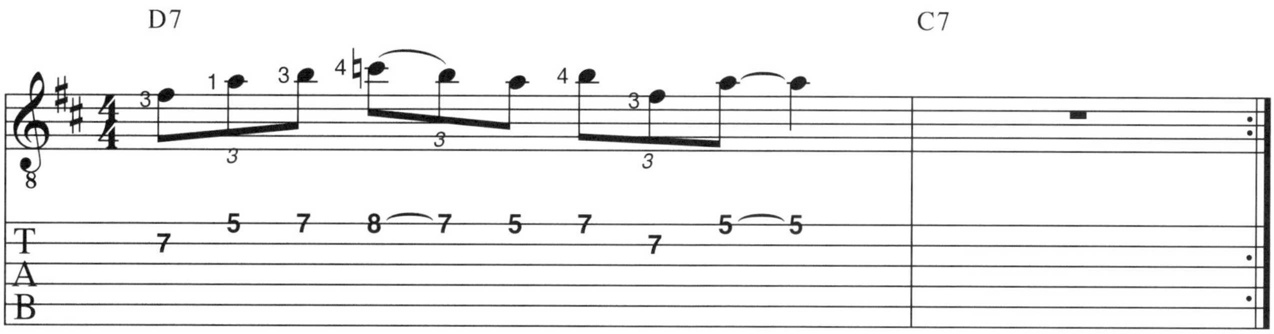

„(Sittin' On) the Dock Of The Bay"- Blues-Version mit Licks der Mix-Pentatonik Grifftyp A:

Hörbeispiel 11
Höre dir Hörbeispiel 11 an, übe die folgenden vier Takte aber mit Play-Along 11.

Lick 27 Grundton X. Bund **Lick 28** Grundton II. Bund

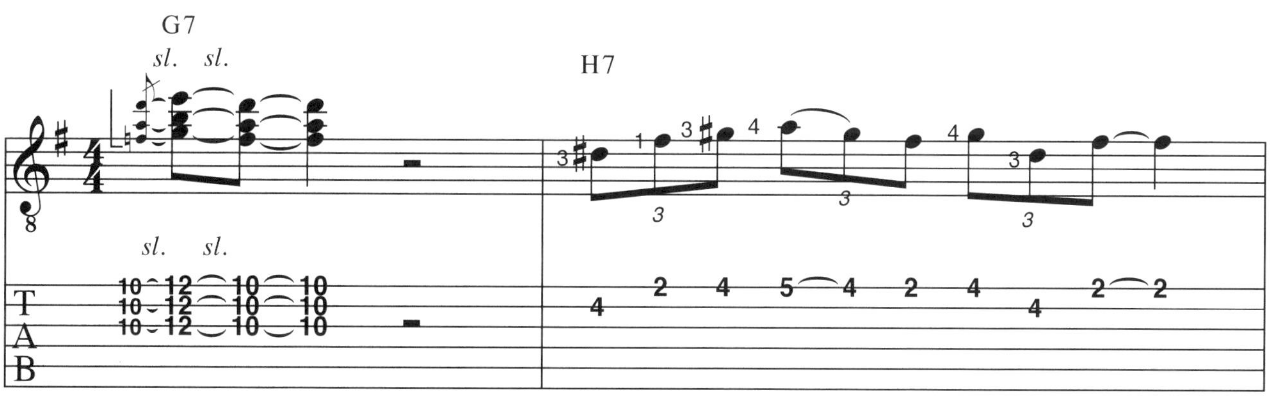

Lick 27 Grundton III. Bund **Lick 26** Grundton XII. Bund

Akkordumgebung Grifftyp C

Auch bei Grifftyp C verzichten wir auf genaue Ausarbeitung der Grifftyp-Varianten c-Moll und C7 sowie der Moll- und Blues-Pentatonik, um den Einstieg in das CAGE-Modell möglichst einfach zu gestalten.
So beginnen wir mit der bei diesem Grifftyp am häufigsten verwendeten Dur-Pentatonik:

Dur-Pentatonik Grifftyp C:

Grundton 5. Saite

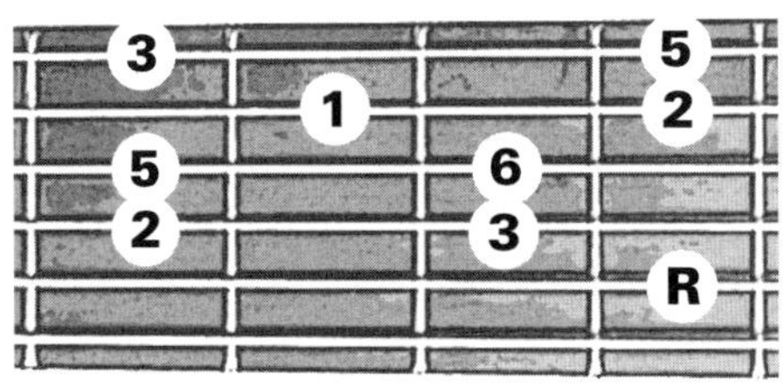

Versuche nun, wiederum die Gestalt des Dur-Akkordes Grifftyp C in dieser Dur-Pentatonik zu sehen:

Grifftyp C-Dur: Dur-Variante von Grifftyp C

C

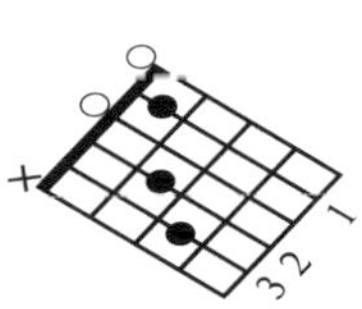

Grundton 5. Saite

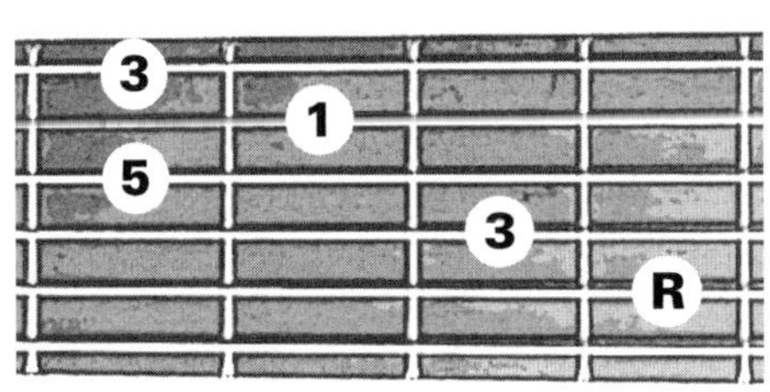

Wir spielen die folgenden Beispiele mit **Grifftyp C**:

Grundton: **VIII. Bund** Akkord: **F-Dur** Tonleiter: **F-Dur-Pentatonik**

Play-Along 27
Begleitung in F-Dur für Hörbeispiel und Check-In-Run
der F-Dur-Pentatonik, Grifftyp C

Hörübung:

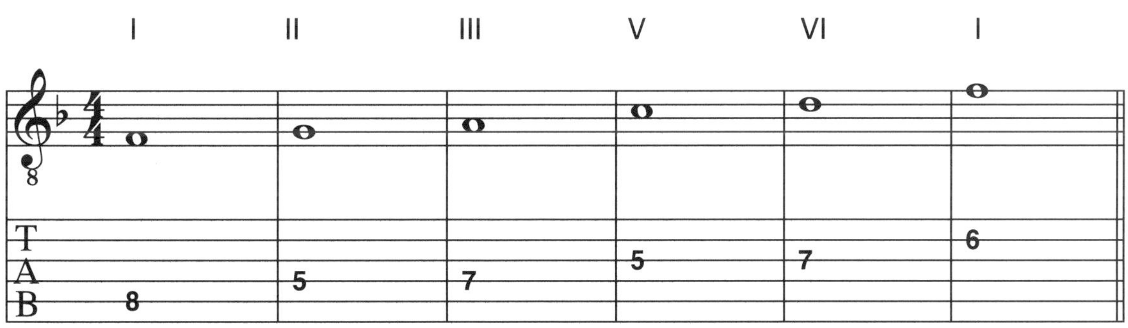

usw.

Check-In-Run:

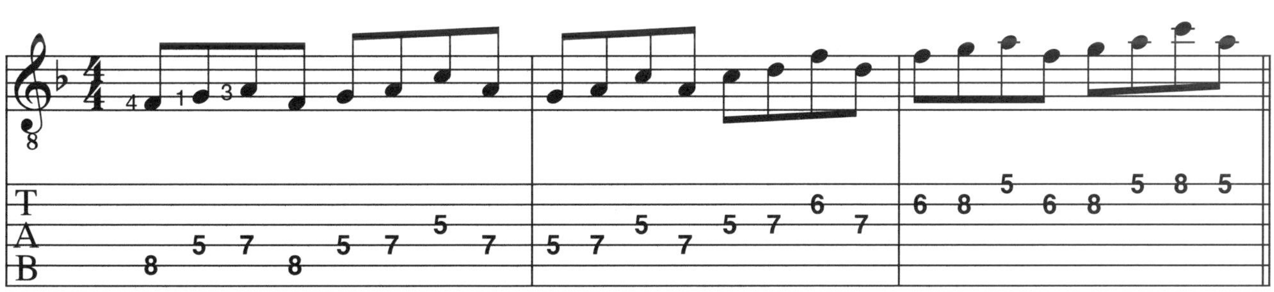

Play-Along 28
Begleitung für die folgenden Improvisationsbeispiele der F-Dur-Pentatonik

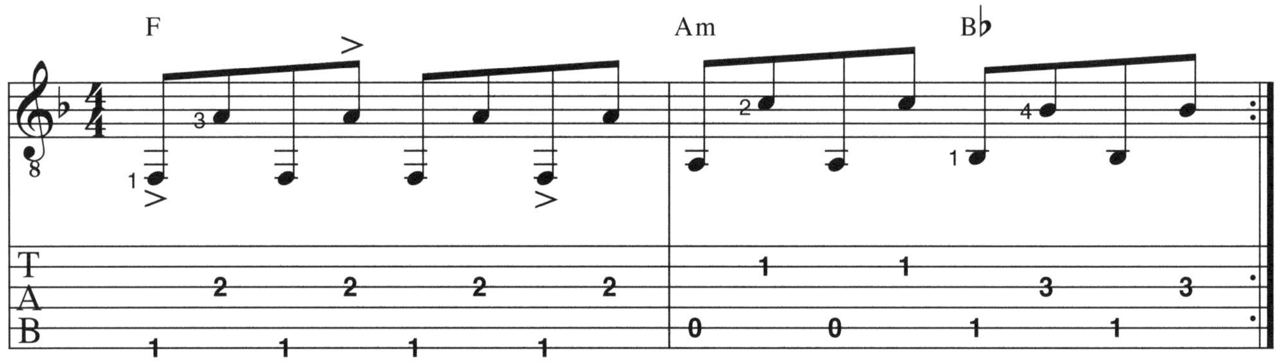

Wieder drei Improvisationsbeispiele, bei denen die Anzahl der Töne und die Phrasierung gleich bleiben und nur die Tonhöhe variiert wird.

Lick 29

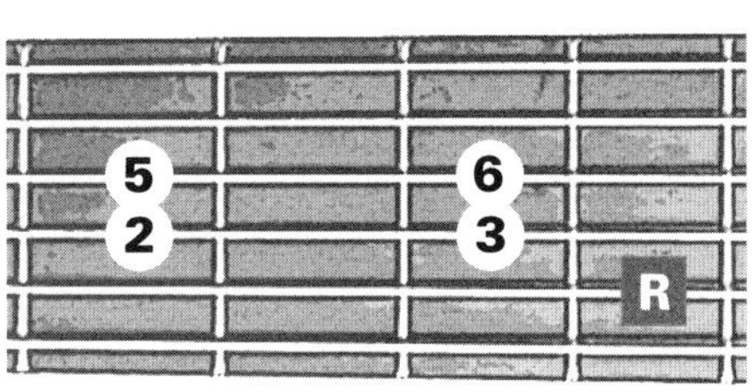

Lick 29a

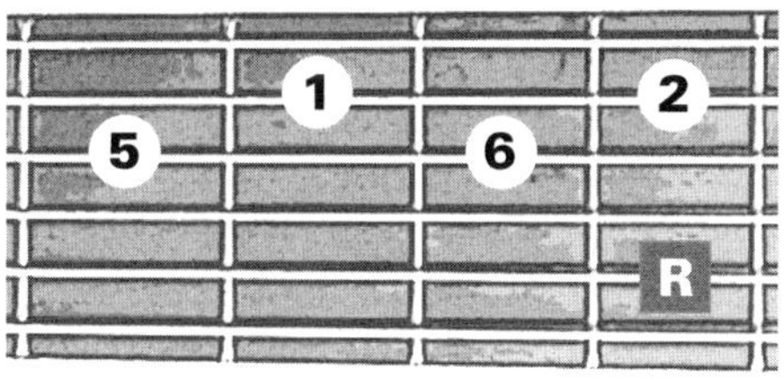

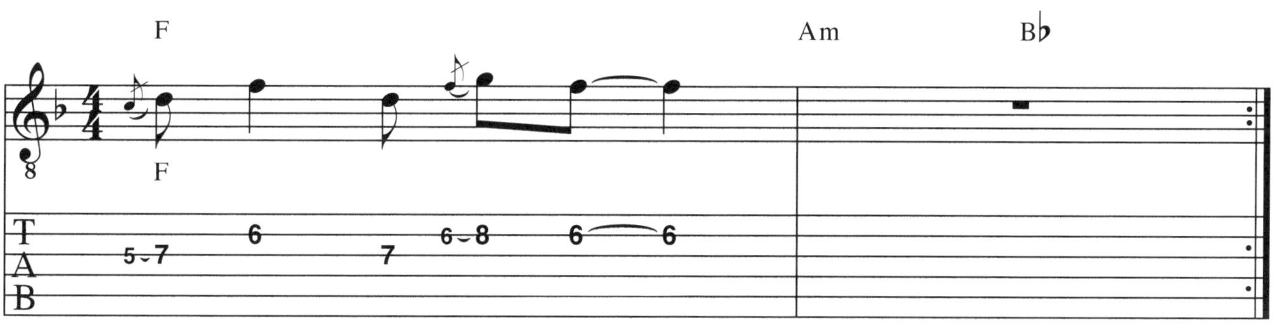

Lick 29b

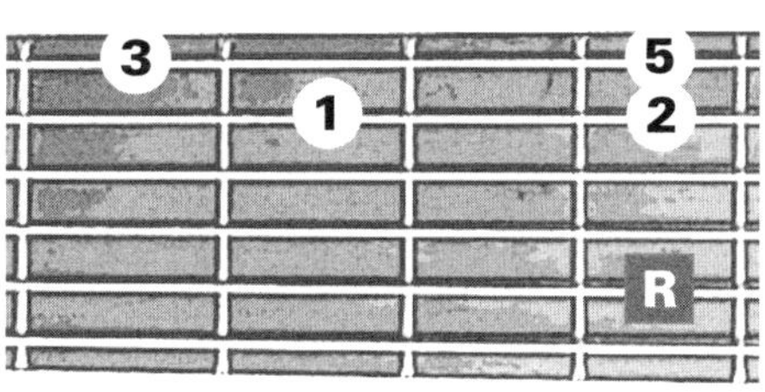

Mix-Pentatonik Grifftyp C

Wie am Beginn dieses Kapitels erwähnt, spielt die c-Moll-Variante von Grifftyp C als Akkordgestalt kaum eine Rolle. Wir brauchen aber die Töne c-Moll-Pentatonik, um in der Mix-Umgebung von Grifftyp C der Dur-Pentatonik ein paar spannende Farben geben zu können.

Hier ist die Grafik, die die Erweiterung der Dur-Pentatonik mit den Tönen der Moll-Pentatonik von Grifftyp C zeigt:

Ausgangspunkt Dur-Pentatonik:

Farbe durch Töne der Moll-Pentatonik (= Blue Notes):

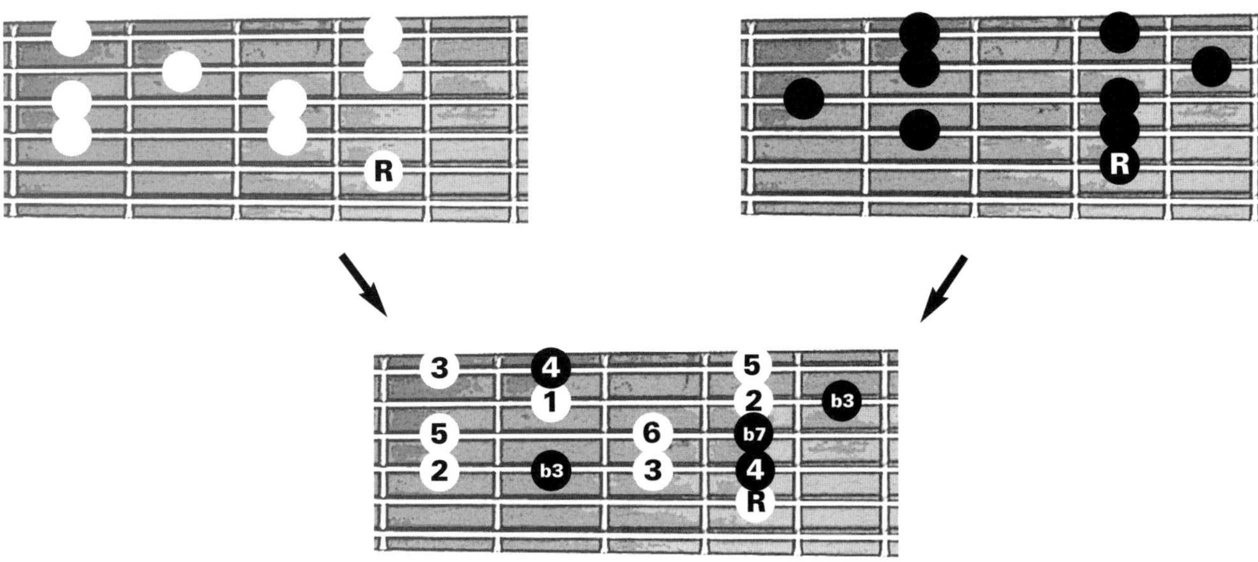

Play-Along 29
Begleitung mit Akkord F7 für die Licks der F-Mix-Pentatonik, Grifftyp C

Wir spielen die folgenden Beispiele mit **Grifftyp C**:

Grundton: **VIII. Bund**
Akkord: **F7**
Tonleiter: **F-Mix-Pentatonik**

Lick 30

In den aufsteigenden Tönen des ersten Taktes können wir sehr gut den Grifftyp C „sehen".

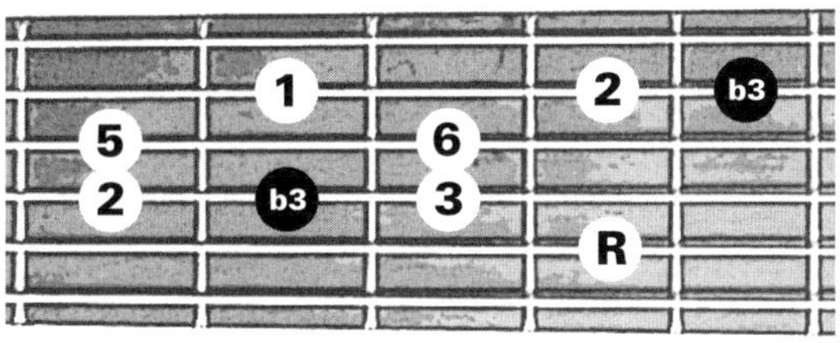

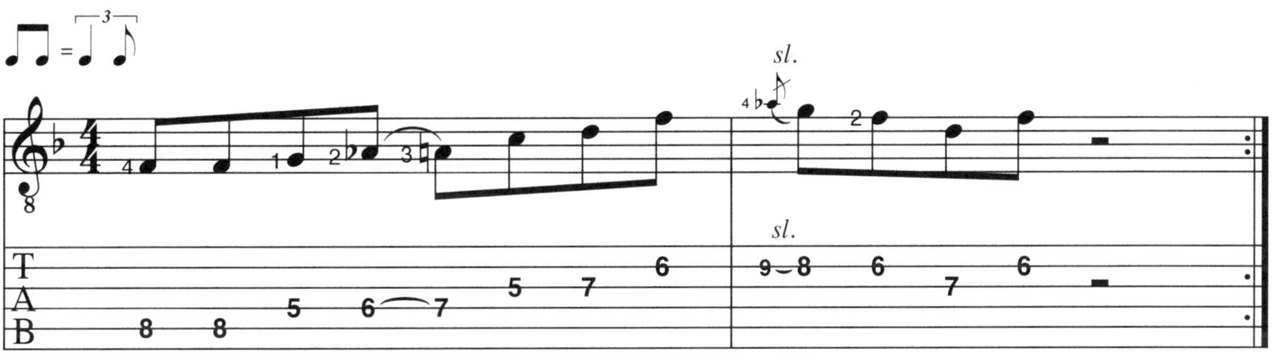

Lick 31

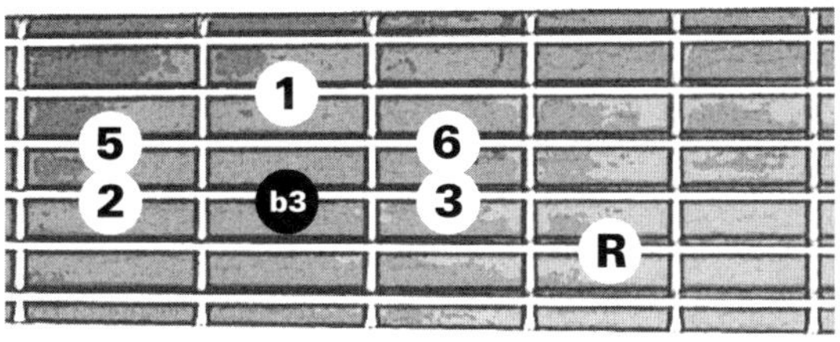

Verbindung der Grifftypen C und A (Grundton 5. Saite)

Auch Grifftyp C und A haben wie G und E einen gemeinsamen Grundton, diesmal auf der 5. Saite.

Fassen wir auch die beiden Akkordumgebungen von C und A zusammen, haben wir den Überblick über ein weiteres großes, sieben Bünde umfassendes „Gebiet" am Griffbrett, das wir diesem Grundton auf der 5. Saite zuordnen können.

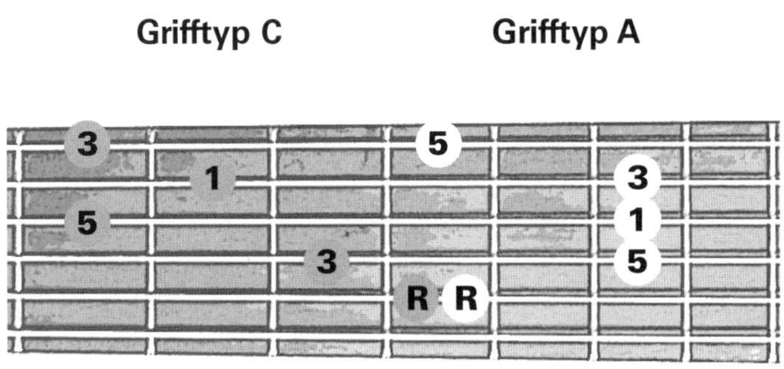

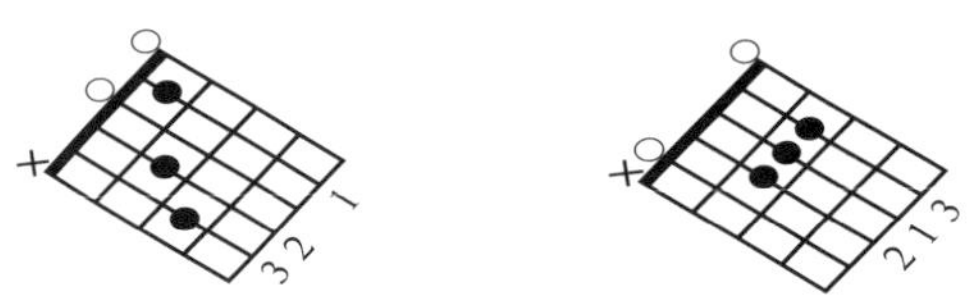

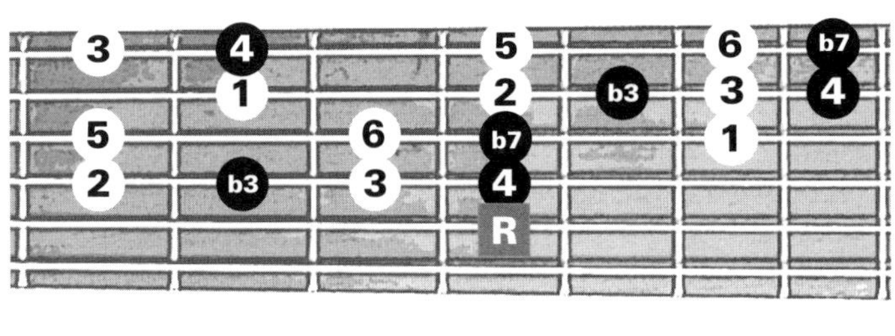

Wichtig: Die „weißen" Töne der Dur-Pentatonik bleiben im Mittelpunkt dieser Grafik.
Vom Grundton **R** aus **links** sehen wir die Dur-Pentatonik von Grifftyp C, **rechts** die Dur-Pentatonik von Grifftyp A.

Die schwarzen Punkte für die Töne der Moll-Pentatonik sind zusätzliches „Material", um den Klang interessanter zu machen.

Die folgenden Licks geben Ideen, wie wir diese beiden Akkordumgebungen verbinden können.

Wir spielen das folgende Beispiel mit **Grifftyp C ➞ A**:

Grundton: **VIII. Bund** Akkord: **F7** (Play-Along 29) Tonleiter: **F-Dur-Pentatonik**

Lick 32

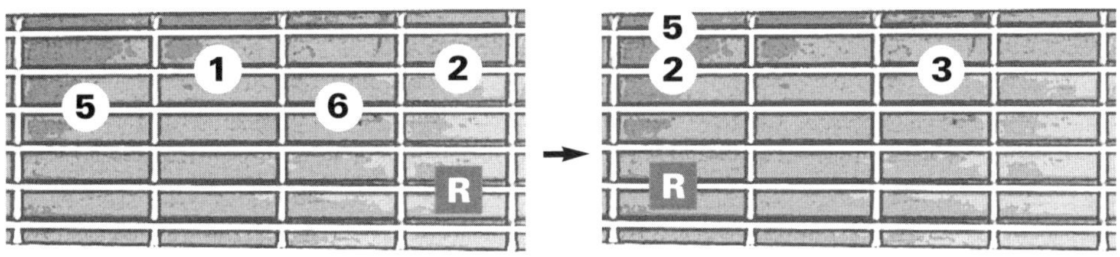

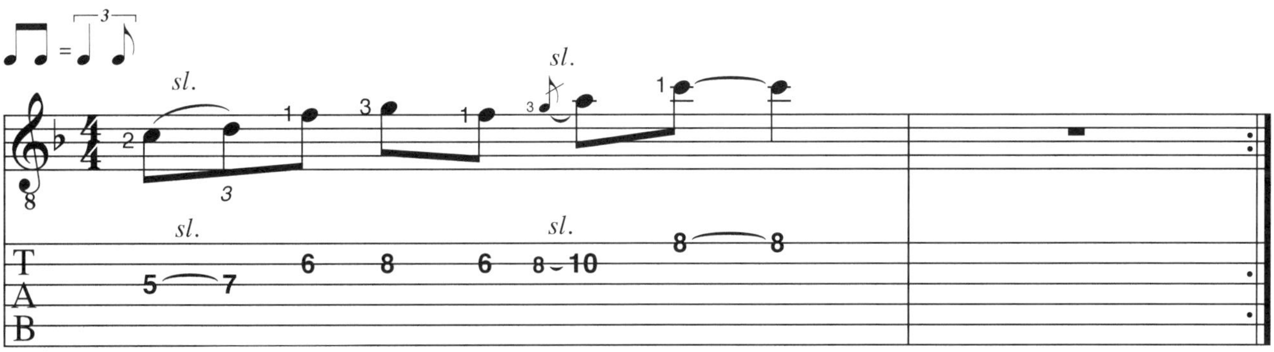

Wir spielen die folgenden Beispiele mit **Grifftyp A ➞ C**:

Grundton: **VIII. Bund** Akkord: **F7** (Play-Along 29) Tonleiter: **F-Dur-Pentatonik**

Lick 33

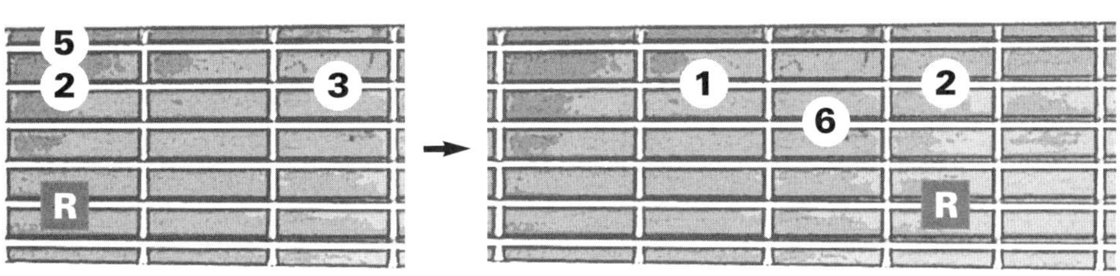

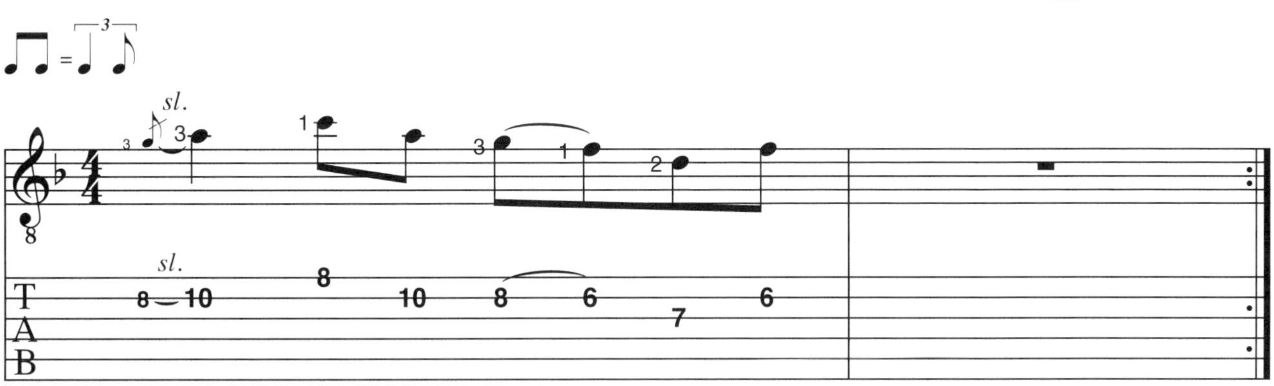

Hörbeispiel 12
Höre dir Hörbeispiel 12 an, übe die folgenden vier Takte aber mit Play-Along 29.

Wir spielen die folgenden Beispiele mit **Grifftyp C → A**:

Grundton: **VIII. Bund**
Akkord: **F7** (Play-Along 29)
Tonleiter: **F-Mix-Pentatonik**

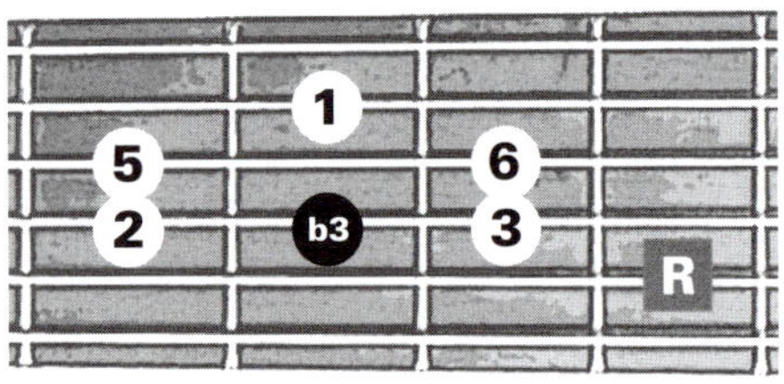

→

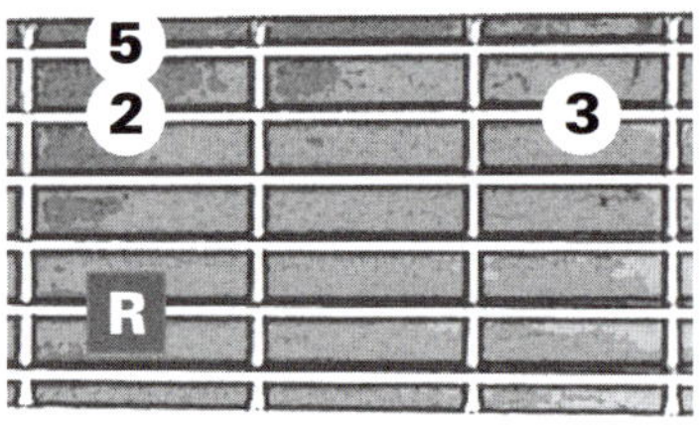

Lick 30 verkürzt
Grifftyp C VIII. Bund

Lick 25c
Grifftyp A VIII. Bund

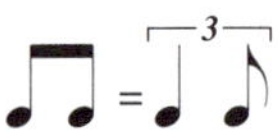

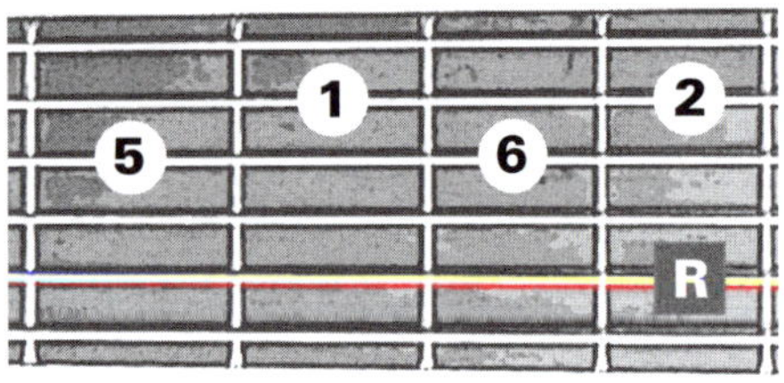

→

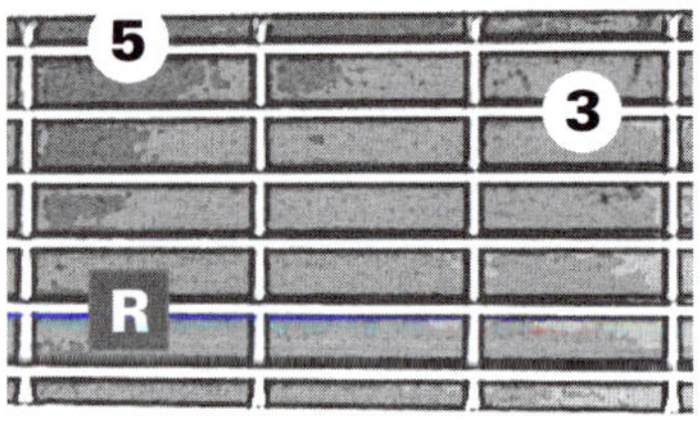

Lick 29a
Grifftyp C VIII. Bund

Lick 25
Grifftyp A VIII. Bund

Hörbeispiel 13
Höre dir Hörbeispiel 13 an, übe die folgenden vier Takte aber mit Play-Along 11.

Noch ein abschließendes Beispiel für die Verbindung der Grifftypen C und A:
Hier spielen wir noch einmal beiden Phrasen von Hörbeispiel 12, diesmal wieder **mit** Akkordwechsel über „(Sittin' On) the Dock Of The Bay".
Wichtig: Diese Licks haben wir mit Swing-Feeling gespielt. Hier im Pop spielen wir sie „straight" oder „gerade".

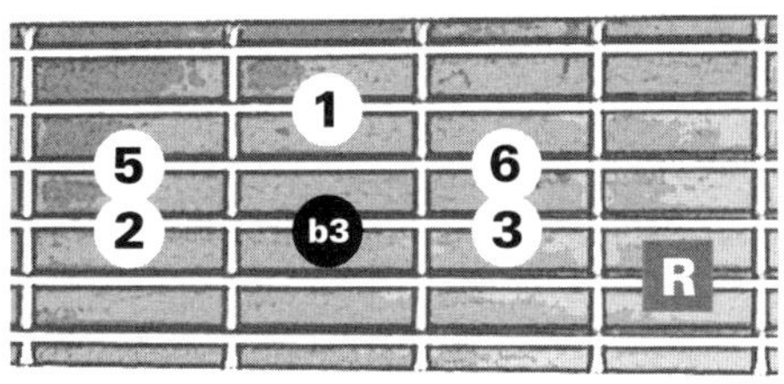

Lick 30 verkürzt
Grifftyp C Grundton X. Bund

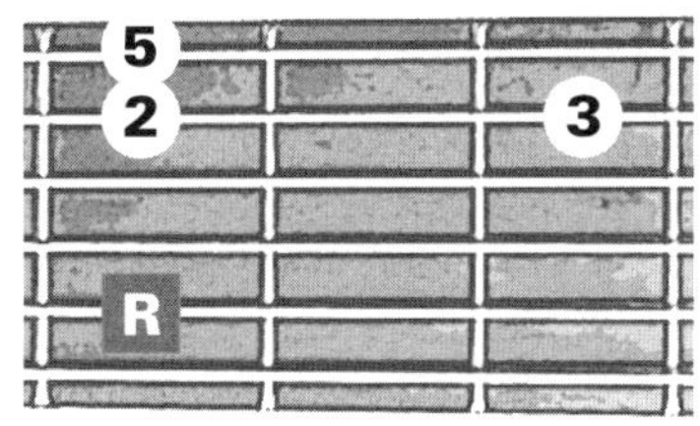

Lick 25c
Grifftyp A Grundton II. Bund

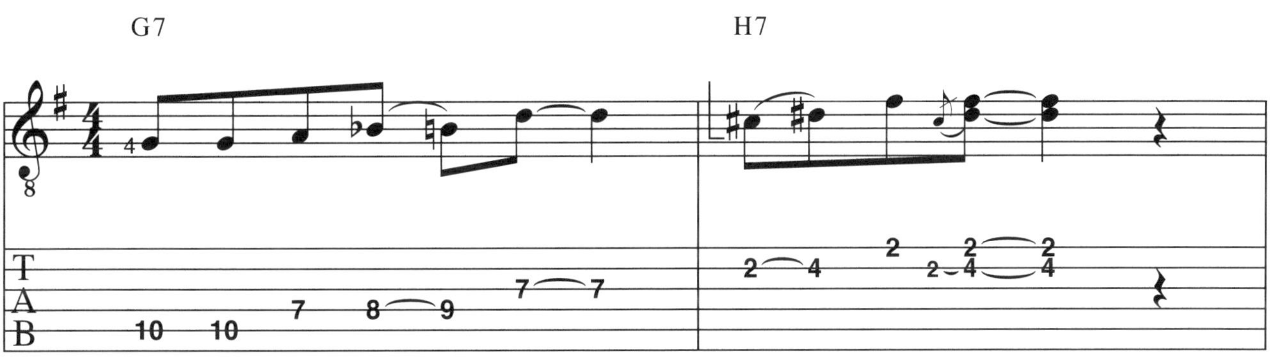

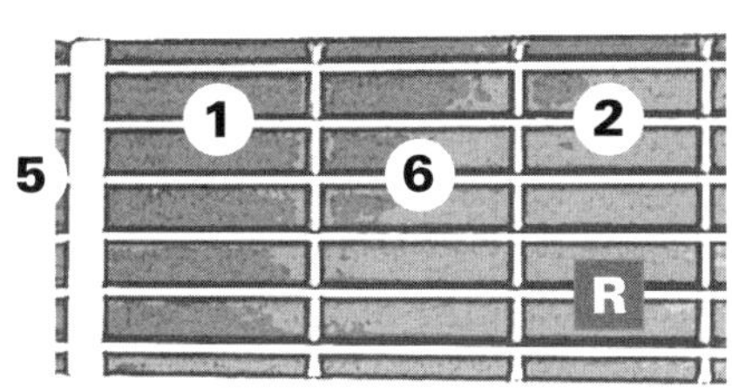

Lick 29a
Grifftyp C Grundton III. Bund

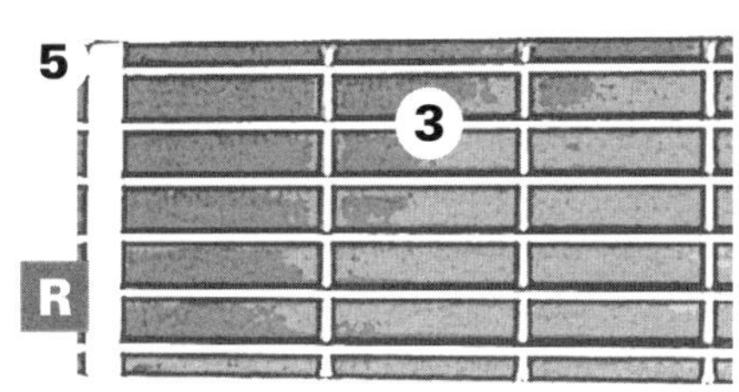

Lick 25
Grifftyp A Grundton leere Saite

ACOUSTIC POP GUITAR - SONGBEISPIELE, Teil 2

Mein Ziel war es in diesem zweiten Popmusikteil, möglichst kurze Wege zwischen den vier Grifftypen zu gehen.

Ich habe also versucht, beim Solieren in **einer** Lage zu bleiben und durch geschickte Grifftypen-Wahl Beispiele zu geben, wie eng diese Modelle ineinandergreifen. Um zu zeigen, wieviel wendiger wir uns auf dem Griffbrett bewegen können, wenn vier statt zwei Grifftypen im Spiel sind, sind auch noch einmal die drei Akkordfolgen von Seite 55-58 dabei.
Bei den Griffbildern habe ich jetzt die Grundtöne herausgearbeitet. Die Töne der Dur-Pentatonik rücken in den Hintergrund (ohne Intervallangabe).

1.) Akkordfolge G - D - C

z. B. wie Takt 1-4 von „Knockin' On Heaven's Door" (aus APG Solos Band 1)

Akkordumgebung VII., VIII. Lage:

G
Grifftyp: **C**
Grundton: **X. Bund**

VII.

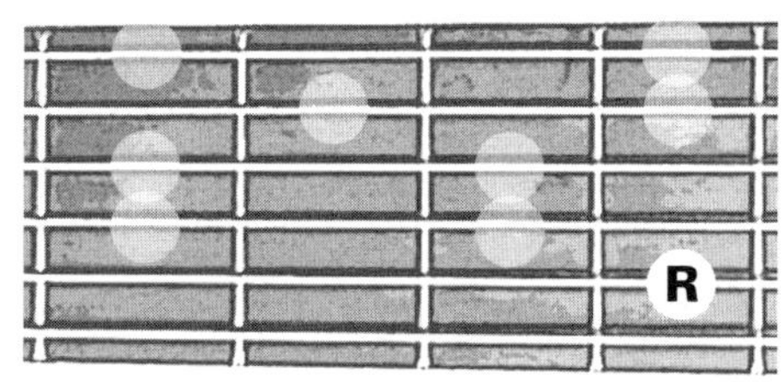

D
Grifftyp: **G**
Grundton: **X. Bund**

VII.

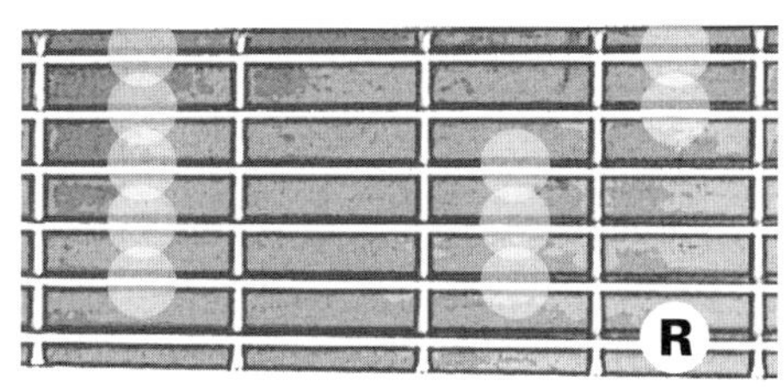

C
Grifftyp: **E**
Grundton: **VIII. Bund**

VIII.

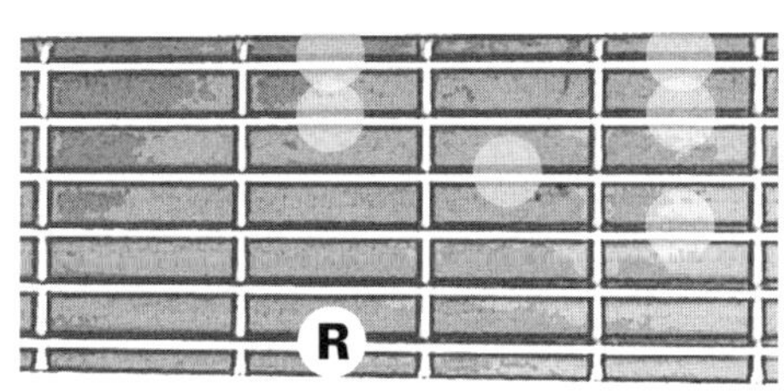

Hörbeispiel 14
Höre dir Hörbeispiel 14 an, übe die folgenden vier Takte aber mit Play-Along 30.

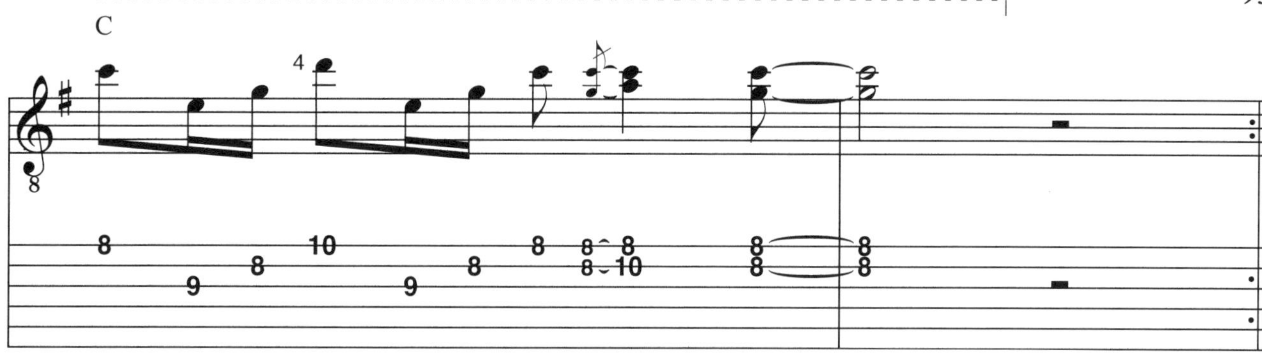

Akkordumgebung II., III., V. Lage:

G
Grifftyp: **E**
Grundton: **III. Bund**

III.

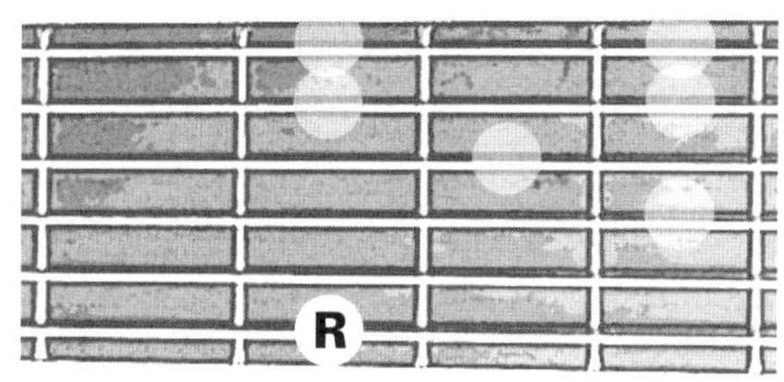

D
Grifftyp: **C**
Grundton: **V. Bund**

II.

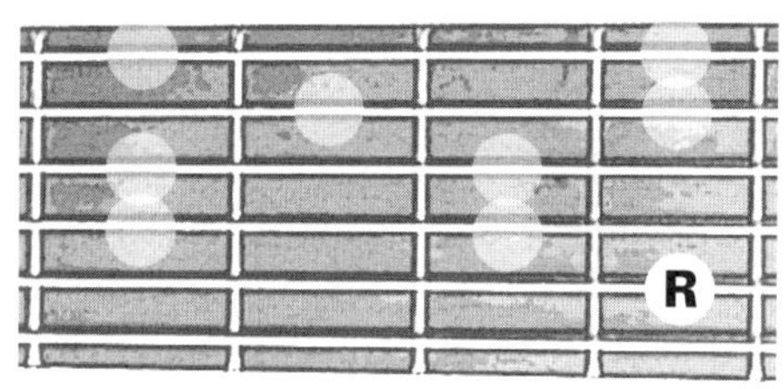

C, Takt 3
Grifftyp: **A**
Grundton: **III. Bund**

III.

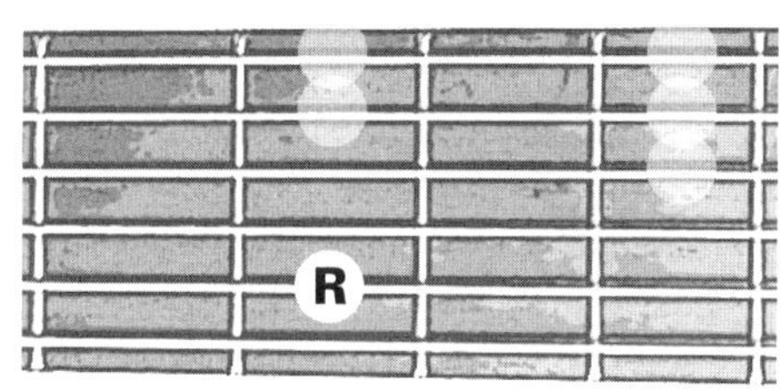

Hörbeispiel 15
Höre dir Hörbeispiel 15 an, übe die folgenden vier Takte aber mit Play-Along 30.

2.) Akkordfolge G - Em - C - D, Version 2

z. B. wie Takt 1-8 von „Every Breath You Take“ (aus APG Solos Band 1)

G
Grifftyp: **C**
Grundton: **X. Bund**

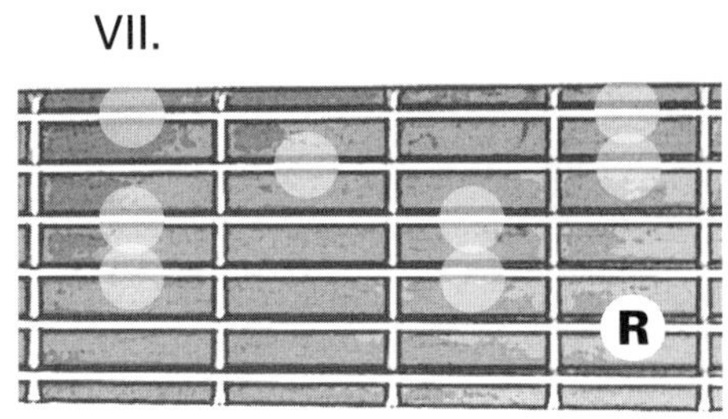

Em
Grifftyp: **A(m)**
Grundton: **VII. Bund**

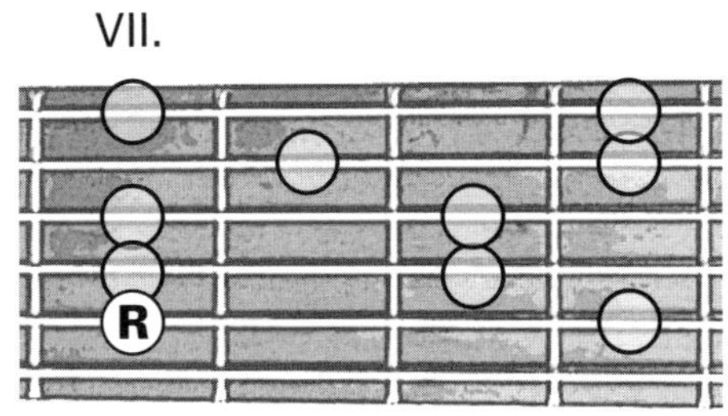

C
Grifftyp: **E**
Grundton: **VIII. Bund**

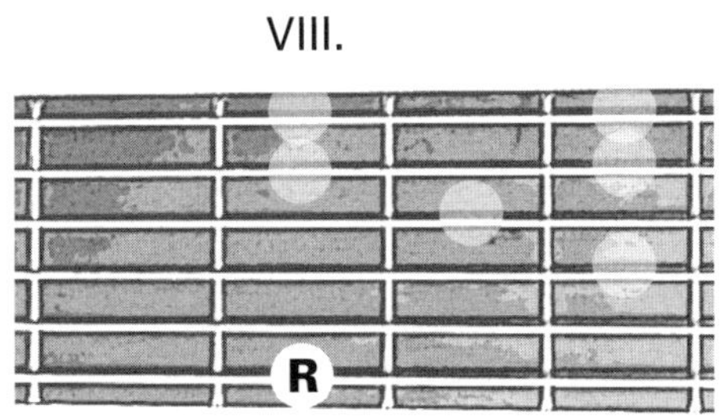

D
Grifftyp: **G**
Grundton: **X. Bund**

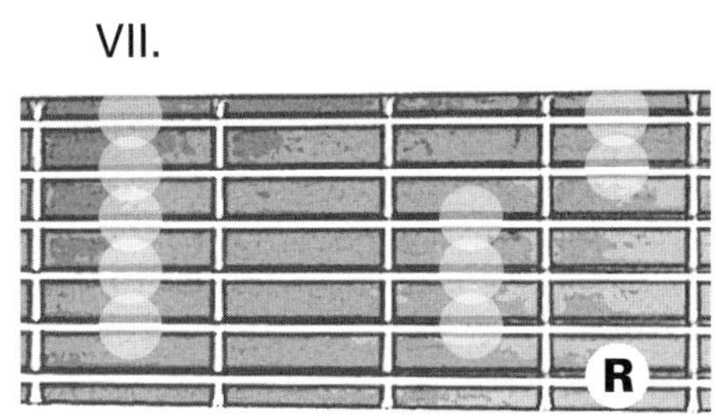

Hörbeispiel 16
Höre dir Hörbeispiel 16 an, übe die folgenden vier Takte aber mit Play-Along 17.

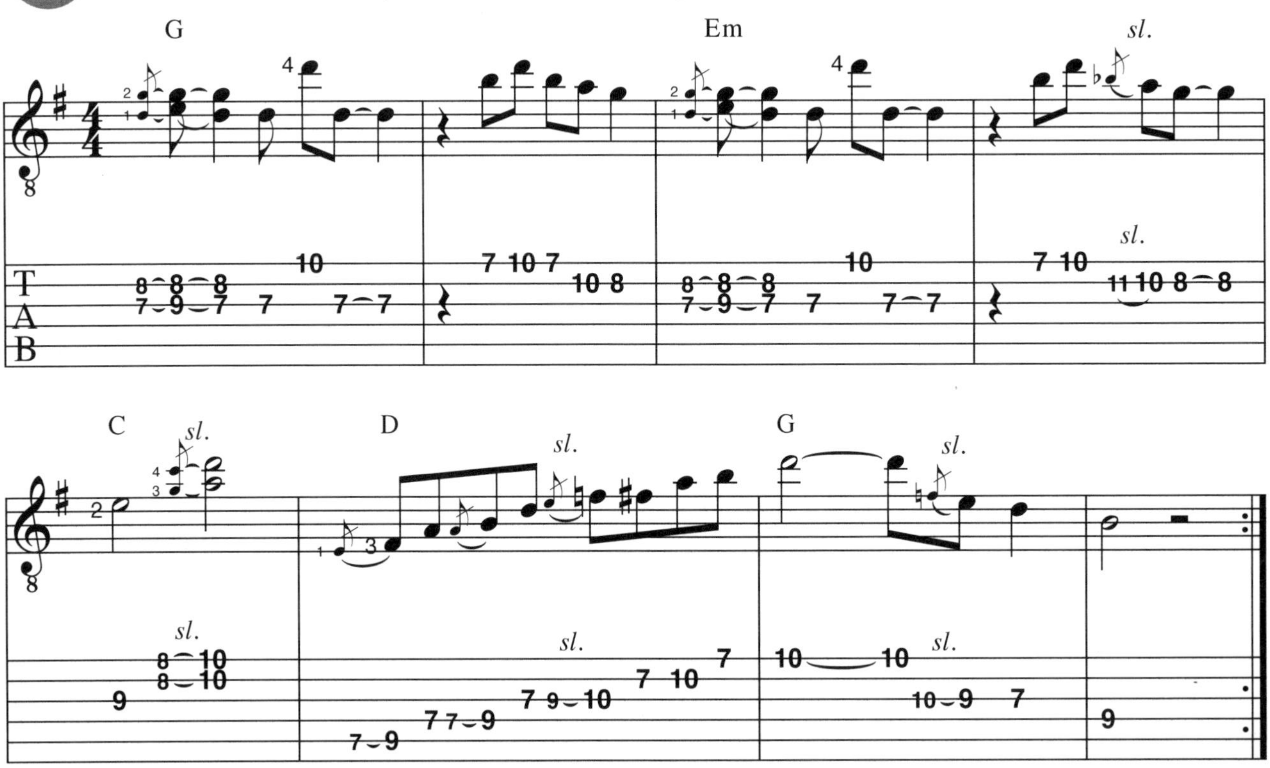

3.) Akkordfolge C - G - Am - F, Version 2

z. B. wie Vers, Takt 1-4 von „Let It Be“ (aus APG Solos Band 1)

C
Grifftyp: **A**
Grundton: **III. Bund**

III.

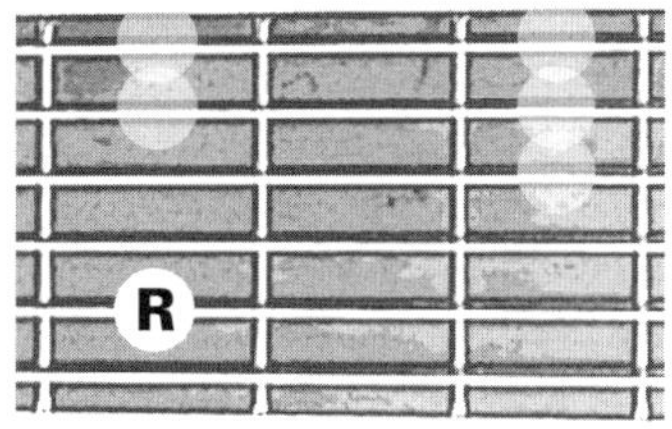

G
Grifftyp: **E**
Grundton: **III. Bund**

III.

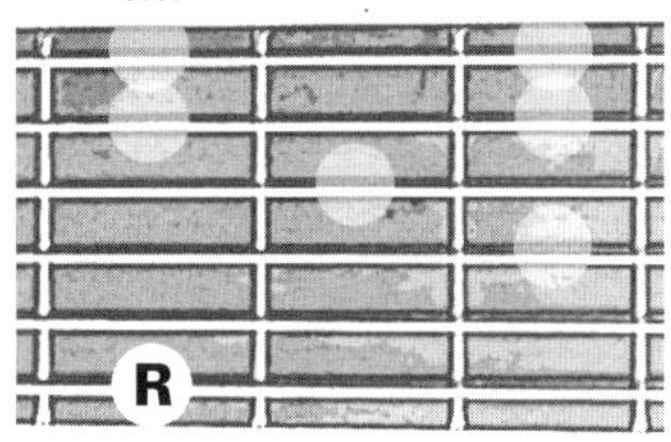

Am
Grifftyp: **E(m)**
Grundton: **V. Bund**

V.

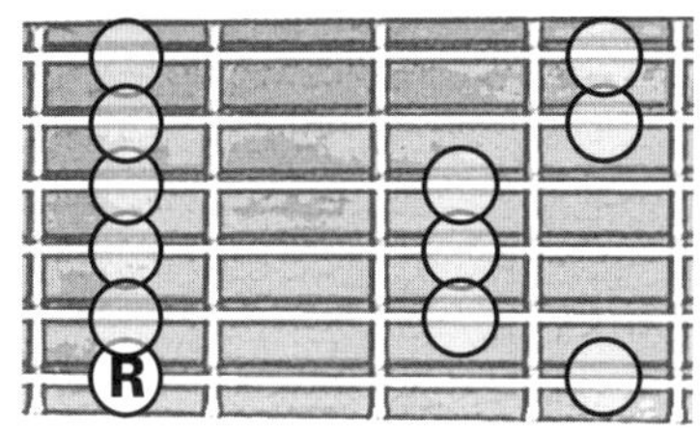

F
Grifftyp: **C**
Grundton: **VIII. Bund**

V.

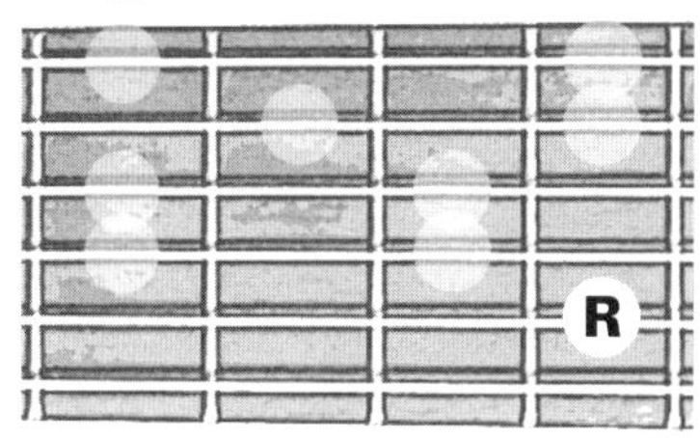

Hörbeispiel 17
Höre dir Hörbeispiel 17 an, übe die folgenden vier Takte aber mit Play-Along 18.

4.) Akkordfolge D - Em - G - A, Version 2

z. B. wie „Love Is All Around“ (aus APG Solos Band 1)

D
Grifftyp: **C**
Grundton: **V. Bund**

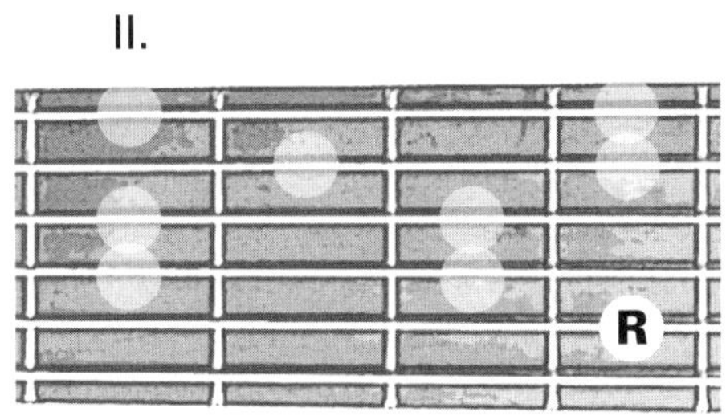

Hier ein Trick, wie ich auch in der III. Lage ein Pattern für Em finden kann.
Ich mache mir zunutze, dass G und Em **Paralleltonarten** sind und daher die G-Dur-Pentatonik und die e-Moll-Pentatonik aus denselben Tönen bestehen:

G-Dur-Pentatonik:		I **(g)**	II **(a)**	III **(h)**	V **(d)**	VI **(e)**
e-Moll-Pentatonik:	I **(e)**	bIII **(g)**	IV **(a)**	V **(h)**	bVII **(d)**	

Deshalb verwende ich einfach das G-Pattern auch für e-Moll:

Em
Grifftyp: **E**
Grundton: **III. Bund**

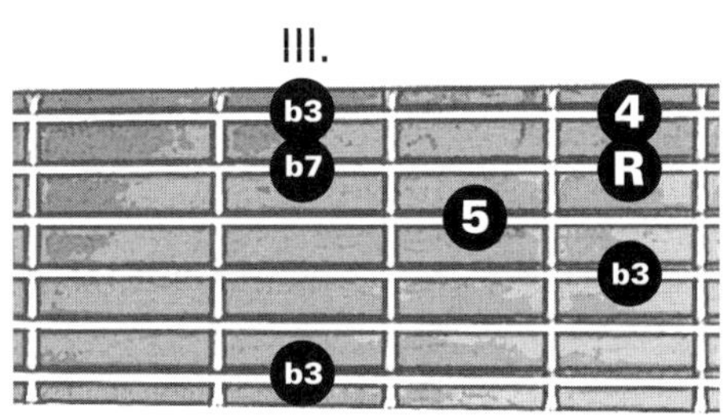

G
Grifftyp: **E**
Grundton: **III. Bund**

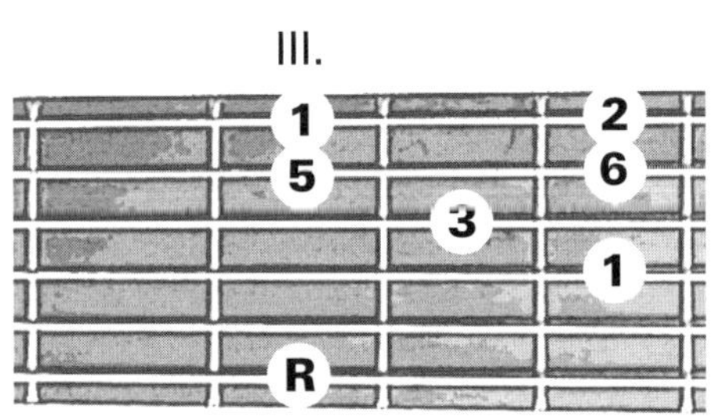

A
Grifftyp: **G**
Grundton: **V. Bund**

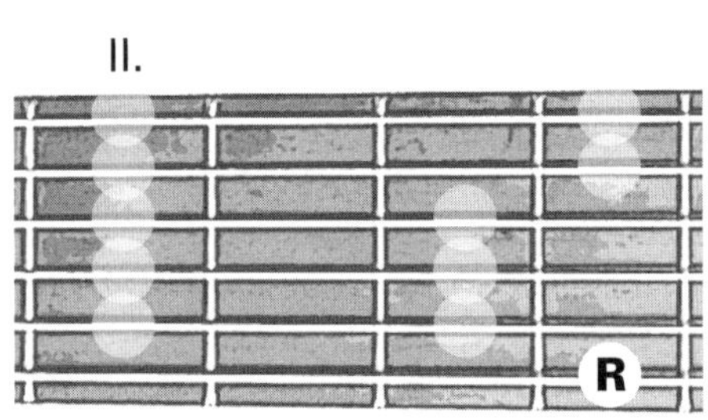

Hörbeispiel 18
Höre dir Hörbeispiel 18 an, übe die folgenden vier Takte aber mit Play-Along 16.

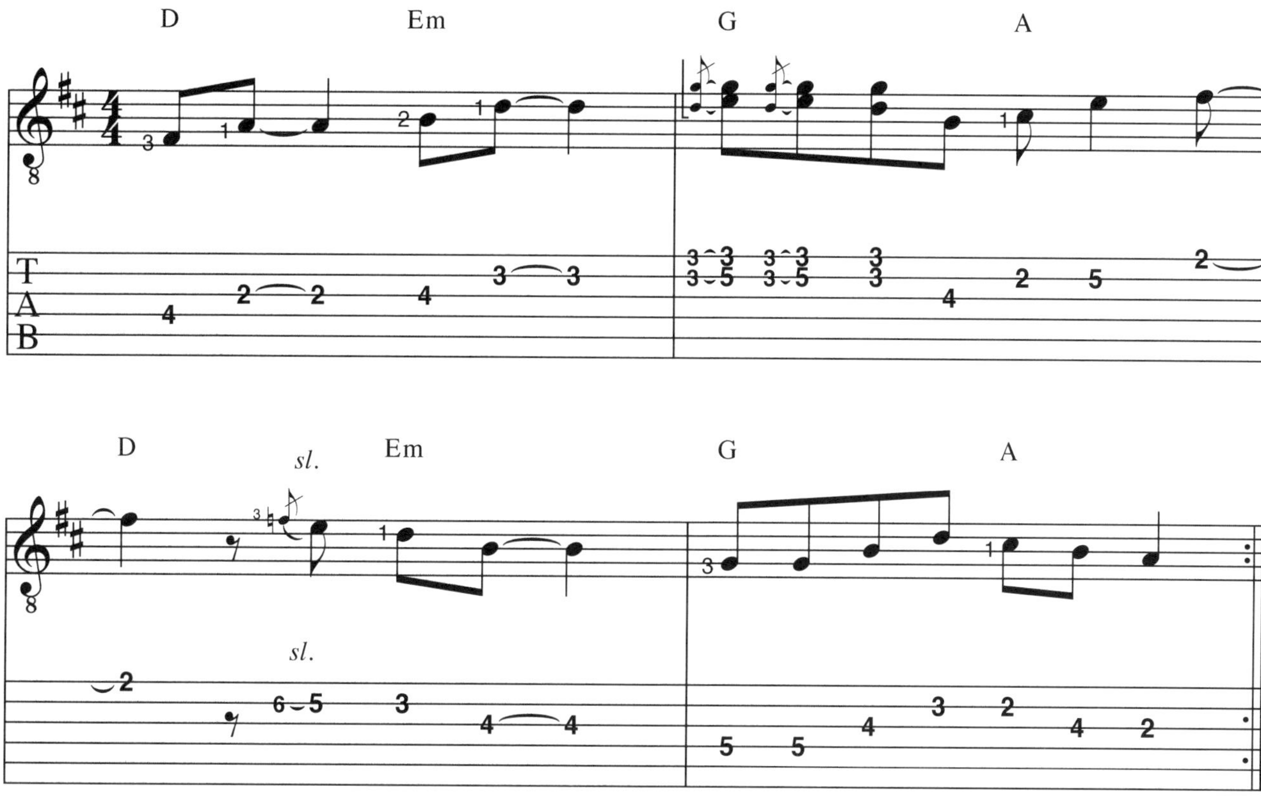

Play-Along 30
Begleitpattern für Hörbeispiele 14 und 15

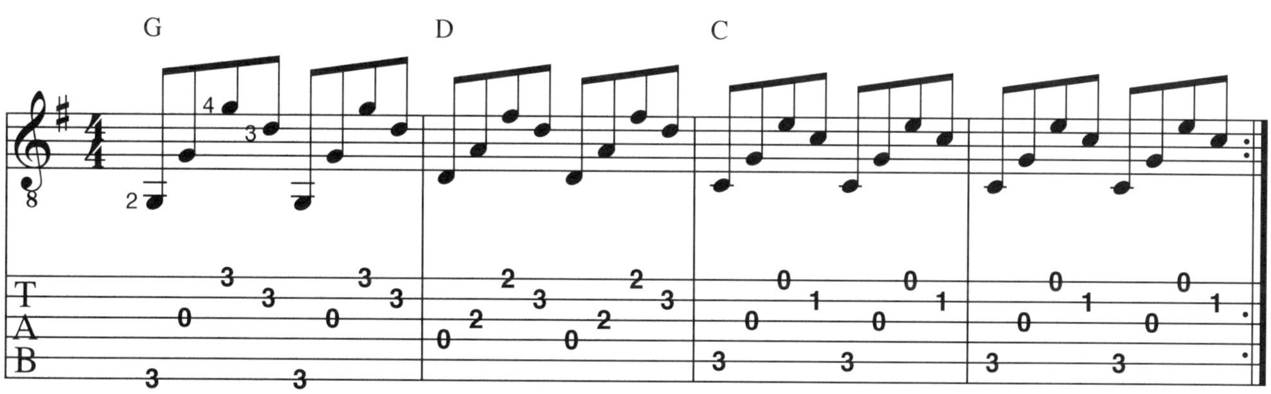

Play-Along 17
Begleitpattern G - Em - C - D für Hörbeispiel 16
Noten/TAB: Seite 58

Play-Along 18
Begleitpattern C - G - Am - F für Hörbeispiel 17
Noten/TAB: Seite 58

Play-Along 16
Begleitpattern D - Em - G - A für Hörbeispiel 18
Noten/TAB: Seite 58

Zusammenfassung: CAGE-System am Beispiel D-Dur

Wir schließen den Bereich Improvisation mit einem Überblick über das CAGE-System ab.

Erklärung der Grafik

Auf dem Griffbrett in der Mitte der Seite siehst du die vier Akkorde des CAGE-Systems:
II. Lage: Grifftyp C
V. Lage: Grifftyp A
VII. Lage: Grifftyp G
X. Lage: Grifftyp E
Der Farbunterschied grau-weiß soll die Grifftyp-Erkennung erleichtern.

Bitte beachte die **zwei Grundtöne**, der eine auf der 5., der andere auf der 6. Saite:
Sie sind als Orientierungspunkte die Basis dieses Systems.

Über und unter diesem Griffbrett stehen die vier dazugehörigen Basisakkorde in Akkorddiagrammen.
Das obere und untere Griffbrett stellt die dazugehörigen Mix-Pentatoniken dar (mit strichlierten Linien eingekreist). Ich habe zwei Griffbretter benützt, um zuviel Überschneidungen zu vermeiden.

Der nächste Schritt

Im Acoustic Pop Guitar-Teil haben wir zuletzt jeweils **einen** Grifftyp über **vier** Akkorde gespielt. Nun wollen wir alle **vier** Grifftypen über **einen** Akkord (in einer Tonart) spielen.

Play-Along 31
Groove in D-Dur für Improvisationsübungen

Versuche, die vier Akkord-Gestalten über das Griffbrett verteilt zu sehen und spiele mit Play-Along 31 los! Höre die Töne voraus und spüre die Spannung und Entspannung der Melodie über dem Akkord: Das ganze Griffbrett steht dir offen!

Vorschau

Genau diese neu gewonnene Wendigkeit werden wir im **zweiten Teil** dieses Buches auch in **anderen Tonarten** vertiefen.
Wir werden die Grifftypen des CAGE-Systems als Basis für Chord-Melody-Arrangements verwenden und Melodie und Akkorde der Songs zusammenfügen.

Grifftyp C
Mix-Pentatonik
II. Lage

Grifftyp G
Mix-Pentatonik
VII. Lage

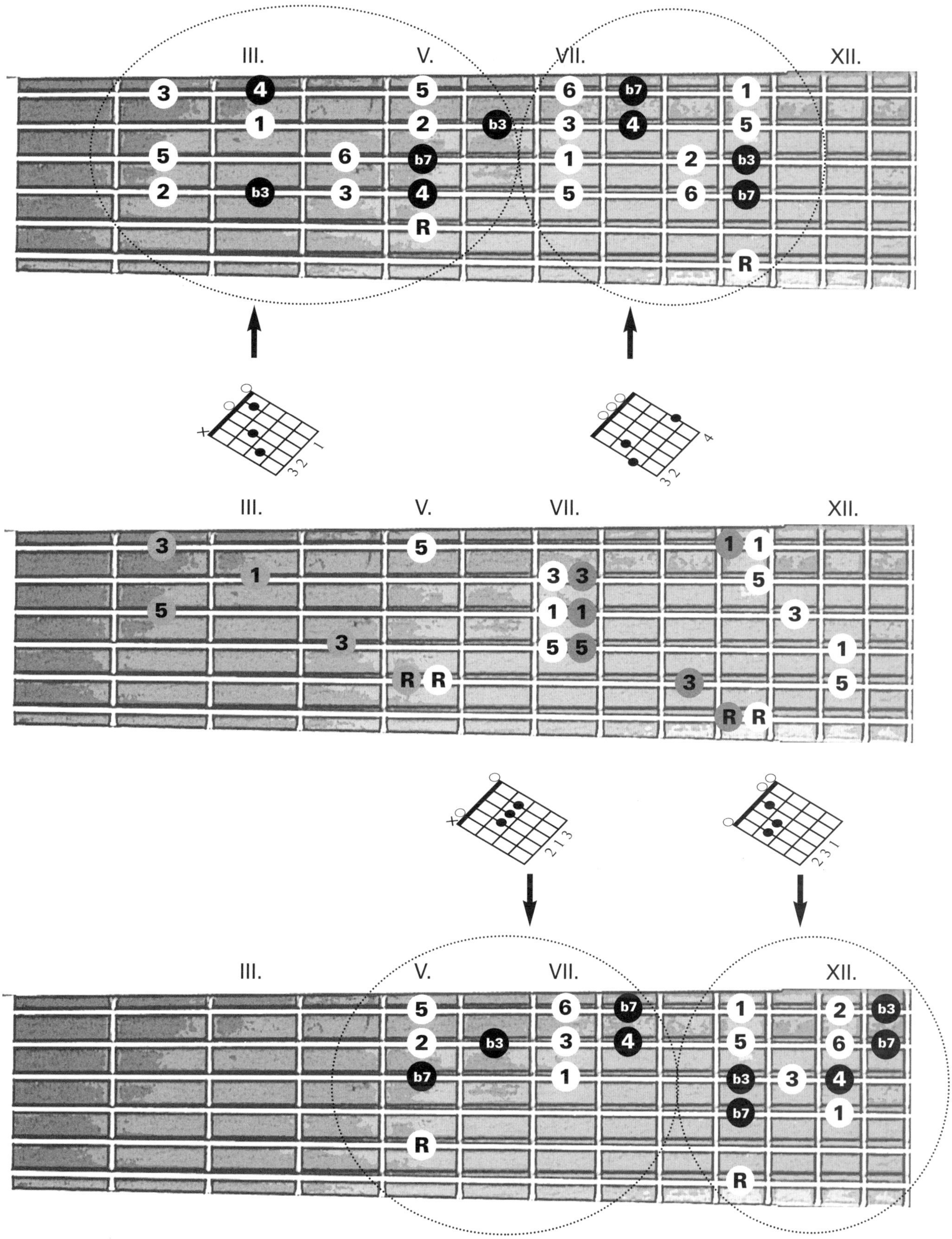

Grifftyp A
Mix-Pentatonik
V. Lage

Grifftyp E
Mix-Pentatonik
X. Lage

ARRANGEMENT

CAGE-System: Arrangement, Teil 1

Jetzt kommen wir vom Bereich Improvisation zum Thema Arrangement:
Der folgende Abschnitt zeigt die Grifftypen des CAGE-Systems als Basis für das Erstellen eines einfachen Solo-Gitarren-Arrangements. Als Beispiel wählen wir den Folk-Klassiker „Blowin' in the Wind".
Vorgabe ist, den Song alleine mit den Grifftypen als Chord-Melody-Arrangement zu spielen.

Wir wählen für „Blowin' in the Wind" die Tonart A-Dur – die Tonart, in der wir alle Licks mit Grifftyp E und G gespielt haben – was die Verwendung aller drei Basssaiten möglich macht. Durch die Beschränkung auf die Grifftypen bleiben wir aber beim Konzept der (über das ganze Griffbrett) verschiebbaren Licks. Dieses Konzept erlaubt uns die Verwendung der Grifftypen analog in anderen Tonarten bzw. anderen Stücken.

Für ein Chord-Melody-Arrangement betrachten wir die Akkorde nach ihrer Oberstimme. Später geht es uns darum, eine Position zu finden, in der die Töne der Melodie und ein Grifftyp nahe beieinander liegen.

Also folgt auf den nächsten drei Seiten eine Aufstellung der drei Hauptakkorde von „Blowin' in the Wind": A-Dur, D-Dur und E-Dur in Dreiklängen, mit der Melodienote auf der 1. bzw. 2. Saite. Die Melodienote und der dazugehörige Grifftyp stehen dabei.

Ich habe dafür nur die folgenden Grifftypen E, A und C eingesetzt:

Grifftyp E-Dur

E

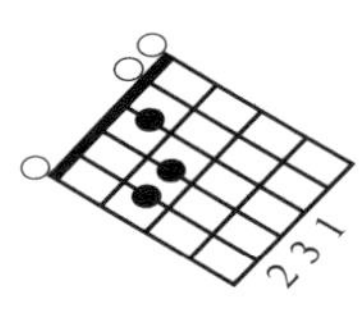

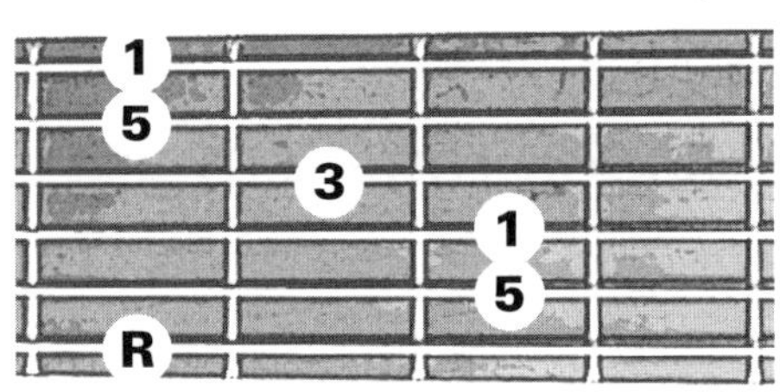

Grifftyp A-Dur

A

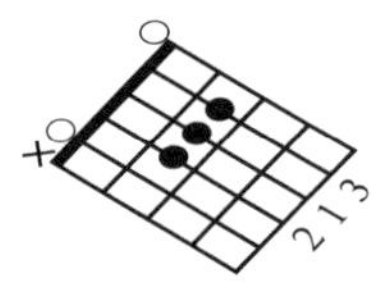

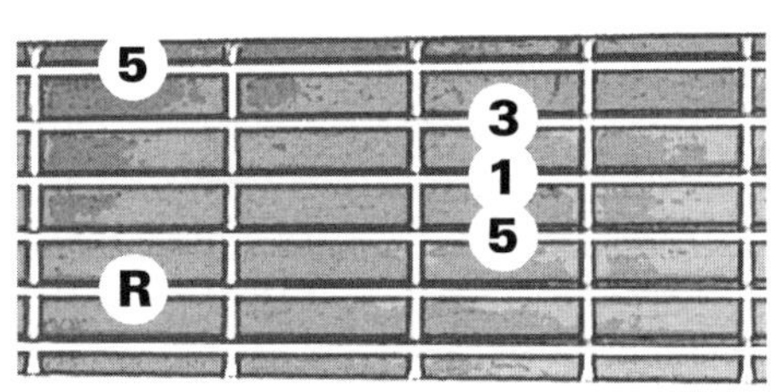

Grifftyp C-Dur

C

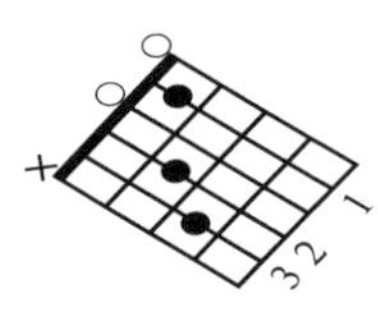

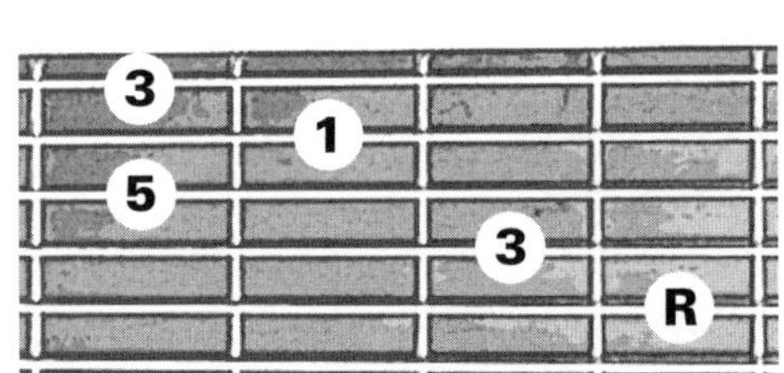

A-Dur
Melodietöne 1. Saite

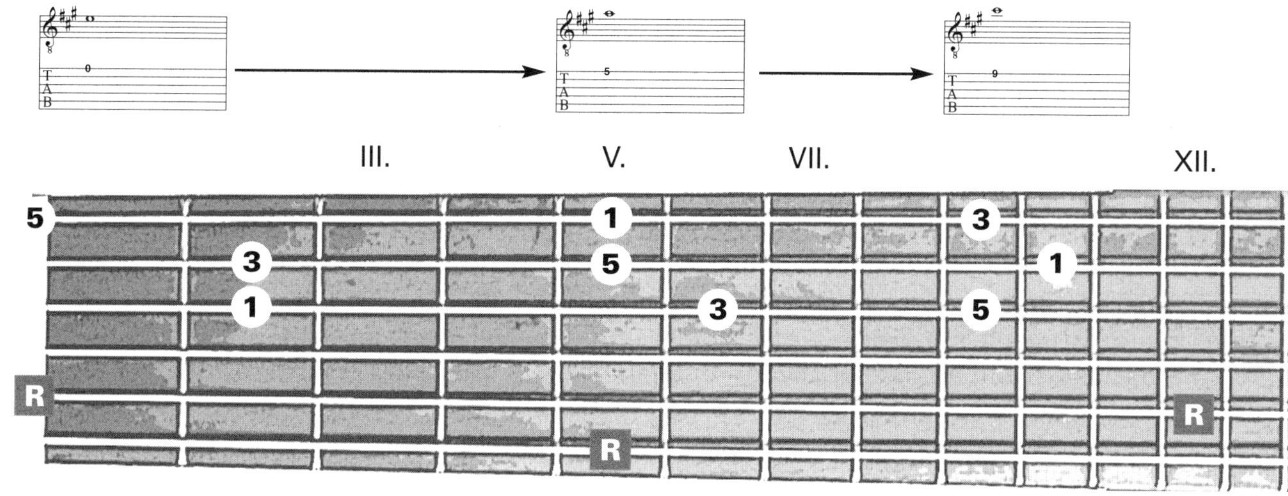

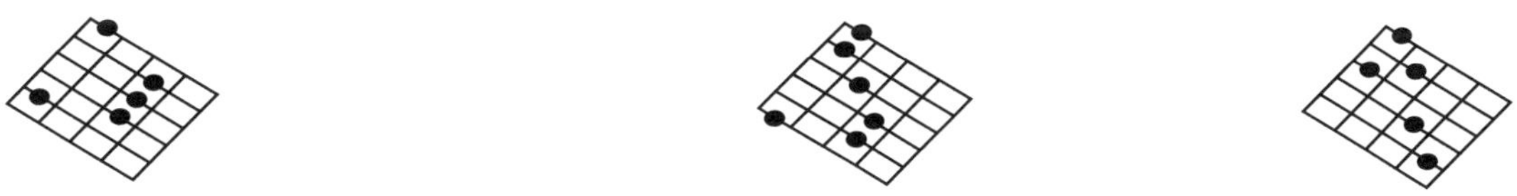

Grifftyp A
Grundton 5. Saite

Grifftyp E
Grundton 6. Saite

Grifftyp C
Grundton 5. Saite

A-Dur
Melodietöne 2. Saite

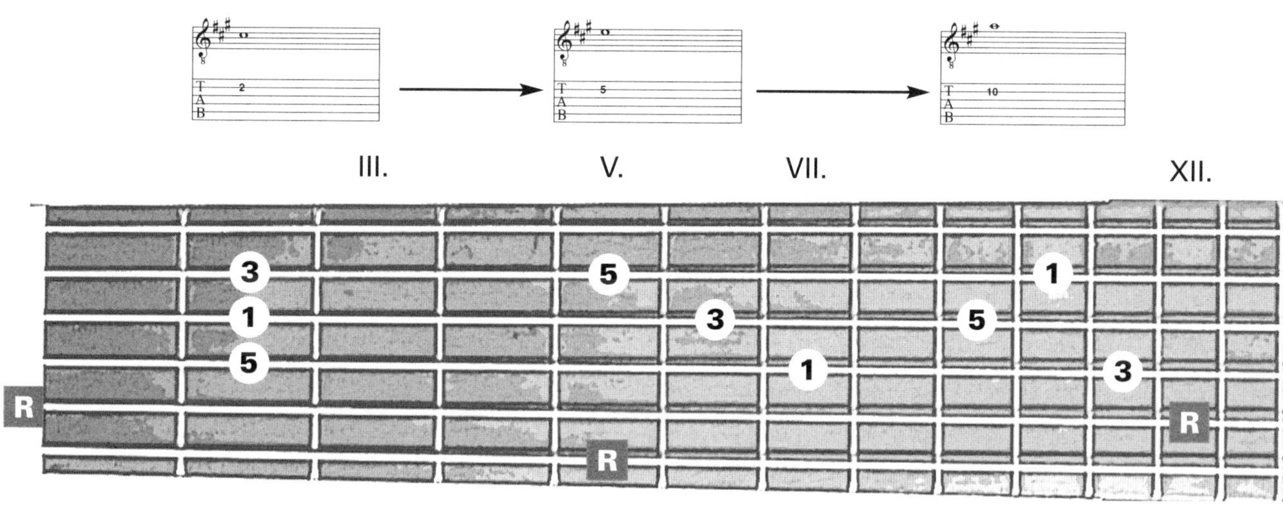

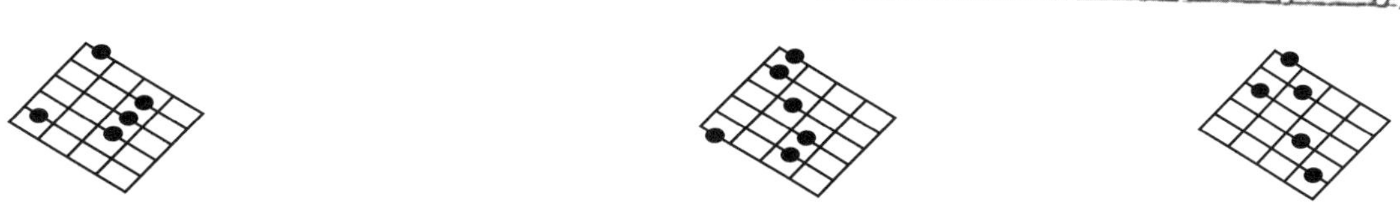

Grifftyp A
Grundton 5. Saite

Grifftyp E
Grundton 6. Saite

Grifftyp C
Grundton 5. Saite

D-Dur
Melodietöne 1. Saite

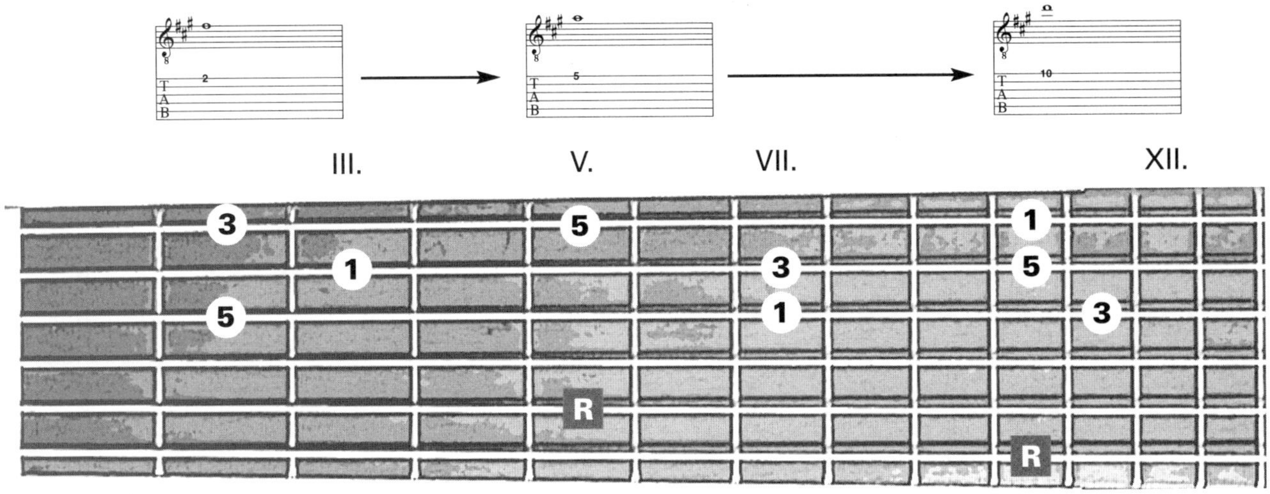

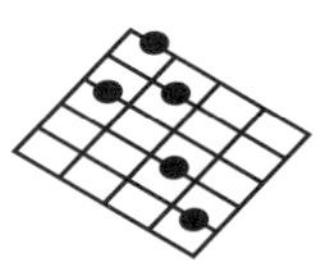

Grifftyp C
Grundton 5. Saite

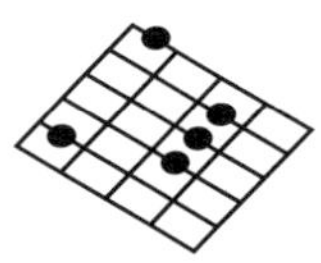

Grifftyp A
Grundton 5. Saite

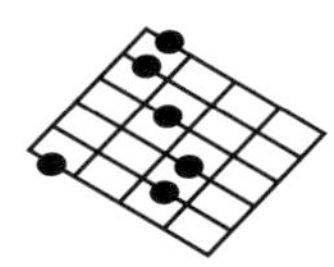

Grifftyp E
Grundton 6. Saite

D-Dur
Melodietöne 2. Saite

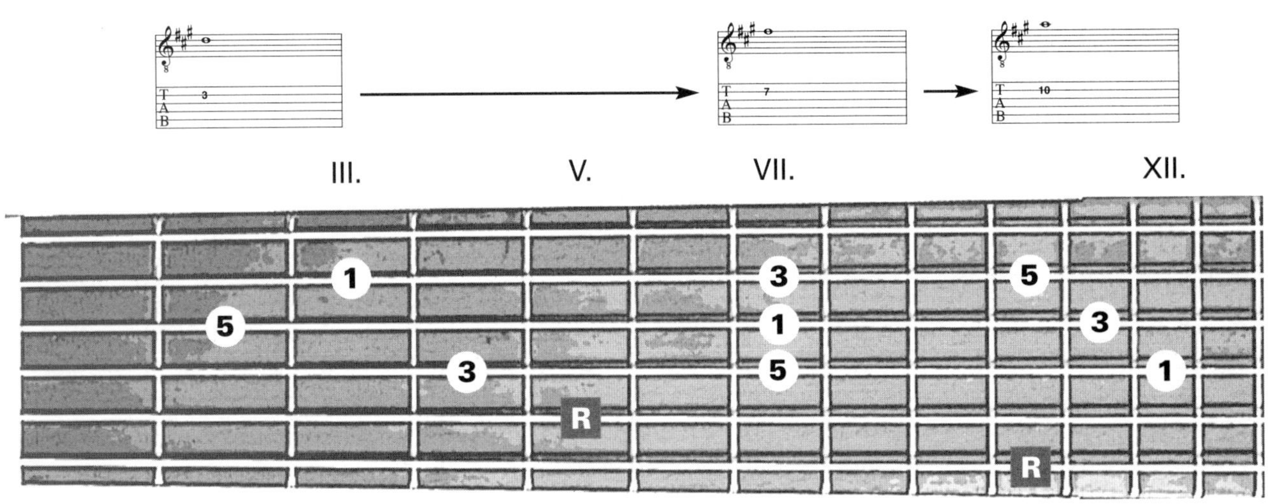

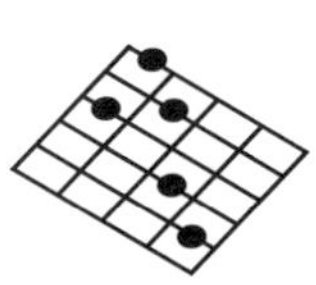

Grifftyp C
Grundton 5. Saite

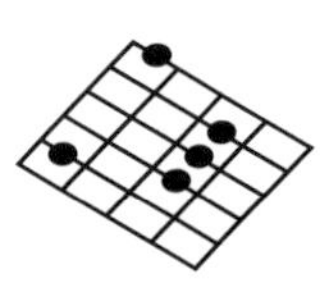

Grifftyp A
Grundton 5. Saite

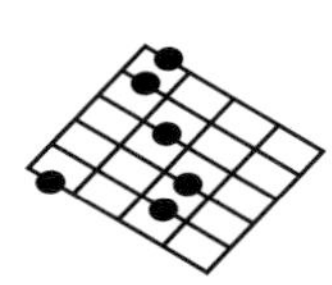

Grifftyp E
Grundton 6. Saite

E-Dur
Melodietöne 1. Saite

III. V. VII. XII.

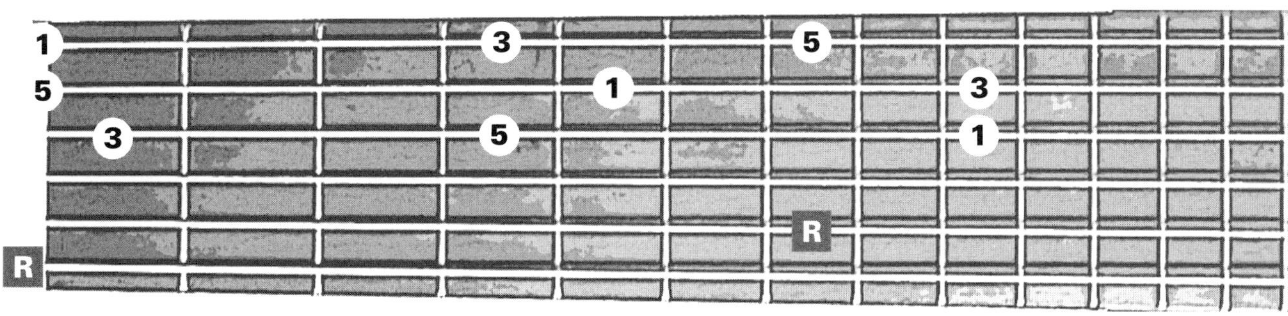

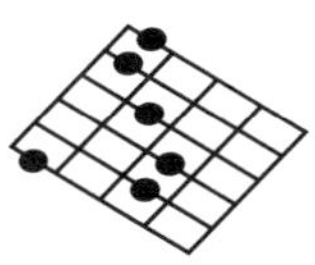

Grifftyp E
Grundton 6. Saite

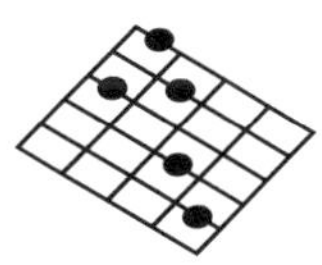

Grifftyp C
Grundton 5. Saite

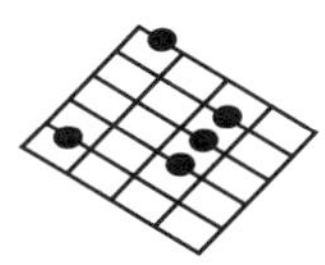

Grifftyp A
Grundton 5. Saite

E-Dur
Melodietöne 2. Saite

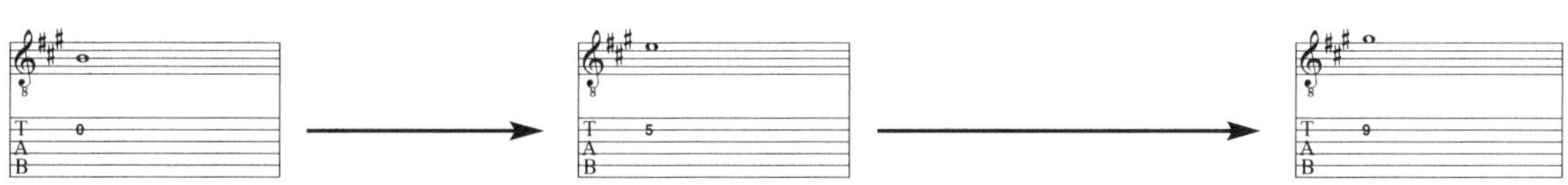

III. V. VII. XII.

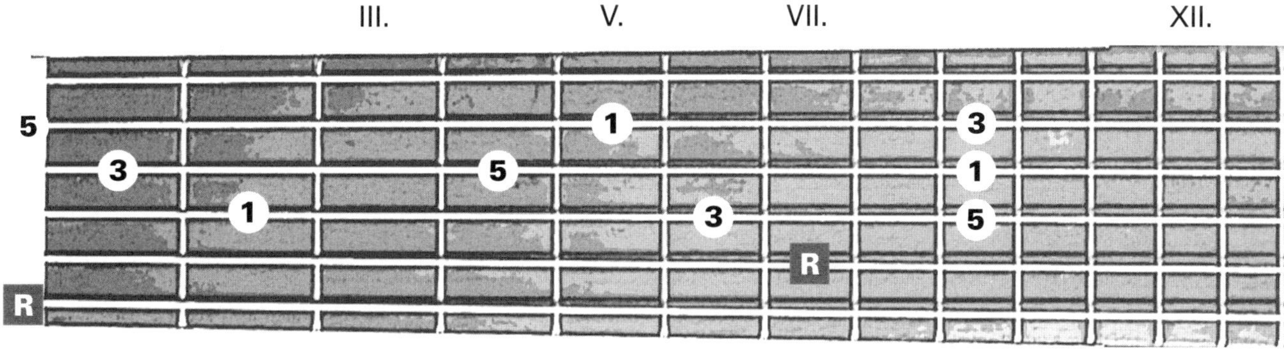

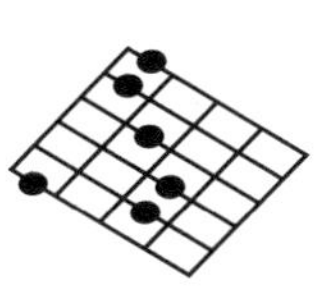

Grifftyp E
Grundton 6. Saite

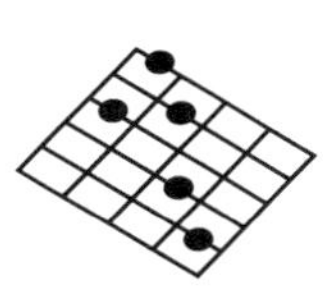

Grifftyp C
Grundton 5. Saite

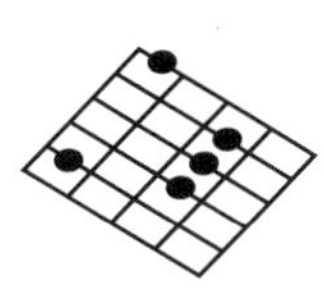

Grifftyp A
Grundton 5. Saite

BLOWIN' IN THE WIND (Bob Dylan)

*) 8va - - - Oktavierungszeichen: Ab hier wird die Melodie eine Oktave höher gespielt.

Takt 1:
Versuchen wir nun, eine Position zu finden, in der die Töne der Melodie und ein Grifftyp nahe beieinander liegen. Für den ersten Takt von „Blowin' in the Wind“ ist es die V. Lage:

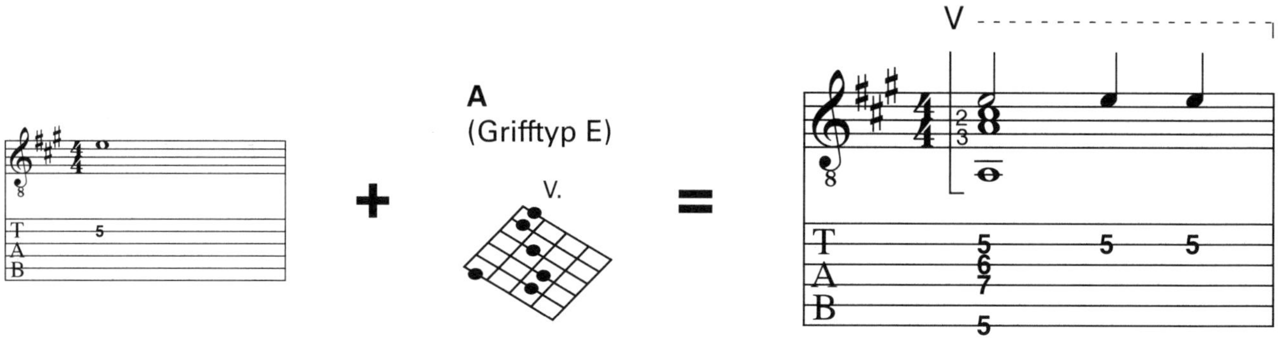

Takt 2:
Dieselbe Position wie für Takt 1. Nur der Grifftyp ändert sich:

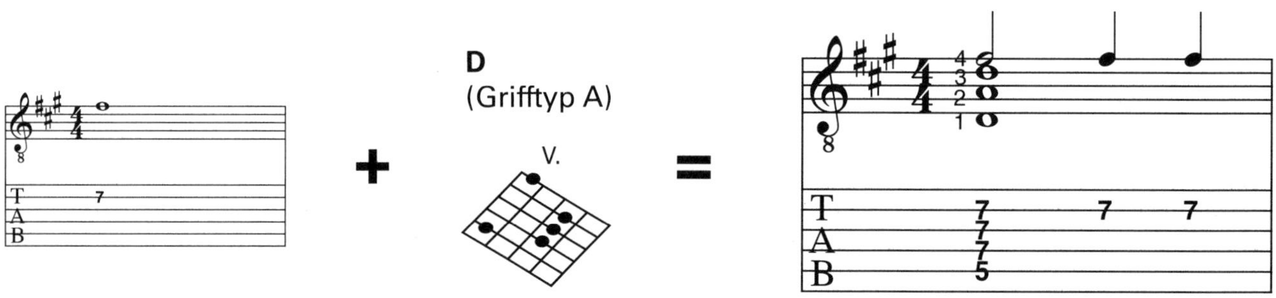

Takt 3:
Auch das cis können wir mit dem Grifftyp E in der V. Lage harmonisieren.
Die Durchgangsnote h spielen wir mit der leeren 2. Saite, sodass der Akkord weiterklingen kann und wir die Melodietöne schöner verbinden können.

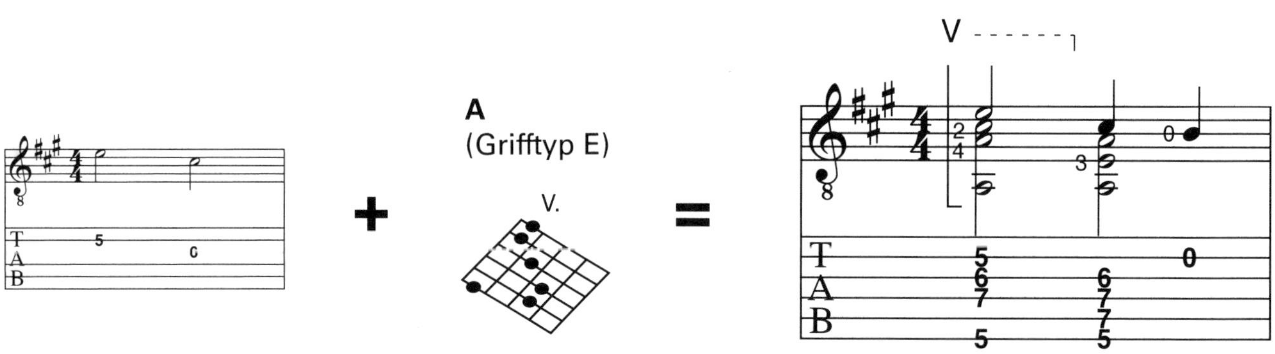

Takt 4:
Grifftyp E, Moll-Variante

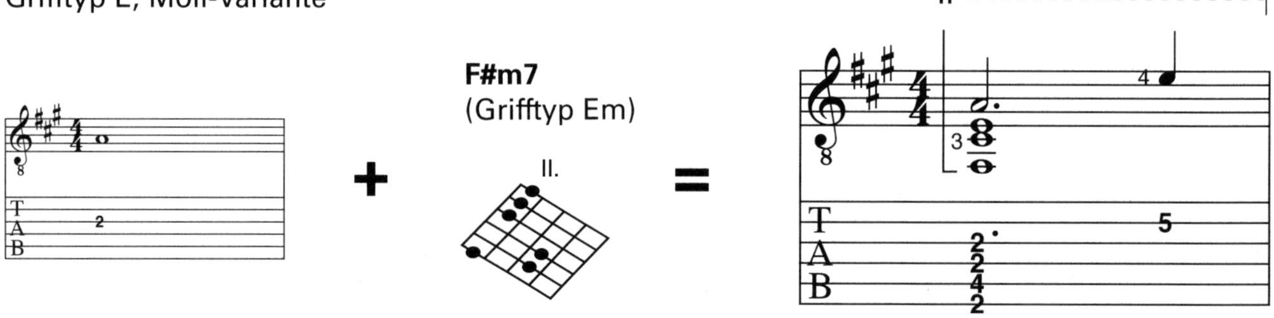

Einfacher:
Der nächste, ganz wichtige Schritt: Das Arrangement leichter spielbar machen ohne an Klang zu verlieren. Wir bringen dort, wo es möglich ist, leere Saiten ins Spiel und verkleinern teilweise die Griffe. Takt 1-4:

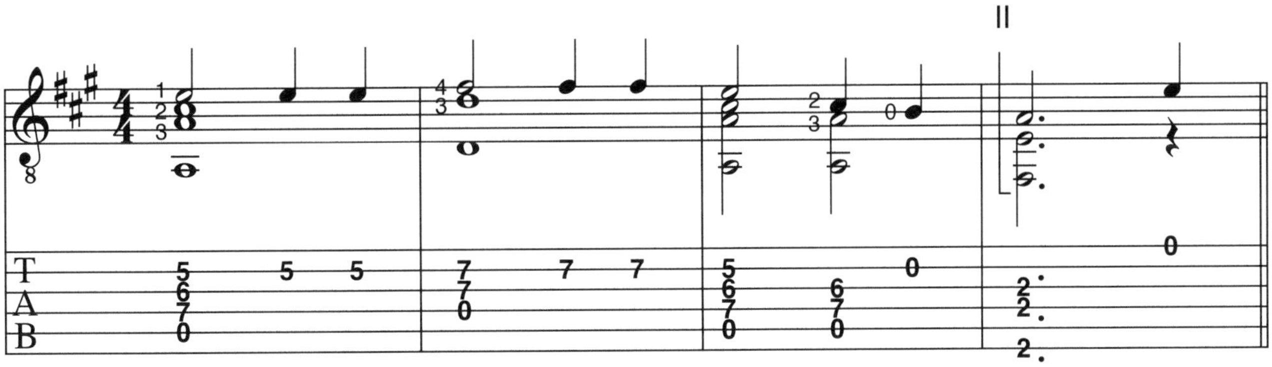

Takt 5 + 6:
wie Takt 1 + 2
Die beiden zusätzlichen Melodienoten in Takt 6 findest du auch im Grifftyp A.
Wenn du das d auf Zählzeit 4 statt mit dem 3. Finger, wie es dem Griff entsprechen würde, mit dem 4. Finger greifst, hast du eine perfekte Verbindung zum nächsten Akkord.

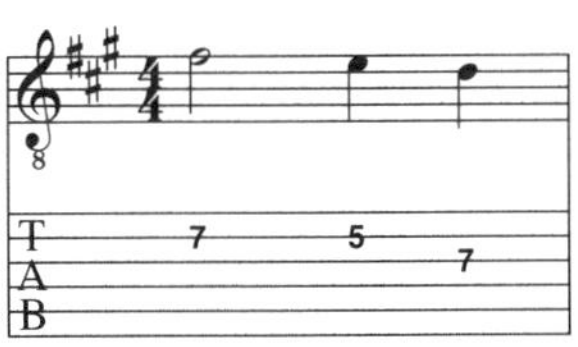

+

D
(Grifftyp A)

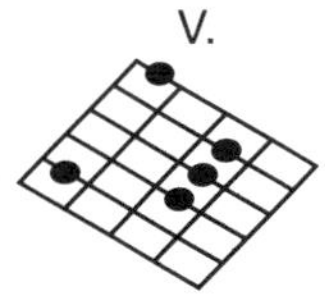

=

Takt 7 + 8:
Für den E7-Akkord verwende ich den Grifftyp C als C7-Variante. So bleiben wir in der V. Lage und haben auch schon den 4. Finger vorbereitet.

+

E7
(Grifftyp C7)

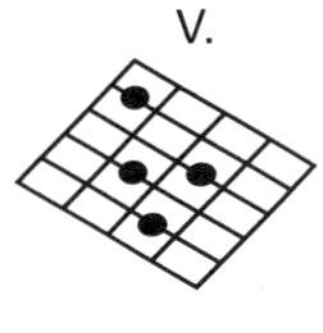

=

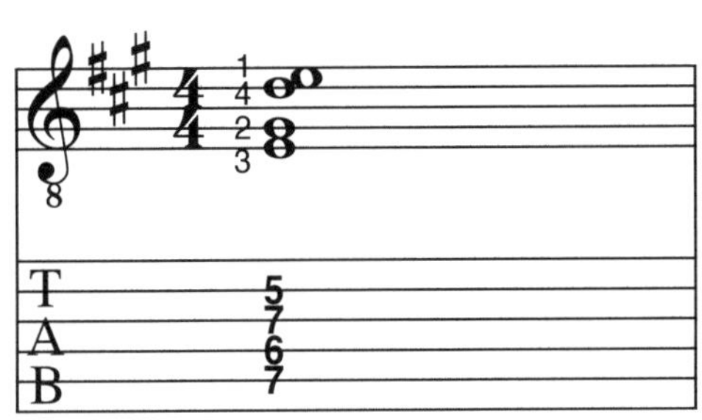

Takt 9 - 12:
wie Takt 1 - 4

Takt 13:
wie Takt 5

Takt 14:
Bei „she sleeps in the sand ...“ geht die Melodie hinunter. Daher empfiehlt es sich jetzt für den D-Dur-Akkord den Grifftyp C in der II. Lage zu verwenden.

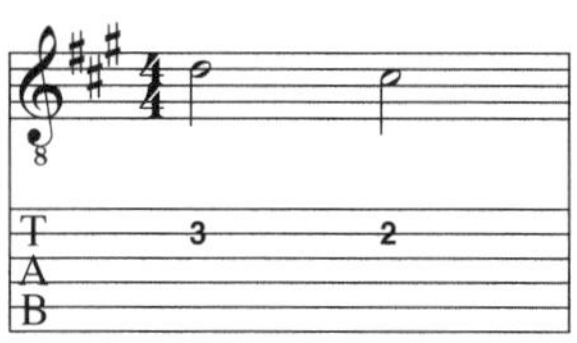

+

D
(Grifftyp C)

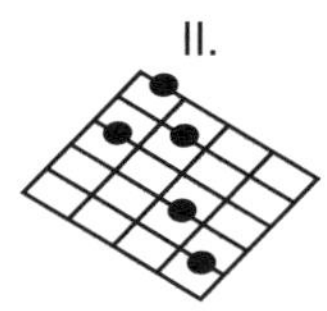

=

Takt 15:
Schlussnote dieser Phrase ist das h. Man kann es als leere Saite spielen (mit Grifftyp E) oder auf der 3. Saite im Grifftyp C bleiben. Dafür habe ich mich entschieden:

+

E
(Grifftyp C)

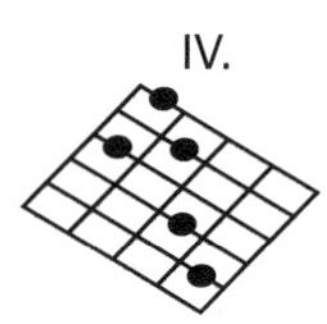

=

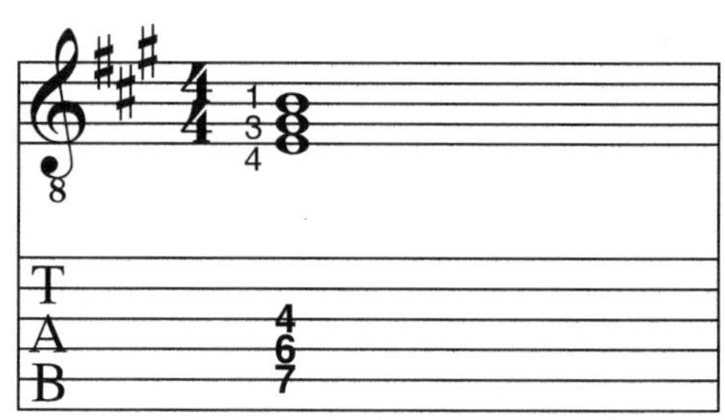

Einfacher:
Das sind die Takte 13-16 mit durch leere Bass-Saiten vereinfachten und verkleinerten Griffen:

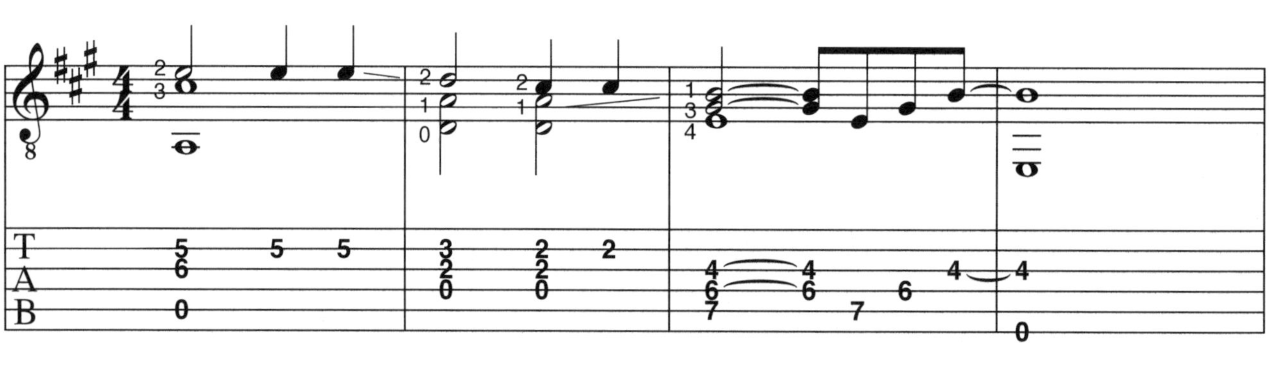

Takt 17 - 24:
wie Takt 1 - 8

Takt 25:
Eine Möglichkeit ist Grifftyp E in der X. Lage, aber unser Konzept, die Grifftypen mit leeren Bässen zu vereinfachen, eröffnet uns die Möglichkeit, hier den (als ganzer Griff selten verwendeten) Grifftyp G einzusetzen.
In Takt 25 und 26 können wir dadurch **einen** Barrégriff über drei Saiten in der VII. Lage liegenlassen, auch das cis passt perfekt in den Griff.

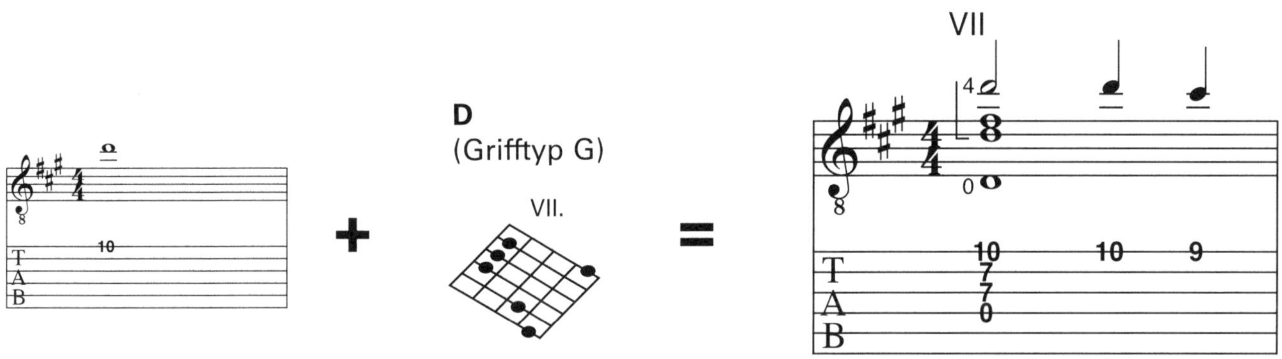

Takt 26:
Der Akkord E7 als Grifftyp A in der VII. Lage hat das h in der Melodie:

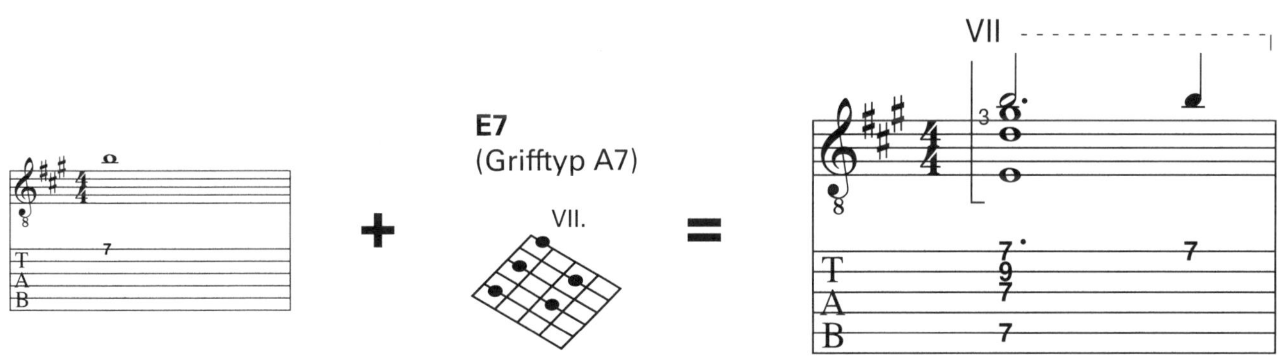

Takt 27:
Die passende Bassnote für das cis ist der A-Bass auf der 5. Saite am XII. Bund. Doch Grifftyp C in der IX. Lage ist schwierig zu greifen. Wieder nehmen wir die leere Saite zu Hilfe:

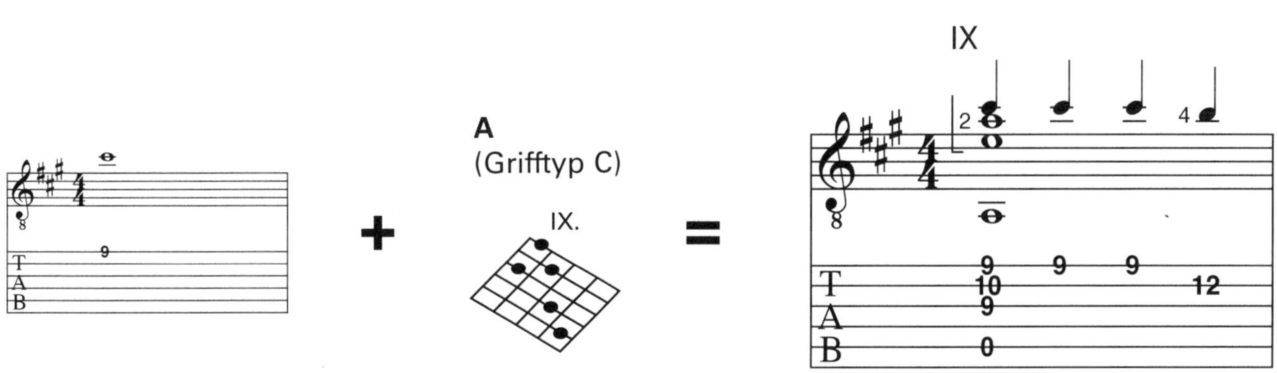

Takt 28:
Grifftyp C in Dur und Grifftyp A in Moll liegen in derselben Lage. Das nutzen wir hier aus und greifen fis-Moll mit der Melodienote a in der IX. Lage.

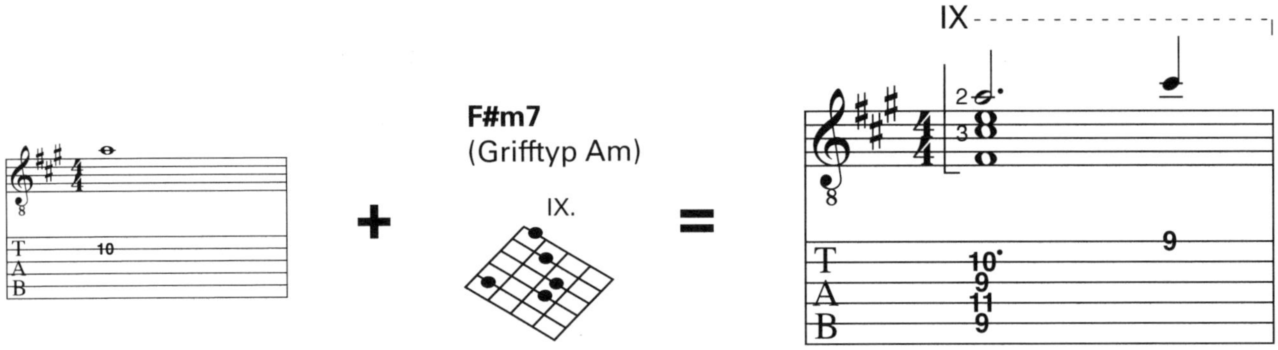

Takt 29:
wie Takt 25

Takt 30:
Ausgangspunkt ist wieder Grifftyp A in der VII. Lage. Hier lassen sich die beiden Akkordnoten h, gis und auch die Durchgangsnote a spielen.

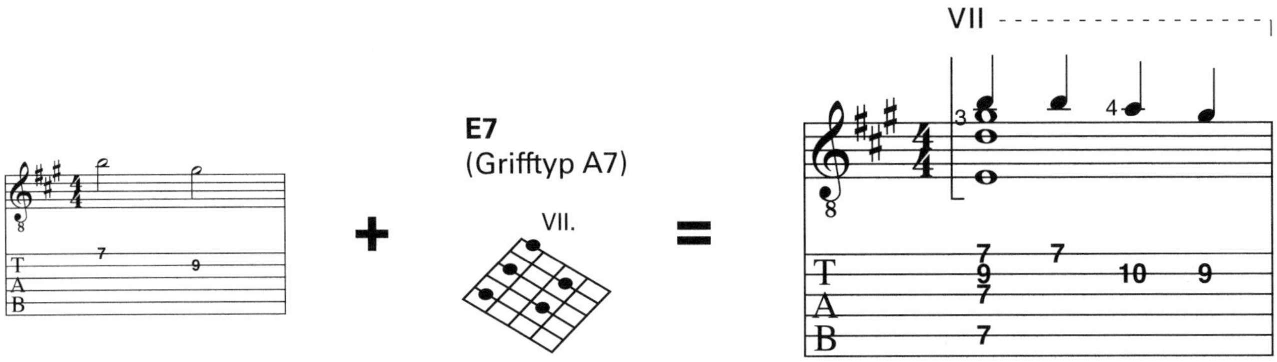

Takt 31/32:
Die einfachste Variante in der V. Lage:

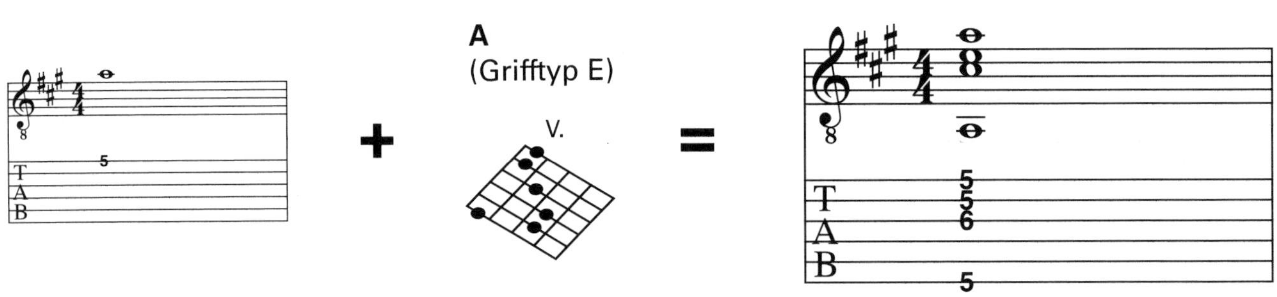

Einfacher:
Das sind die Takte 25-32 mit zwei Arten der Vereinfachung:

1) Wie schon mehrmals ausprobiert, verwenden wir für Bässe und Durchgangsnoten leere Saiten.

2) Wir denken die Zählzeit 4 „auftaktig“: Wenn sich die letzte Note mehr auf den nächsten Takt bezieht (das entspricht oft auch dem Text) greifen wir früher um (siehe z. B. Takt 28, Zählzeit 4) oder suchen für aufeinanderfolgende Akkorde Grifftypen in **einer** Lage (siehe z. B. Takt 25, Zählzeit 4).

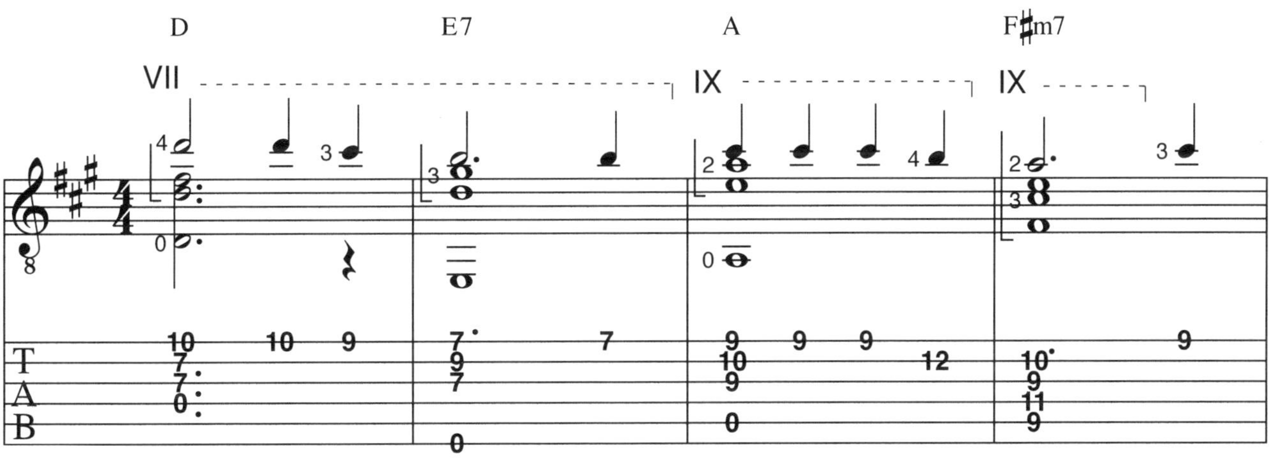

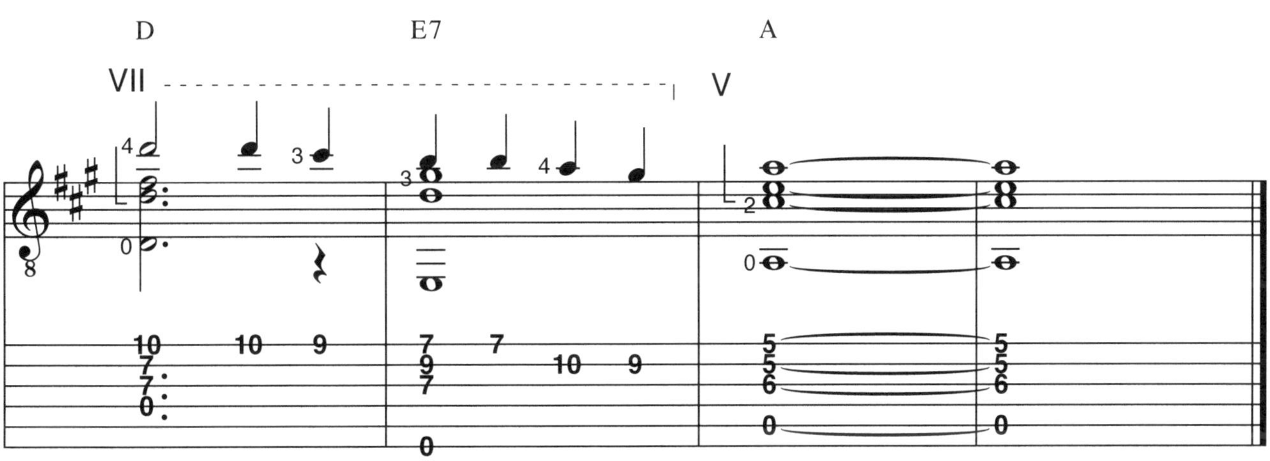

Auf Seite 112 + 113 ist nun das ganze Arrangement von „Blowin' in the Wind“ aufgeschrieben, so wie ich es aufgenommen habe.

BLOWIN' IN THE WIND (Bob Dylan)

Hörbeispiel 19

A
(Grifftyp E)
D
(Grifftyp A)
A
(Grifftyp E)
F#m7
(Grifftyp E)
A
(Grifftyp E)
D
(Grifftyp A)
E7
(Grifftyp C)
Refrain
D
(Grifftyp G)
E7
(Grifftyp A)
A
(Grifftyp C)
F#m7
(Grifftyp A)
D
(Grifftyp G)
E7
(Grifftyp A)
A
(Grifftyp E)

CAGE-System: Comping

Der Begriff „Comping“ (kurz für „accompanying“) beschreibt die Akkorde (und Rhythmen), mit denen Gitarristen oder Pianisten Jazzmusiker beim Improvisieren bzw. Melodiespielen begleiten.

Bei den Basis-Akkorden der Jazzharmonik werden die Dreiklänge um eine Terz erweitert: Dadurch entstehen Septakkorde. Ich habe für die folgende Aufstellung die fünf gebräuchlichsten Septakkorde ausgewählt.
Aber Vorsicht: Die Noten-/TAB-Darstellung auf dieser Seite dient nur der Theorie! Mehrere dieser fünf Akkorde lassen sich nur sehr schwer vierstimmig greifen ...

Major-Septakkord (maj7): Dur-Dreiklang und große Terz

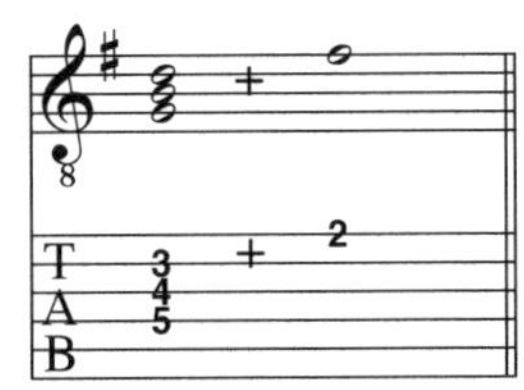

Dominantseptakkord (7): Dur-Dreiklang und kleine Terz

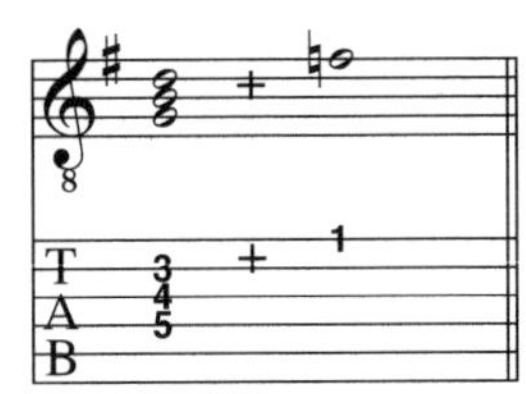

Mollseptakkord (m7): Moll-Dreiklang und kleine Terz

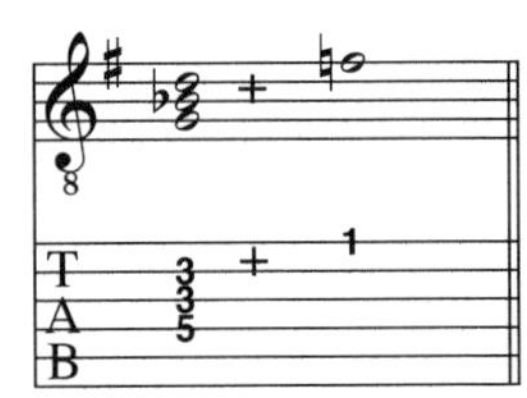

Halbverminderter Septakkord (m7b5): verminderter Dreiklang und große Terz

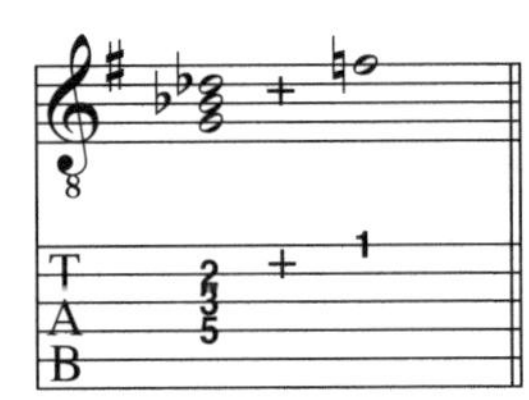

Verminderter Septakkord (dim7): verminderter Dreiklang und kleine Terz

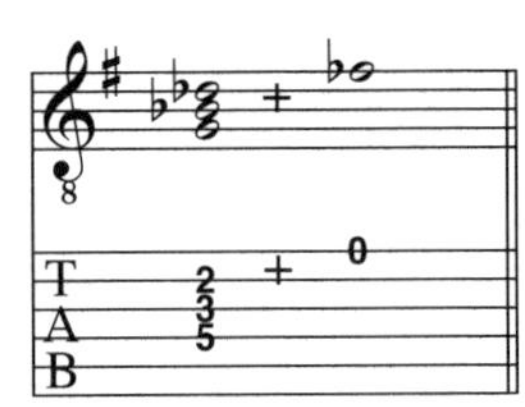

Im folgenden Kapitel möchte ich in mehreren Schritten zeigen, wie wir diese vierstimmigen Jazzakkorde schnell und einfach aus dem CAGE-System ableiten, als Griffbilder abspeichern und damit auch harmonisch komplexere Jazzstandards wie Jobims großen Welterfolg „The Girl from Ipanema“ begleiten können.

Fünf Septakkorde für Grifftyp E:

E

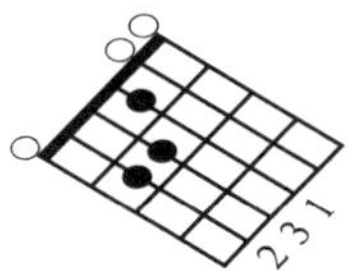

Grifftyp E Dur:
vierstimmige Variante,
auf den Saiten 6, 4, 3 und 2

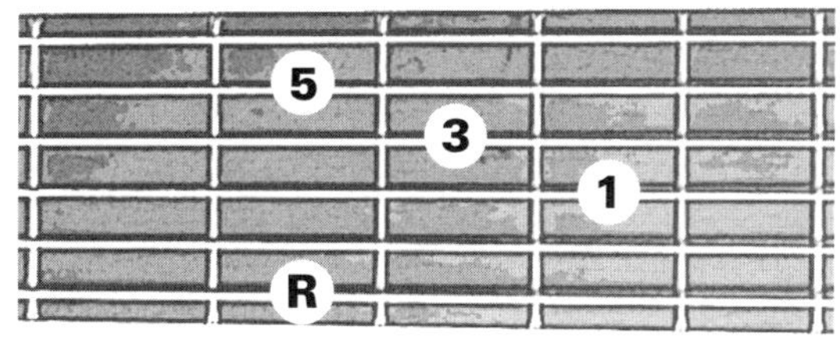

Typ E
maj7-Akkord

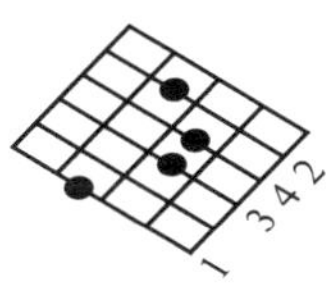

Major-7-Akkord:
Dur-Dreiklang
mit der großen Septime

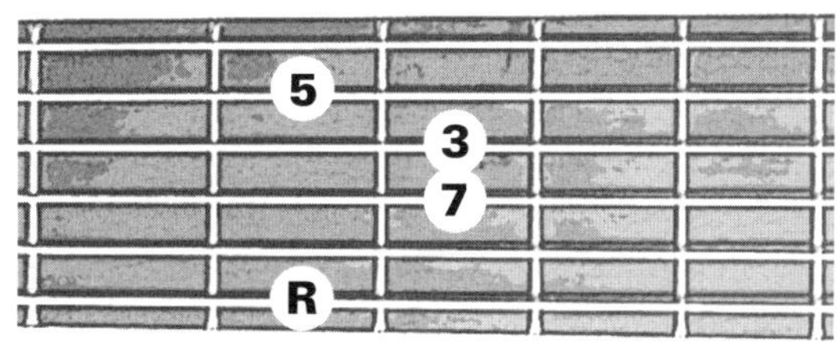

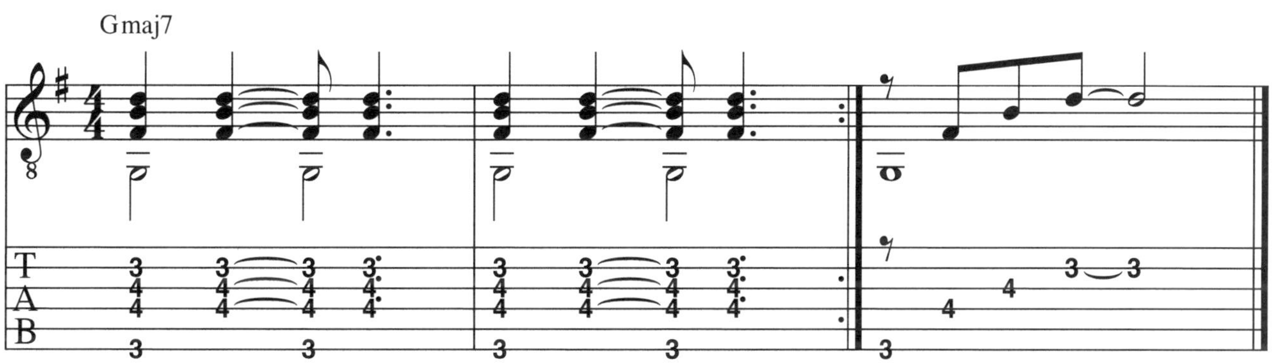

Typ E
7-Akkord

7-Akkord:
Dur-Dreiklang
mit der kleinen Septime

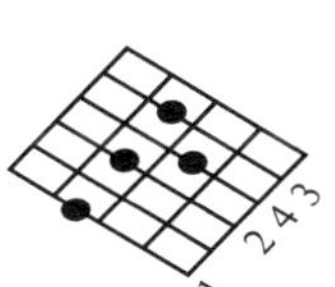

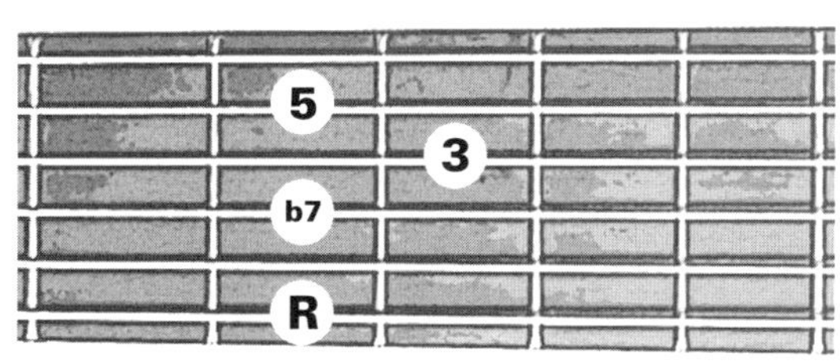

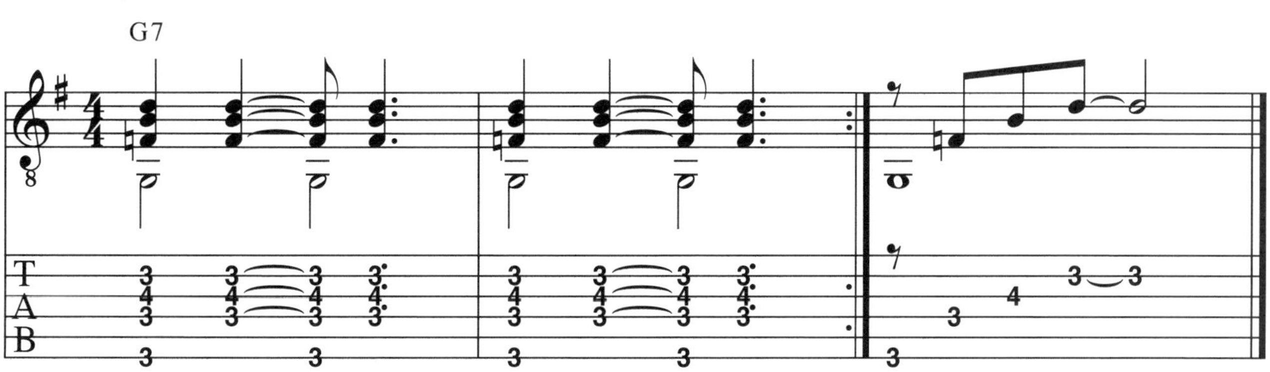

Typ E
m7-Akkord

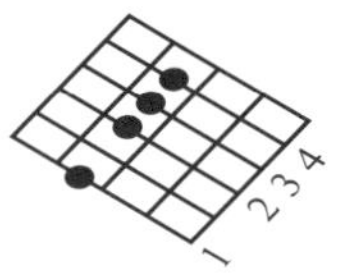

Moll-7-Akkord:
Moll-Dreiklang
mit der kleinen Septime

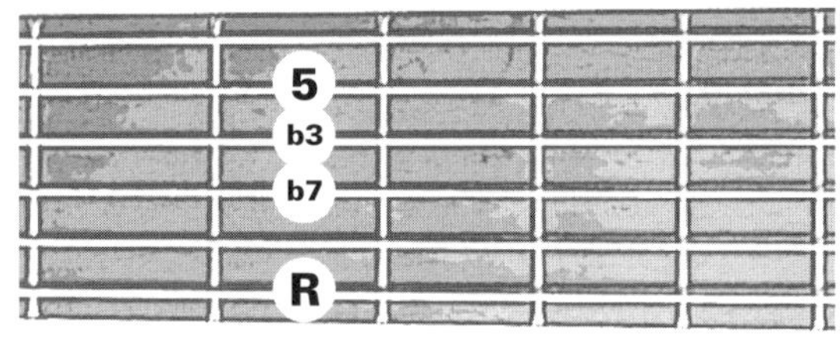

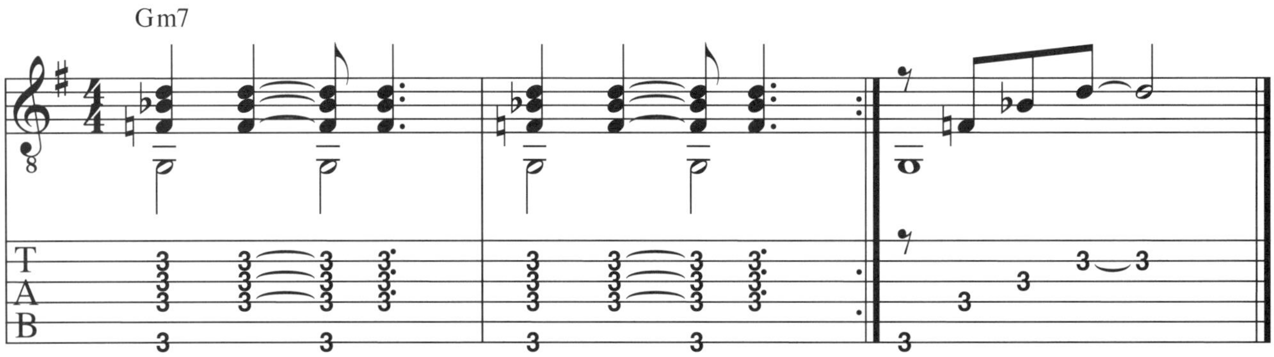

Typ E
m7b5-Akkord

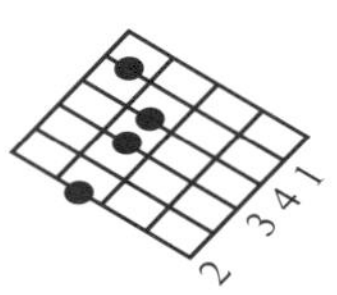

Moll-7-b5-Akkord
(halbverminderter Akkord):
Moll-Septakkord
mit der verminderten Quinte

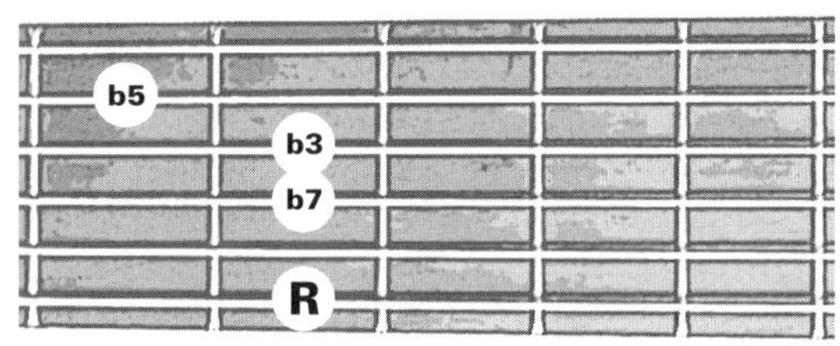

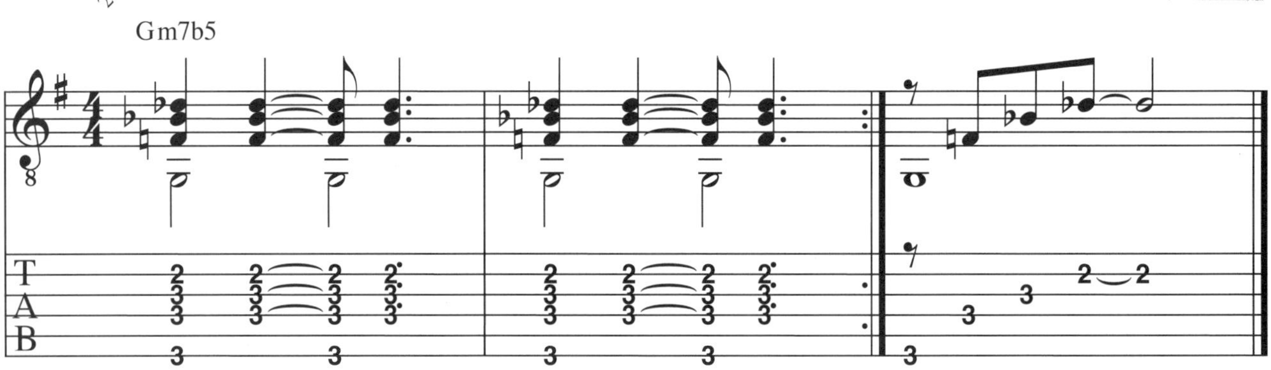

Typ E
dim7-Akkord

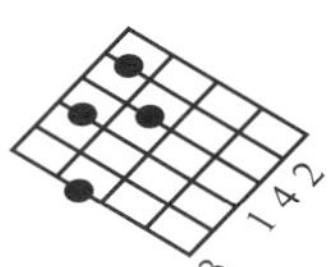

Verminderter 7-Akkord:
verminderter Dreiklang
mit der verminderten Septime

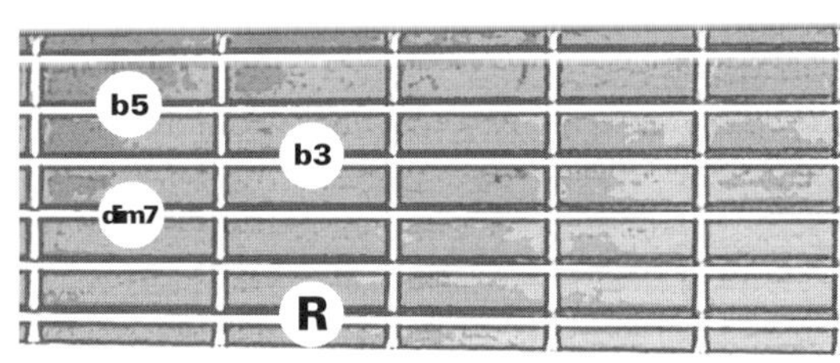

THE GIRL FROM IPANEMA

Teil A:

Akkordfolge mit Grifftyp E,
Zuordnung über Grundton auf der 6. Saite:

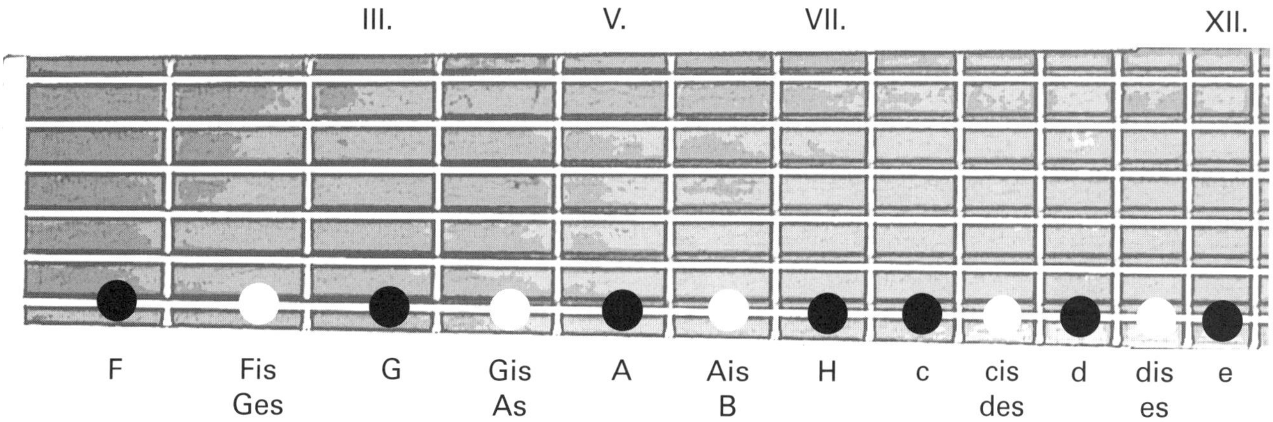

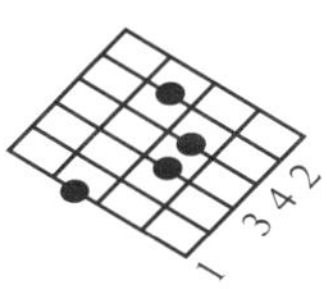

maj-7-Akkord, Grifftyp E -
Grundton 6. Saite: F - I. Bund

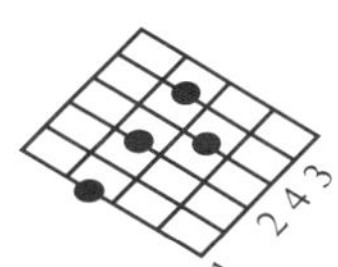

7-Akkord, Grifftyp E -
Grundton 6. Saite: G - III. Bund

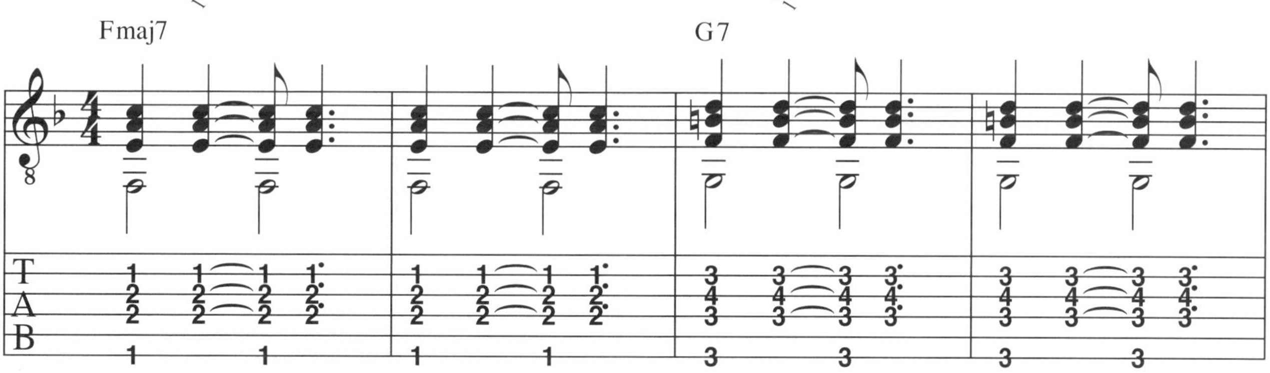

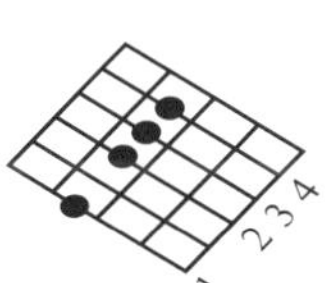

m7-Akkord:
Grifftyp E
Grundton 6. Saite:
G - III. Bund

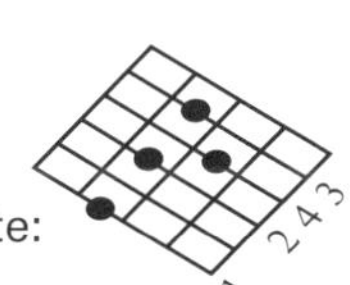

7-Akkord,
Grifftyp E -
Grundton 6. Saite:
Ges - II. Bund

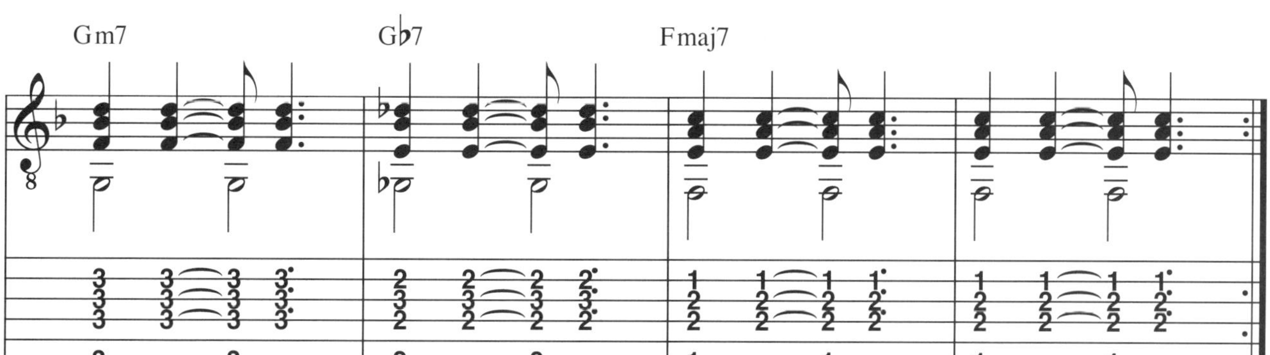

Fünf Septakkorde für Grifftyp A:

A

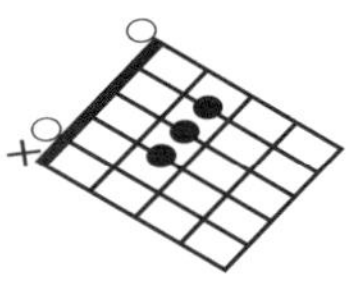

Grifftyp A Dur:
vierstimmige Variante
auf den Saiten 5, 4, 3 und 2

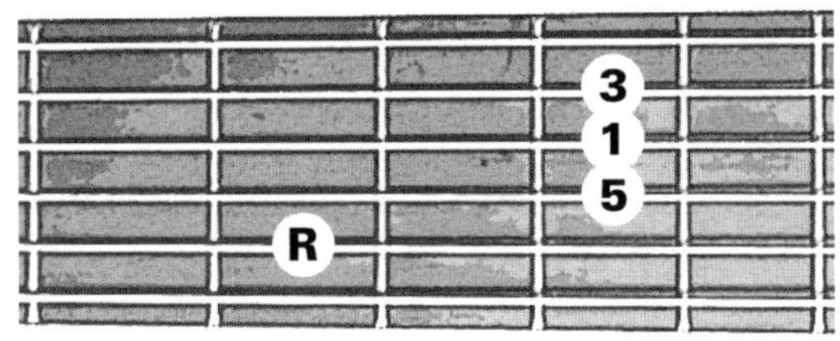

Typ A
maj7-Akkord

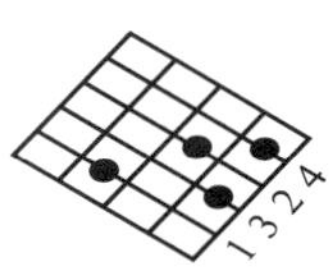

Major-7-Akkord:
Dur-Dreiklang
mit der großen Septime

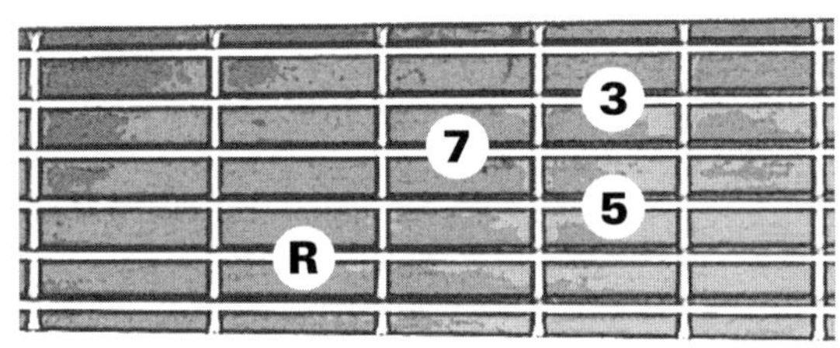

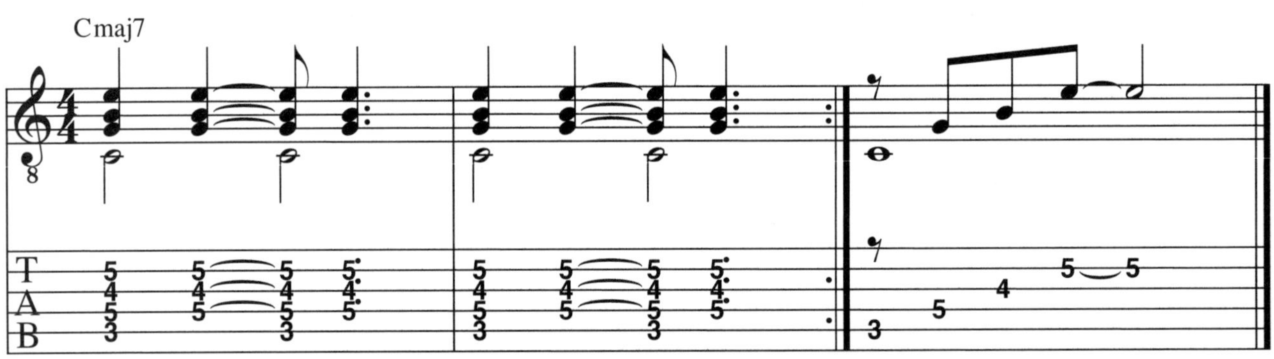

Typ A
7-Akkord

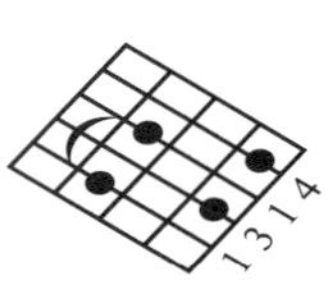

7-Akkord:
Dur-Dreiklang
mit der kleinen Septime

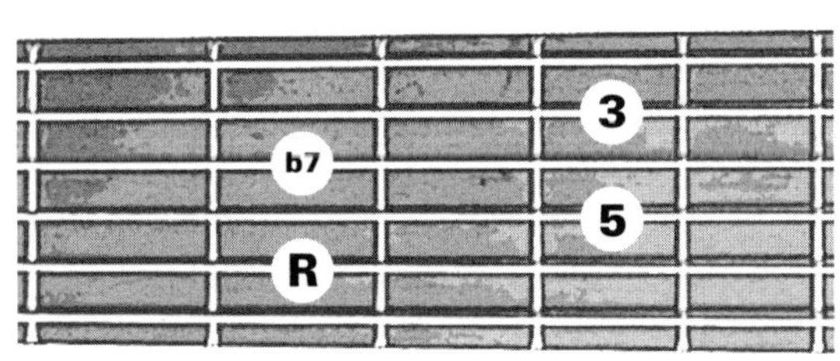

Typ A
m7-Akkord

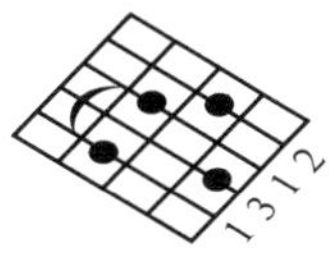

Moll-Septakkord:
Moll-Dreiklang
mit der kleinen Septime

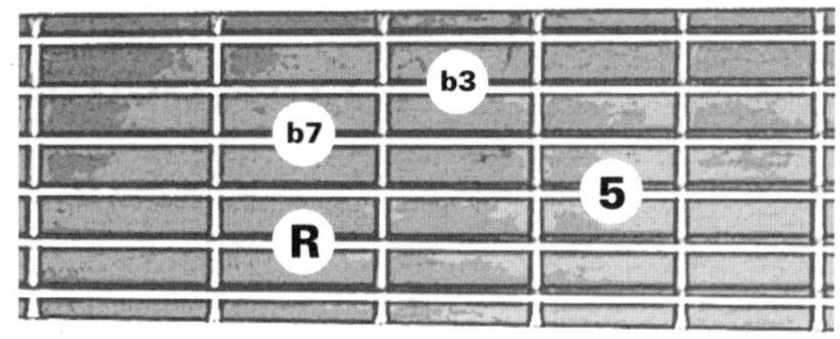

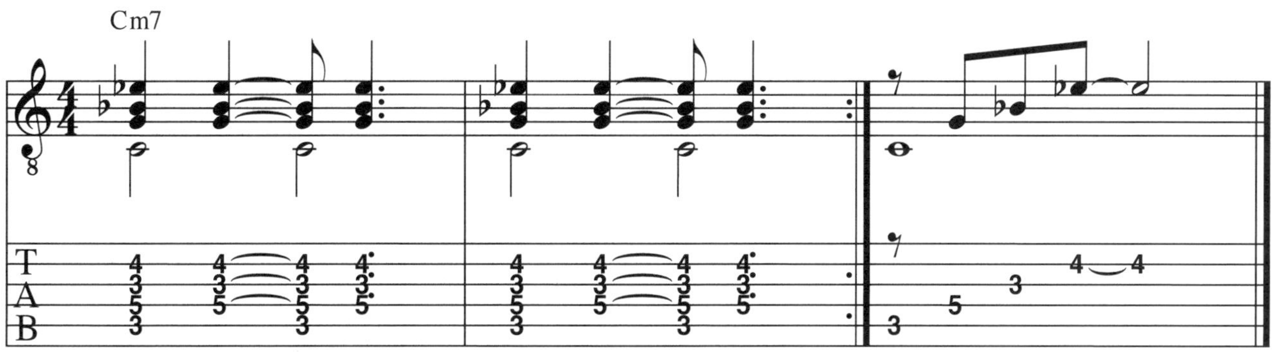

Typ A
m7b5-Akkord

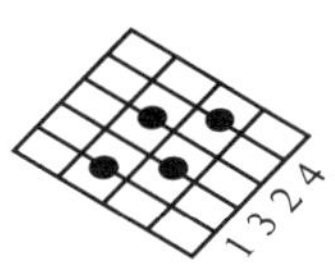

Moll-7-b5-Akkord
(halbverminderter Akkord):
Moll-Septakkord
mit der verminderten Quinte

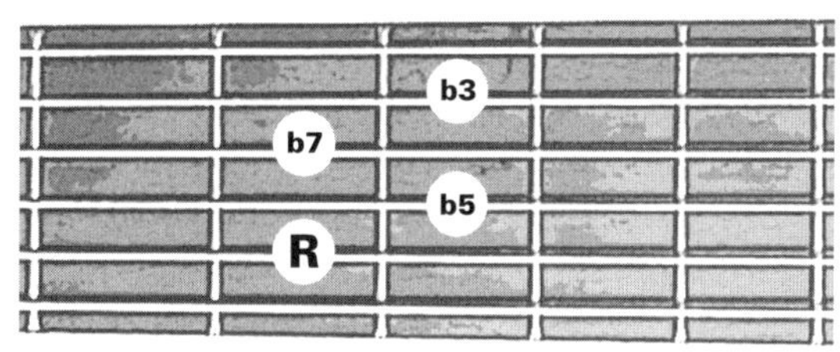

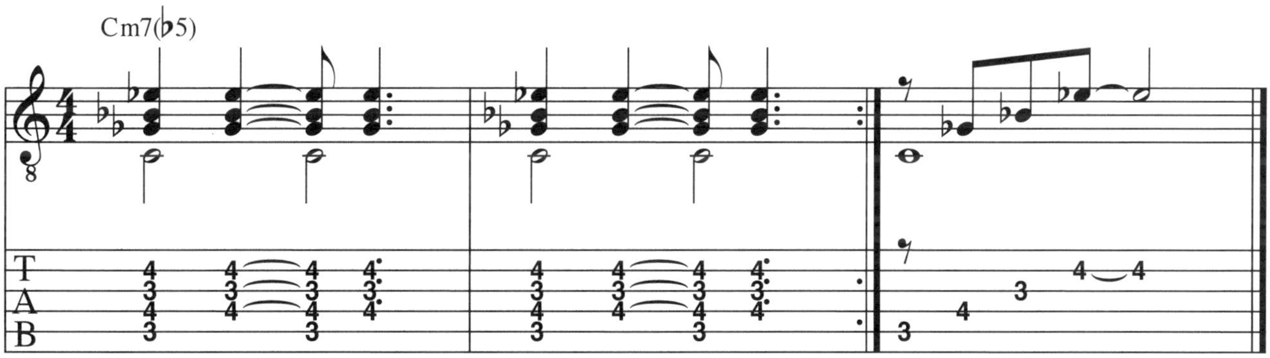

Typ A
dim7-Akkord

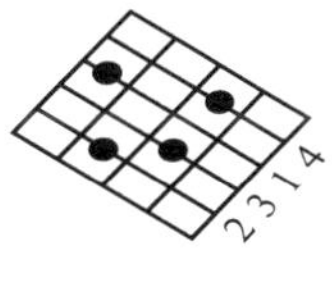

Verminderter Septakkord:
verminderter Dreiklang
mit der verminderten Septime

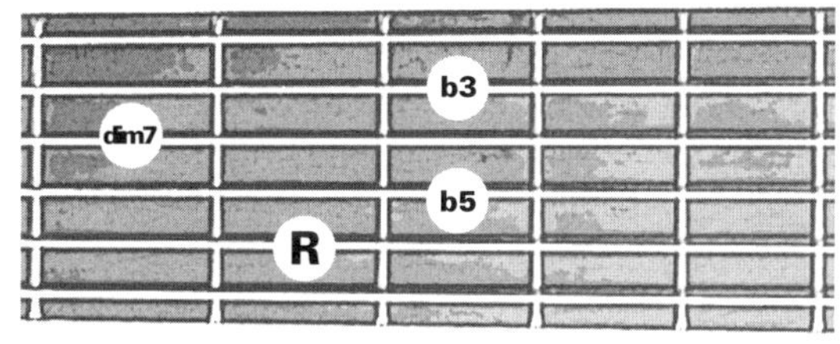

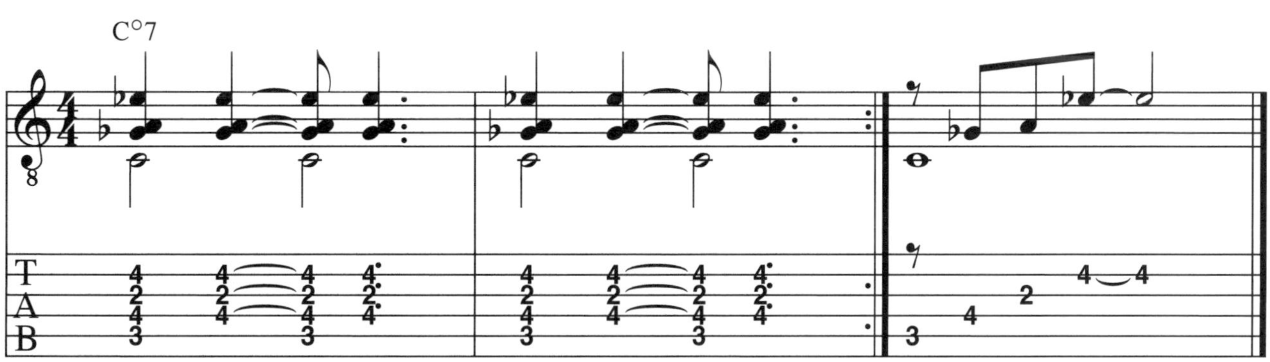

THE GIRL FROM IPANEMA

Teil B, Einstieg:

Akkordfolge wahlweise auch mit Grifftyp A,
Zuordnung über Grundton auf der 5. Saite:

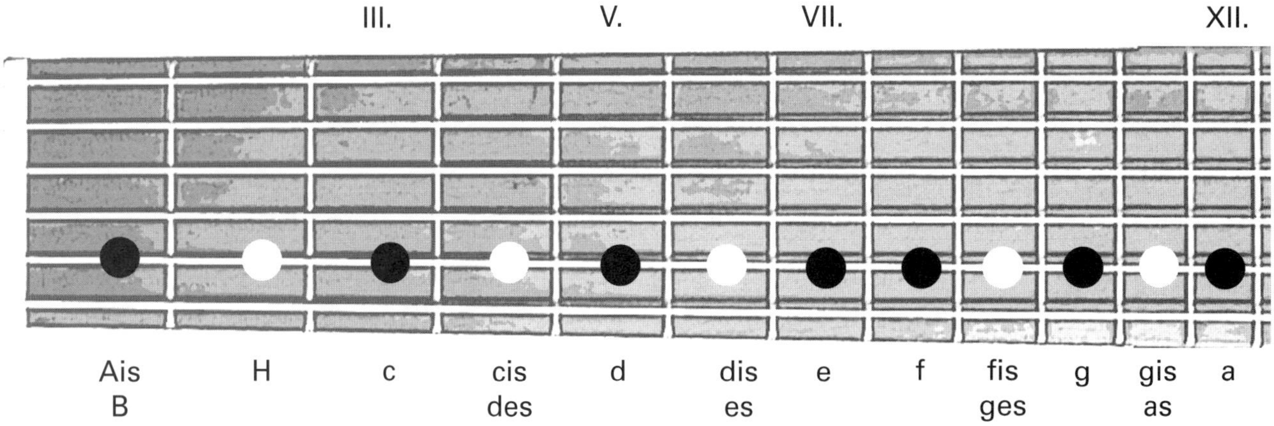

Ausschlaggebend für die Wahl zwischen Grifftyp E oder A sind leichteres Umgreifen bzw. bessere Stimmführung.

Eine gute „Stimmführung" erreichen wir durch möglichst kleine Tonschritte beim Griffwechsel. Dabei versuchen wir, gleichbleibende Töne liegen zu lassen und (nach Möglichkeit) die sich ändernden Töne in Halbton- oder Ganztonschritten auf- oder absteigen zu lassen.
Ein gutes Konzept für die Umsetzung auf der Gitarre ist es, die drei Oberstimmen immer auf den gleichen Saiten zu spielen (hier: 2., 3. und 4. Saite) und dabei möglichst kleine Lagenwechsel zu machen.

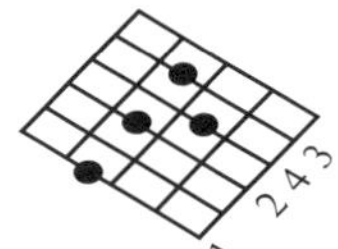

7-Akkord, Grifftyp E -
Grundton 6. Saite: H - VII. Bund

besser:

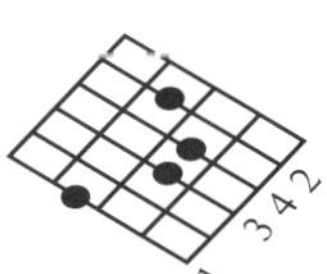

maj-7-Akkord, Grifftyp E -
Grundton 6. Saite: Ges - II. Bund

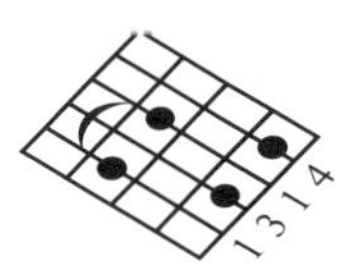

7-Akkord, Grifftyp A -
Grundton 5. Saite: H - II. Bund

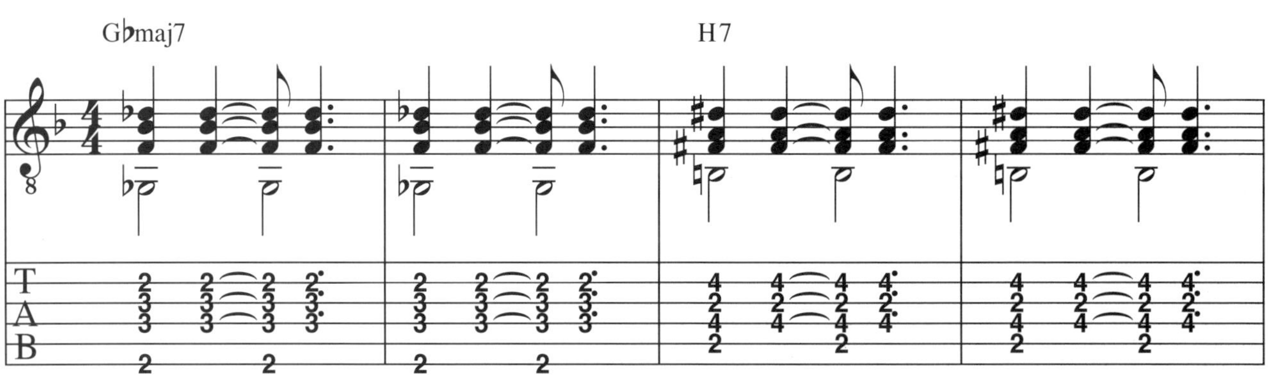

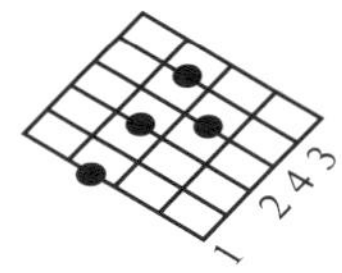

7-Akkord, Grifftyp E -
Grundton 6. Saite: D - X. Bund

besser:

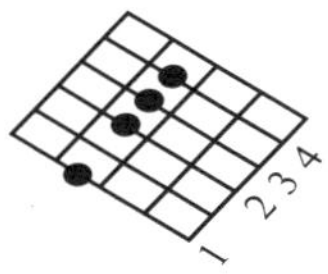

m7-Akkord:
Grundton 6. Saite: Fis - II. Bund

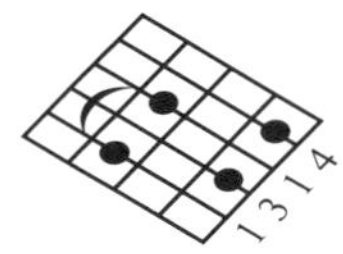

7-Akkord, Grifftyp A -
Grundton 5. Saite: D - V. Bund

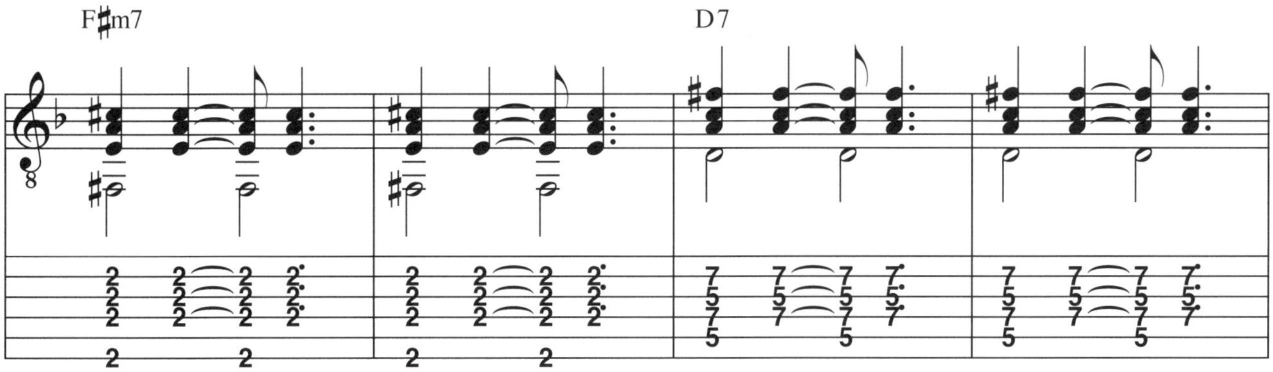

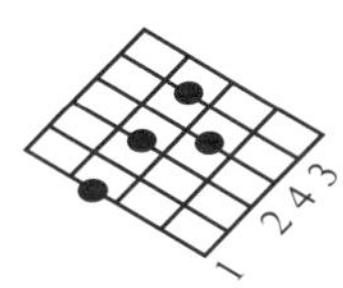

7-Akkord, Grifftyp E -
Grundton 6. Saite: Es - XI. Bund

besser:

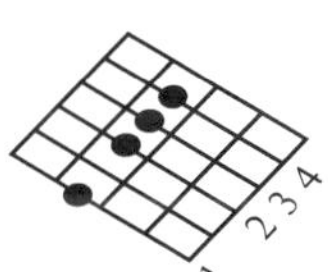

m7-Akkord:
Grundton 6. Saite: G - III. Bund

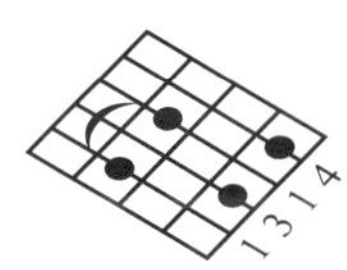

7-Akkord, Grifftyp A -
Grundton 5. Saite: Es - VI. Bund

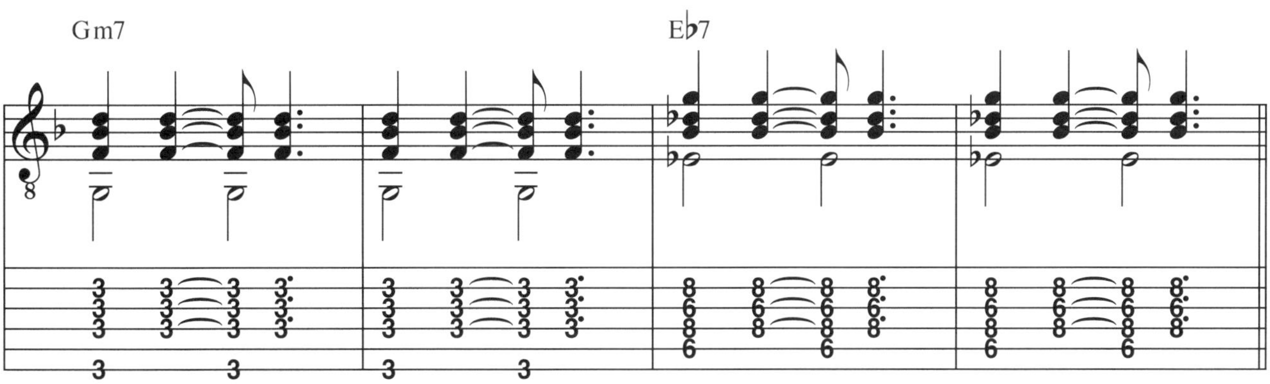

Das waren jeweils 5 Septakkorde in Verbindung mit den Grifftypen E und A mit Ideen zur Anwendung in unserem Beispielsong „The Girl from Ipanema".

Septakkorde des Grifftyps C sind weniger gebräuchlich. Es folgen drei Beispiele für Septakkorde mit Grifftyp C und Optionstönen (zusätzliche Töne wie die None = 9).
Auf Septakkorde des Grifftyps G habe ich hier verzichtet, da bei diesem Grifftyp meist nur Voicings auf den oberen vier Saiten gespielt werden, die von der Stimmführung nicht gut zu unseren Bossa Nova-Griffen passen.

Drei Septakkorde (mit None statt Quinte) für Grifftyp C

C

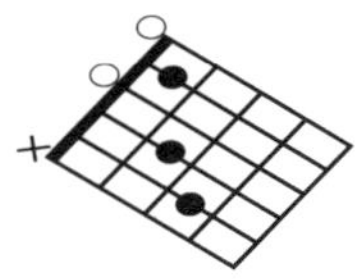

Grifftyp C Dur:
vierstimmige Variante
auf den Saiten 5, 4, 3 und 2

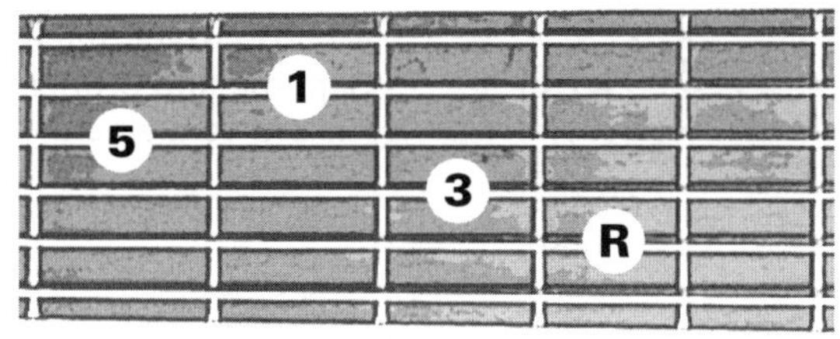

Die None ist in der Pop- und Jazzmusik ein beliebter Ton, der dem Akkord beigefügt werden **soll** („Erweiterung") oder **kann** („Option").

Um bei einem Vierklang bleiben zu können, lassen wir in der Regel die Quinte weg. Begründung: Während wir den **Grundton**, die **Terz** (beschreibt den Unterschied zwischen Dur und Moll) und die **Septime** (beschreibt den Unterschied zwischen Major-Septakkord und Dominantseptakkord) brauchen um den Akkord auszudrücken, können wir auf die **Quinte** (ist beim maj7-, 7- und m7-Akkord gleich) verzichten.

Typ C
maj9-Akkord

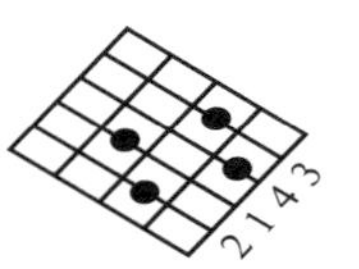

Major-9-Akkord:
Dur-Dreiklang mit großer
Septime und großer None
Akkord verkleinert: ohne Quinte

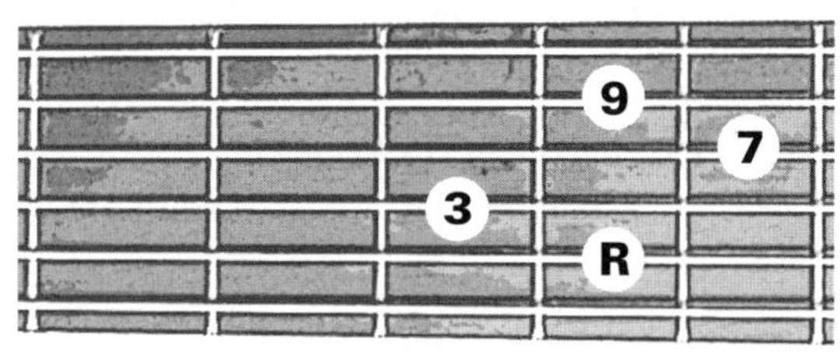

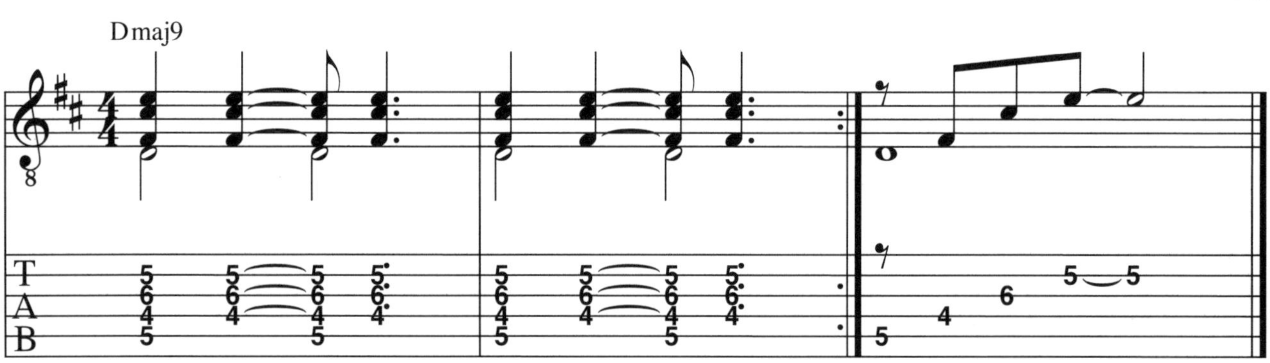

Typ C
7/9-Akkord

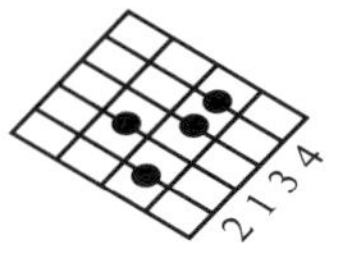

9-Akkord:
Dur-Dreiklang mit kleiner
Septime und großer None
Akkord verkleinert: ohne Quinte

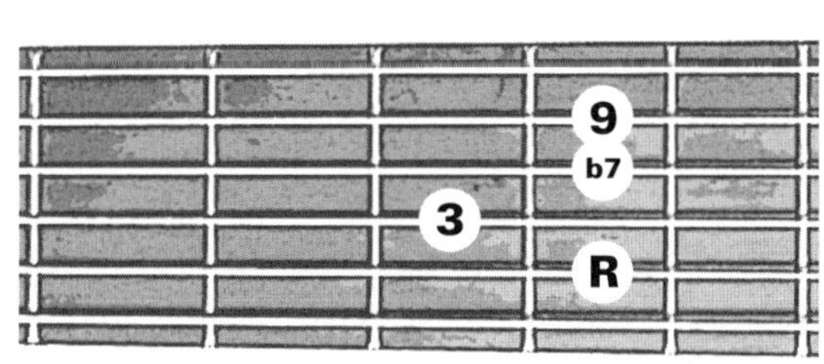

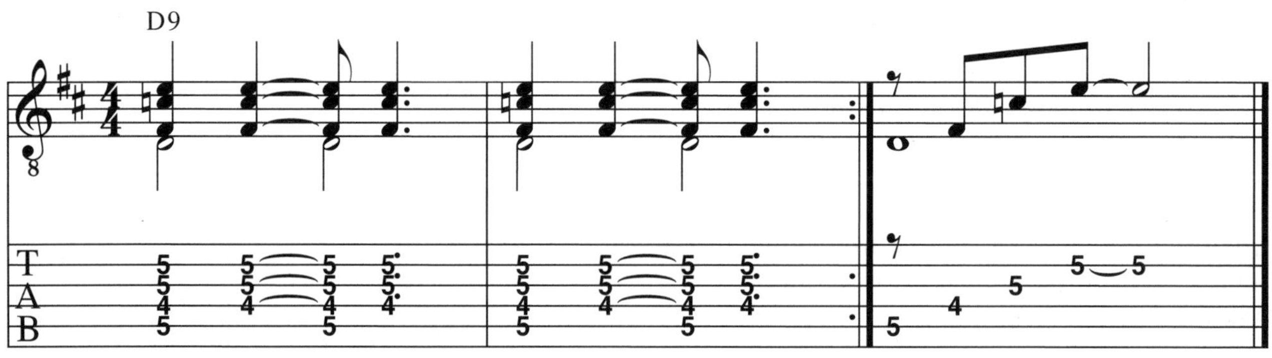

Typ C
m9-Akkord

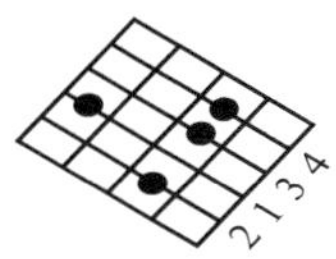

Moll-9-Akkord:
Moll-Dreiklang mit kleiner Septime und großer None
Akkord verkleinert: ohne Quinte

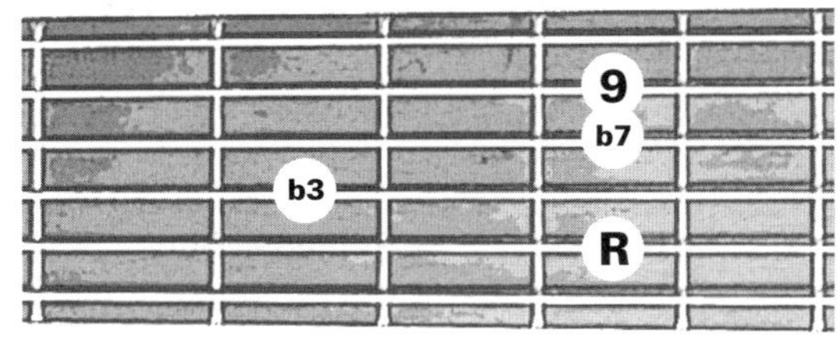

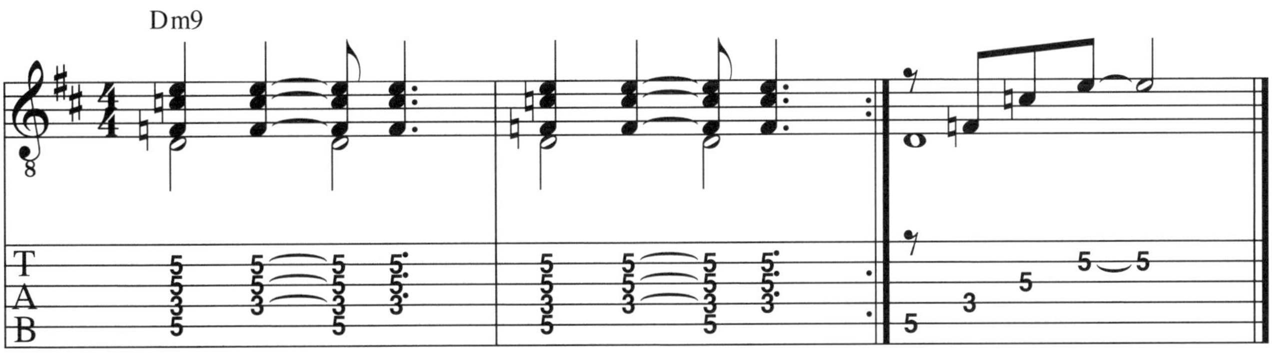

THE GIRL FROM IPANEMA

Teil B, Fortsetzung:

Mit dem Wissen, dass wir jedem Septakkord eine None als Optionsnote beifügen können und dass alle Akkorde des Grifftyps A die gleiche Bassnote wie der Grifftyp C haben, wollen wir nun alle Septakkorde des zweiten Teils von „The Girl from Ipanema" in Nonen-Akkorde verwandeln.
Wir erhalten dadurch eine noch schönere Stimmführung und einen stilgemäßen Sound, da Nonen-Akkorde gerne im Bossa Nova gespielt werden.

Typ A
7-Akkord

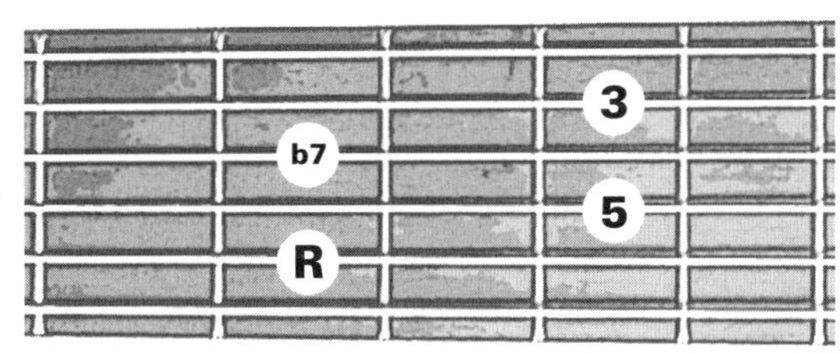

↓

Typ C
9-Akkord

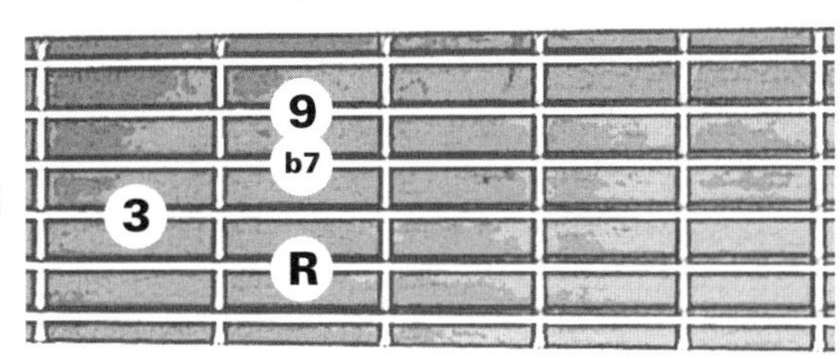

In der Akkordfolge der letzten vier Takte des B-Teils von „The Girl from Ipanema"
Am7 - D7b9 - Gm7 - C7b9
schreibt der Komponist mit der b9 (der kleinen None) eine Alteration vor.
Dadurch ist die None keine Option mehr, sondern wird durch die alterierte Note ersetzt.
Der 7b9-Griff ist ganz leicht durch einen Halbtonschritt nach unten vom Nonen-Akkord Grifftyp C ableitbar:

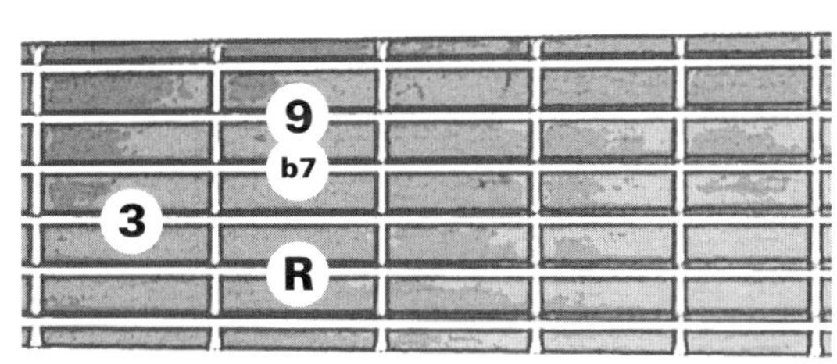

↓

Typ C
7b9-Akkord

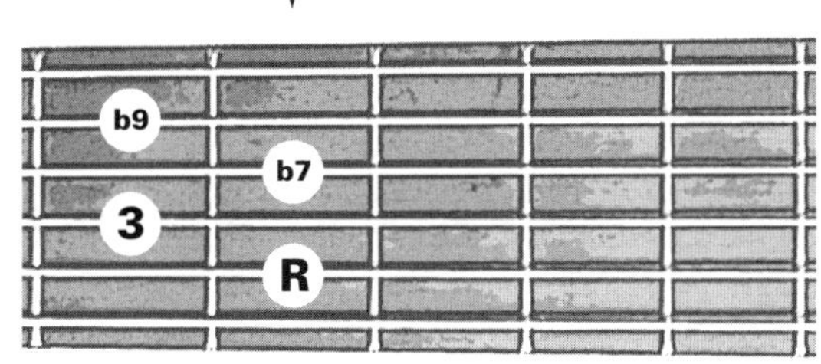

THE GIRL FROM IPANEMA

Teil B, komplett:

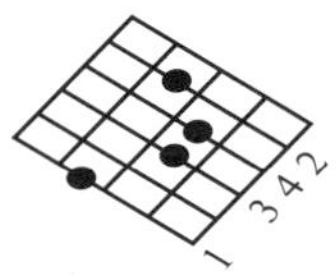

maj-7-Akkord, Grifftyp E -
Grundton 6. Saite: Ges - II. Bund

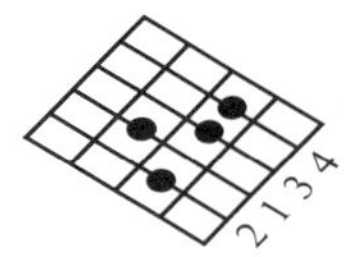

9-Akkord, Grifftyp C -
Grundton 5. Saite: H - II. Bund

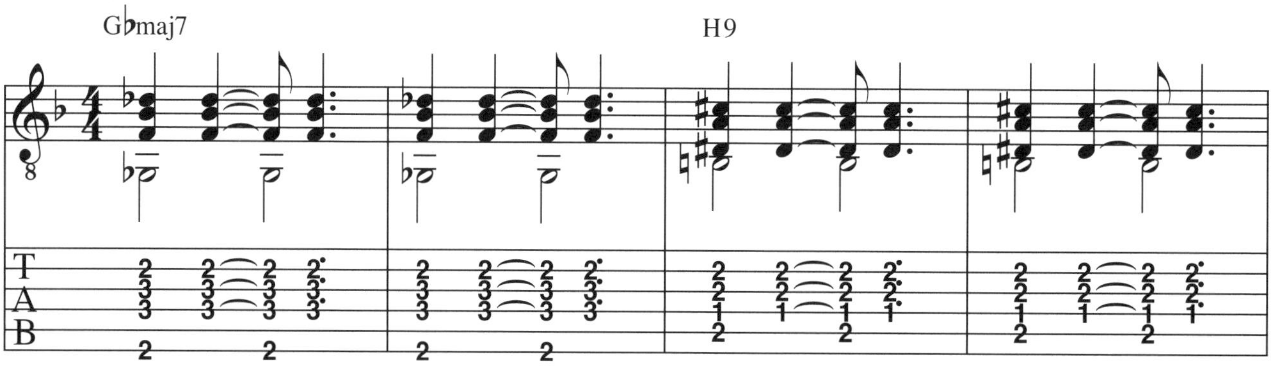

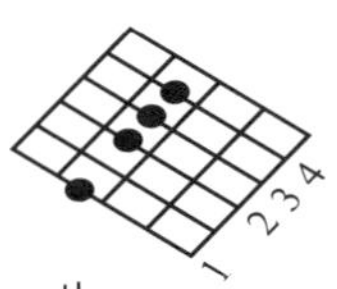

m7-Akkord, Grifftyp E -
Grundton 6. Saite: Fis - II. Bund

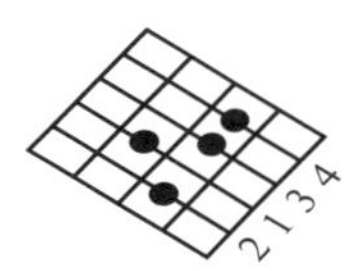

9-Akkord, Grifftyp C -
Grundton 5. Saite: D - V. Bund

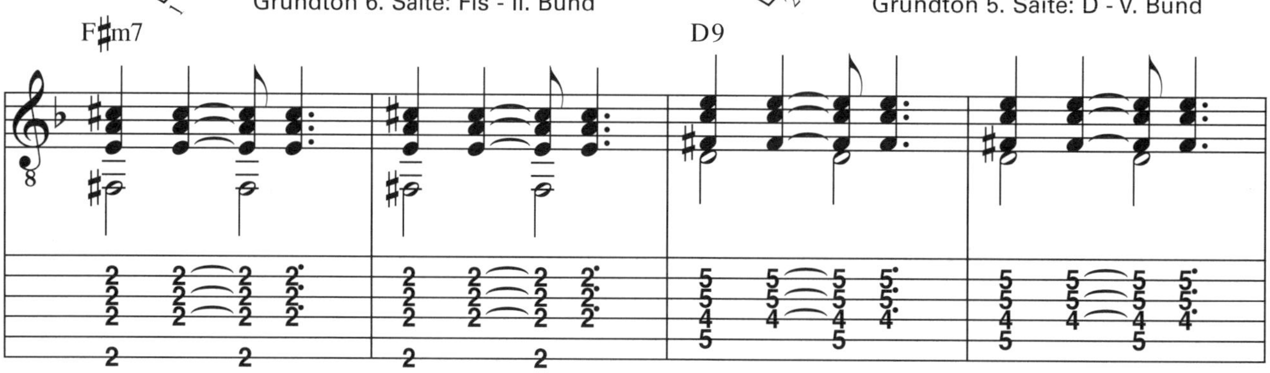

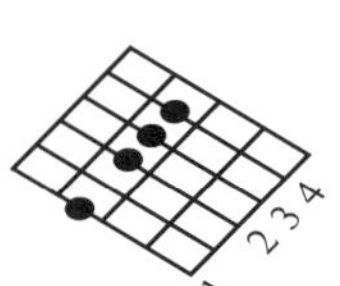

m7-Akkord, Grifftyp E -
Grundton 6. Saite: G - III. Bund

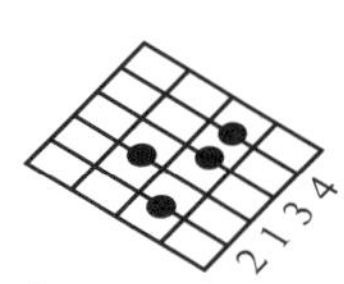

9-Akkord, Grifftyp C -
Grundton 5. Saite: Es - VI. Bund

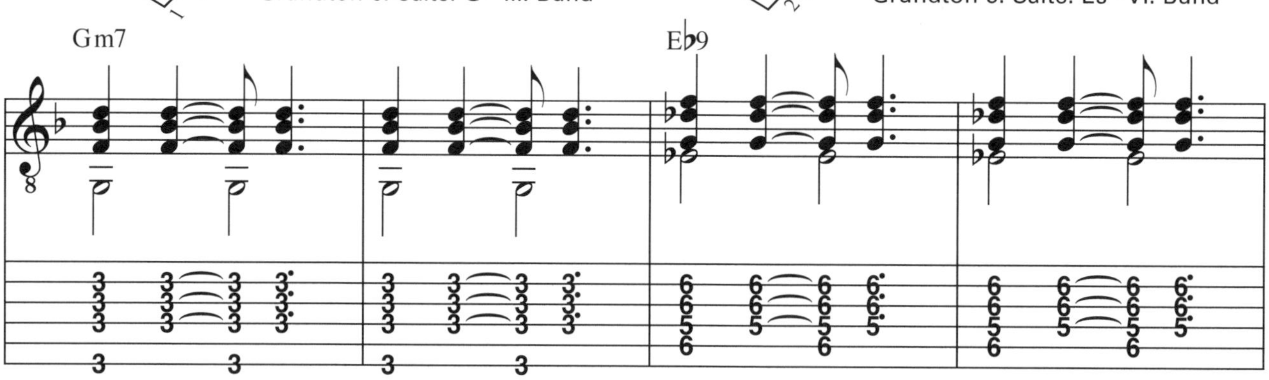

m7-Akkord,
Grifftyp E -
Grundton 6. Saite:
A - V. Bund

7b9-Akkord,
Grifftyp C -
Grundton 5. Saite:
D - V. Bund

m7-Akkord,
Grifftyp E -
Grundton 6. Saite:
G - III. Bund

7b9-Akkord,
Grifftyp C -
Grundton 5. Saite:
C - III. Bund

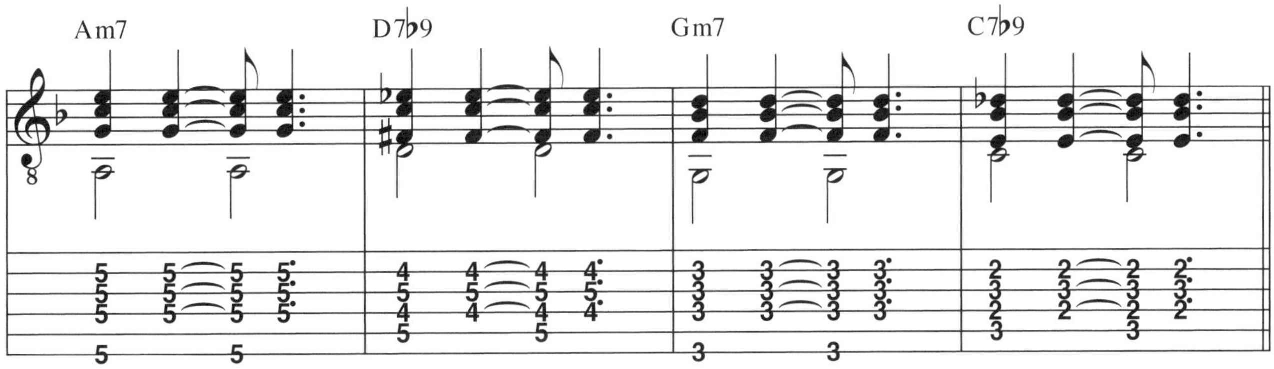

Noch eine letzte Überlegung zum A-Teil von „The Girl from Ipanema", bevor wir den ganzen Song nach Akkordsymbolen spielen und dieses Kapitel abschließen:
Alterationen werden nicht immer nur vom Arrangeur vorgeschlagen. Oft bestimmen die Melodietöne oder die harmonische Linie, dass eine Alteration nötig ist.

In Takt 6 steht in der Melodie ein c, in der Begleitung ein Gb7 (also mit des/cis als Akkordton). Wenn wir das angleichen wollen (und das können wir später für das Solo-Arrangement gut brauchen), müssen wir den Akkord zu einem Gb7b5 alterieren: b5 = c

Typ E
7-Akkord

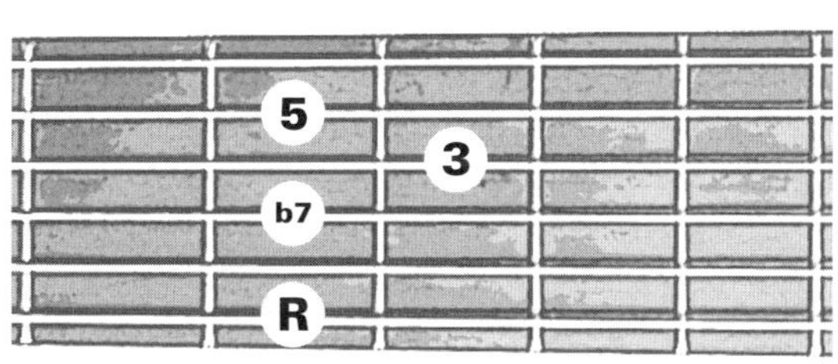

Typ E
7b5-Akkord

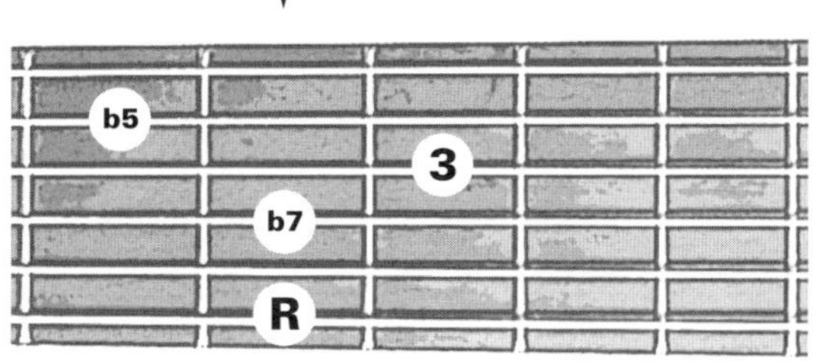

THE GIRL FROM IPANEMA (Antonio Carlos Jobim)

Hörbeispiel 20

III.
Gm7
(Grifftyp E)
V.
Eb9
(Grifftyp C)
17
Yes, I would give my heart glad - ly.
V.
Am7
(Grifftyp E)
IV.
D7b9
(Grifftyp C)
20
But each day when she walks to the sea, she
III.
Gm7
(Grifftyp E)
II.
C7b9
(Grifftyp C)
Teil A
I.
Fmaj7
(Grifftyp E)
23
looks straight a - head not at me. Tall and tan and young
III.
G7
(Grifftyp E)
26
and love - ly, the girl from I - pa - ne - ma goes walk - ing, and
III.
Gm7
(Grifftyp E)
I.
Gb7b5
(Grifftyp E)
I.
Fmaj7
(Grifftyp E)
29
when she pass - es I smile, but she does - n't see.

CAGE-System: Arrangement, Teil 2

Der folgende Abschnitt zeigt die Grifftypen des CAGE-Systems als Basis für das Erstellen eines Jazz-Gitarren-Arrangements. Als Beispiel wählen wir noch einmal „The Girl from Ipanema“: Die im vorigen Kapitel besprochenen Begleitakkorde werden der Ausgangspunkt für dieses Arrangement sein.

Für diesen Ansatz - Arrangieren mit Grifftypen - gibt es mehrere Möglichkeiten. Für den ersten Teil wählen wir die Arrangierart „CAGE-homophon“. Der musikalische Begriff „homophon“ bedeutet hier, dass alle Stimmen rhythmisch gleich sind, so dass die Musik als Aufeinanderfolge von Akkorden erscheint.
Das bedeutet für uns auf der Gitarre: Jede Melodienote bekommt einen Akkord.
Voraussetzung: Die Melodie gibt soviel Rhythmus vor, dass es keine Begleitung als Ergänzung braucht, um den jeweiligen Stil - in diesem Fall Bossa-Nova - darzustellen.

Erster Schritt: Versuchen wir nun, eine Position zu finden, in der die Töne der Melodie und ein Grifftyp nahe beieinander liegen. Für die ersten zwei Takte ist es die I. Lage:

Takt 1/2:

Die Melodie der ersten zwei Takte von „The Girl from Ipanema“:

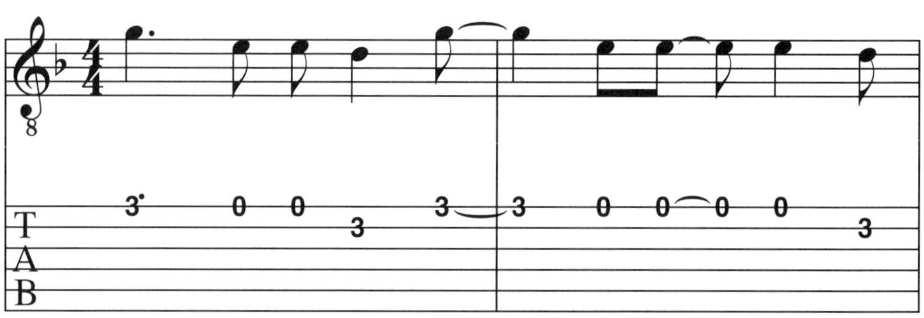

Wir nehmen daraus die Melodienote e und suchen den Akkord von Fmaj7, Grifftyp E, bei dem das e in der Oberstimme liegt.
Um einen vierstimmigen Akkord zu behalten, legen wir das e von der 4. Saite eine Oktave höher auf die 1. Saite und lassen es so zu einer Melodienote werden.

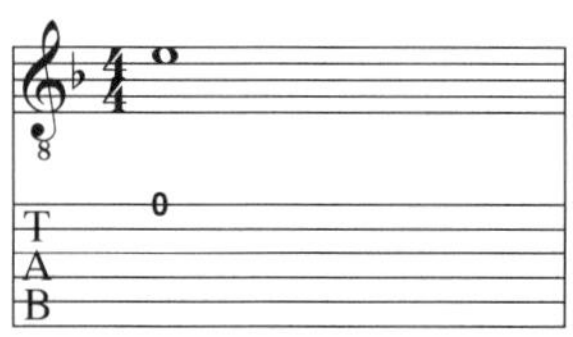

+

Fmaj7
(Grifftyp E)

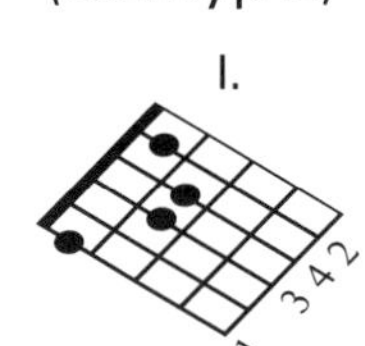

=

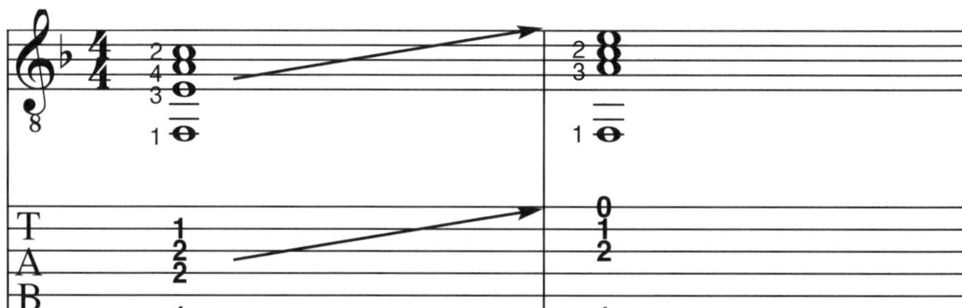

Auch die Melodienote g können wir auf der 1. Saite mit dem gleichen Akkordgriff spielen.

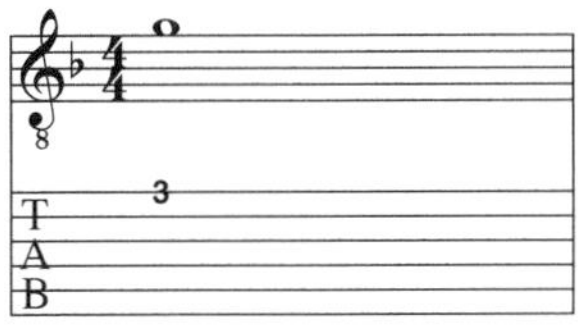

Fmaj7
(Grifftyp E)

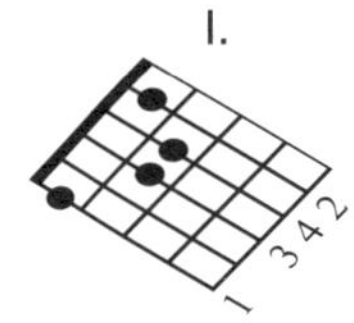

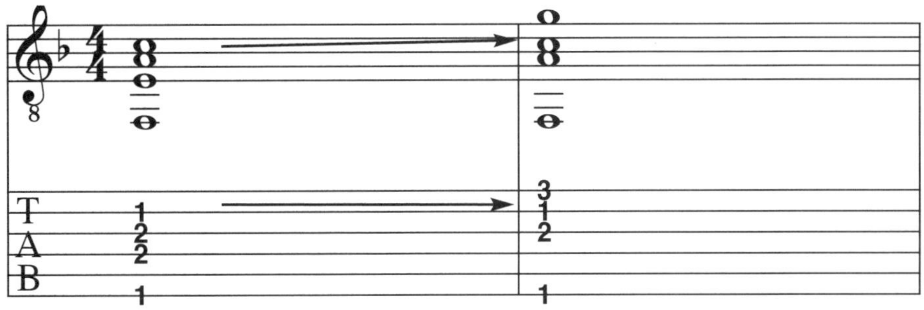

Das d wird auf der 2. Saite gegriffen. Hier empfiehlt sich dann, den Akkord nur dreistimmig zu spielen. Das a (= Terz) ist die perfekte Ergänzung zum Bass und der Melodienote d, und der Akkord ist dann im Zusammenhang einfacher zu spielen.

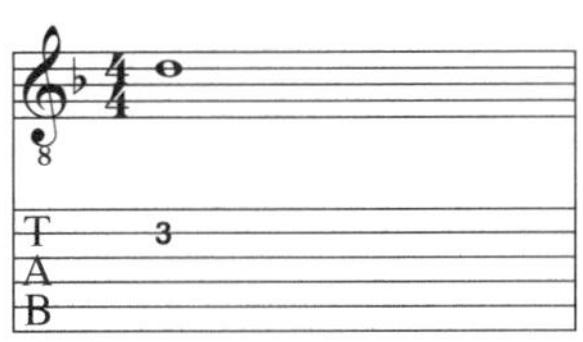

Fmaj7
(Grifftyp E)

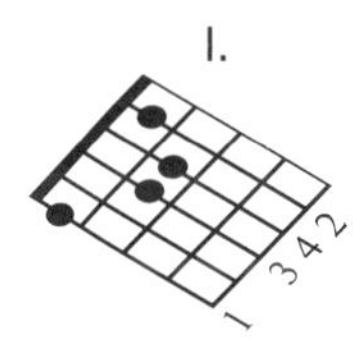

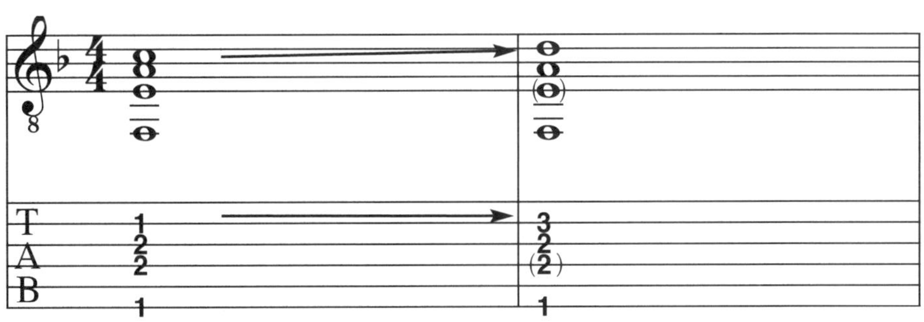

Den Bass in halben Noten übernehmen wir aus dem Begleitpattern und kommen zu folgendem Ergebnis:

Nächster Schritt: Aus der Schablone ausbrechen und nach Möglichkeiten für besseren Spielfluss suchen. Hier: Spiele die Bassnote eine Oktave höher.

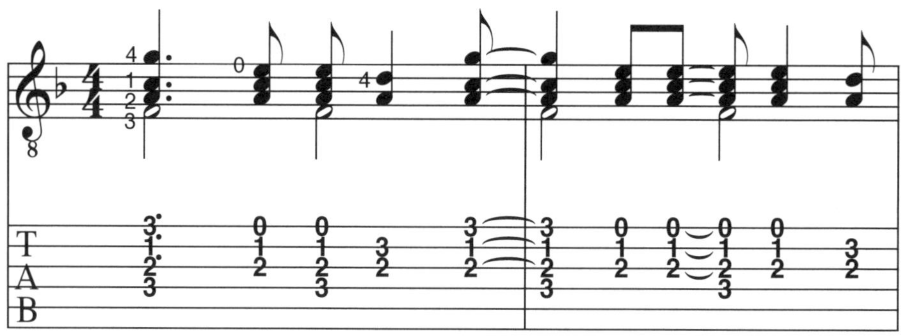

Takt 3/4:

Wiederum suchen wir eine Position, in der die Töne der Melodie und ein Grifftyp nahe beieinander liegen. Für die nächsten zwei Takte ist es die III. Lage:

+

G7
(Grifftyp E)

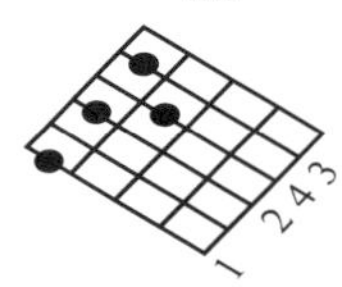

=

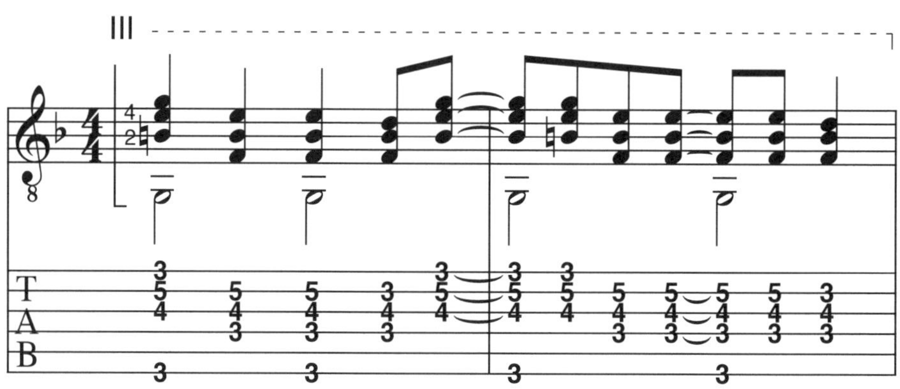

Takt 5:

Auch für Gm7 (Grifftyp E) bleiben wir in der III. Lage. Für das c genügt ein zweistimmiger Akkord, um nicht zu schwierig zu werden.

+

Gm7
(Grifftyp E)

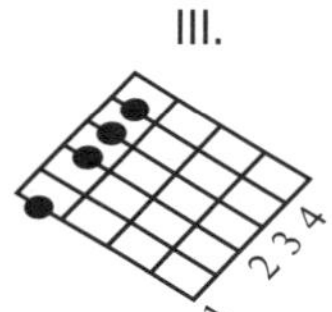

=

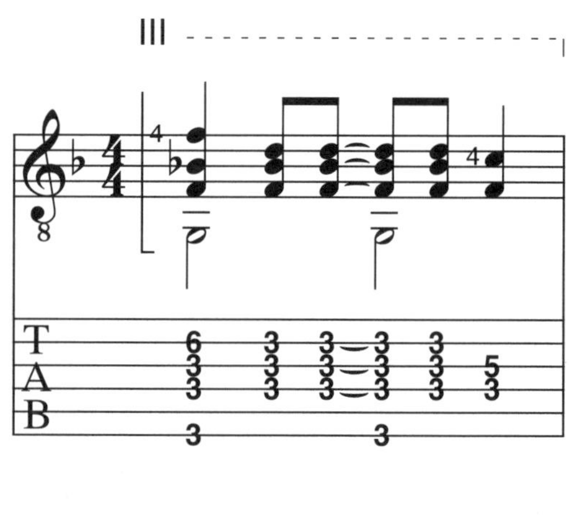

Takt 6:

Einen „Glücksfall" haben wir in Takt 6, wo wir die Melodietöne mit einem perfekt passenden Grifftyp verbinden können: Alle Melodietöne gehören zum Akkord (e = b7, c = b5, b = 3). Mit dem Grifftyp E werden die drei Töne auf den drei hohen Saiten 1, 2, 3 gespielt und können so ineinander klingen. Und das alles noch dazu grifftechnisch leicht in der I. Lage!

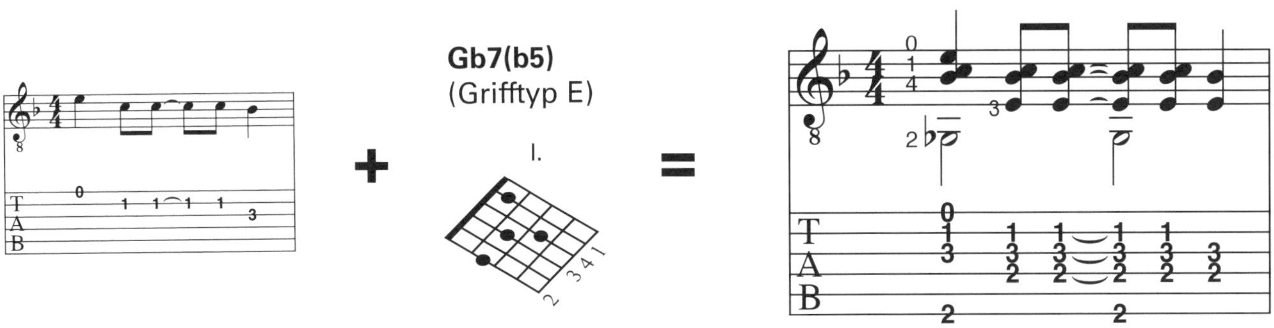

THE GIRL FROM IPANEMA

Takte 1-7:

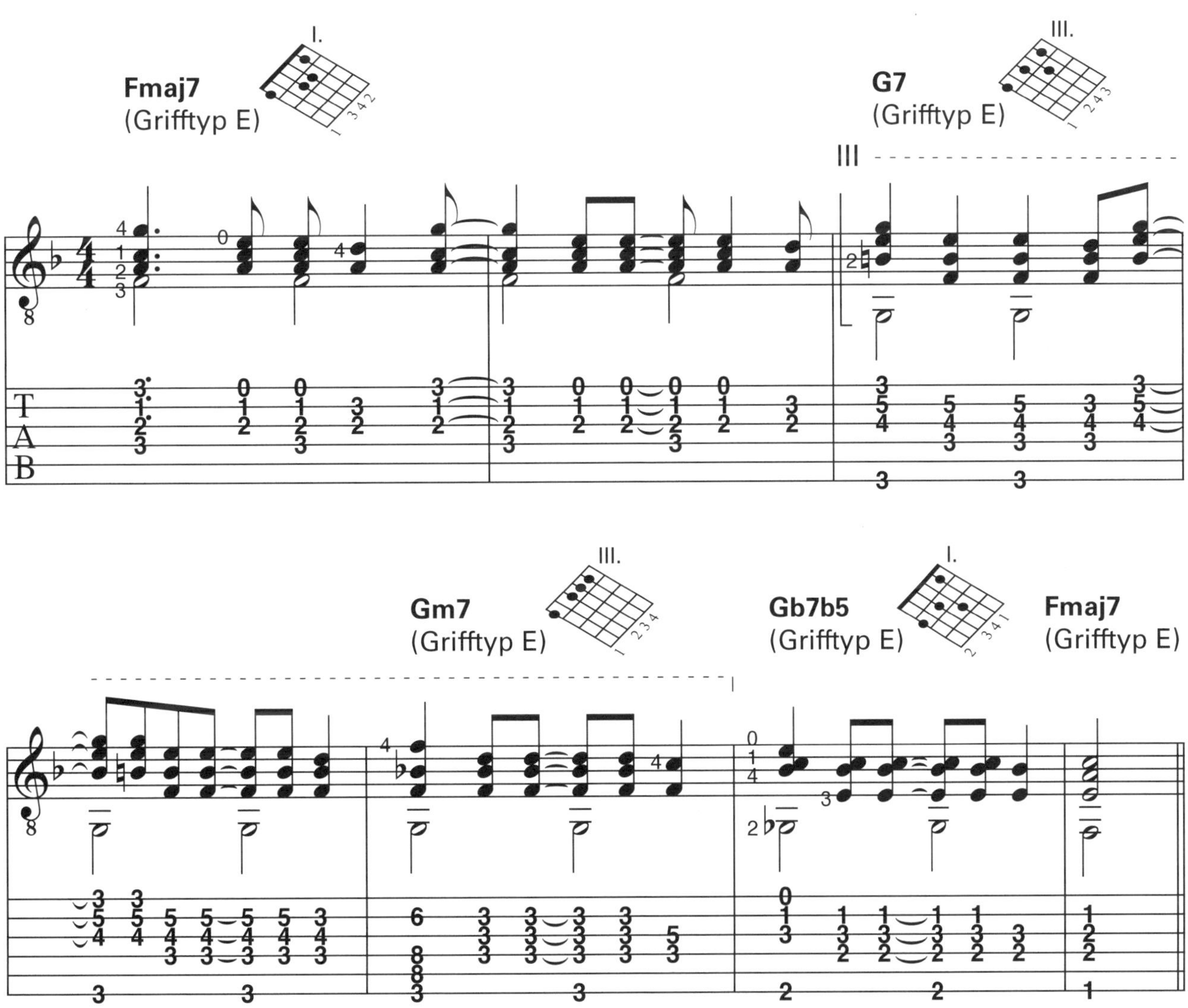

Takt 7/8:

Für die letzten beiden Takte des A-Teils müssen wir eine neue Arrangierart wählen, da die liegende Melodienote und der Bass alleine für CAGE-homophon rhythmisch zu wenig aussagekräftig sind. Was liegt näher, als unser einfaches Bossa-Nova-Grundpattern und die lange Melodienote zusammenzubringen.

Nennen wir das neue System „CAGE polyphon". Der musikalische Begriff „polyphon" beschreibt hier, dass die Stimmen rhythmisch selbstständiger werden.

Wieder suchen wir einen Grifftyp, der die (in dem Fall einzige) Melodienote in seiner Oberstimme hat. Hier ist es genau das Akkord-Voicing des Patterns.

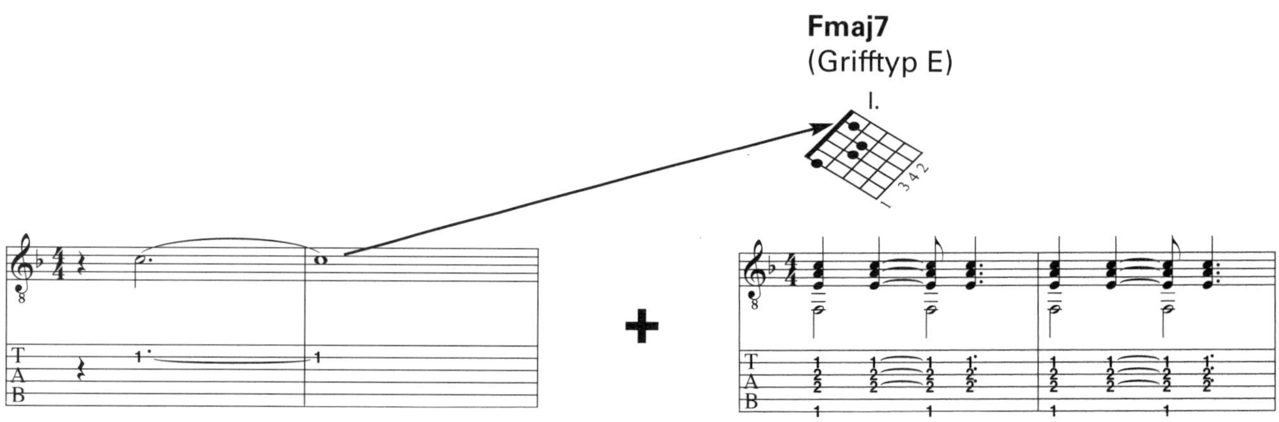

Jetzt teilen wir den vierstimmigen Jazzakkord-Grifftyp in drei Ebenen: Melodie (soll frei klingen) - Begleitung (zweistimmig aus den beiden mittleren Akkordtönen) - Bass.
Begleitung und Bass spielen das Grundpattern.

Takt 9/10:

Auch am Anfang des B-Teils steht eine ganze Note in der Melodie, die in den nächsten Takt weiterklingt. Wieder brauchen wir „CAGE polyphon", einen vierstimmigen Akkord in drei Ebenen, um im Bossa-Stil zu bleiben.
Wie finden wir den Akkord: Für Grifftyp E liegen die Melodienote f (I. Lage) und der Akkord Gbmaj7 (II. Lage) nahe beieinander. Dieses f können wir im Akkord hinauflegen und müssen nur noch den Fingersatz anpassen.

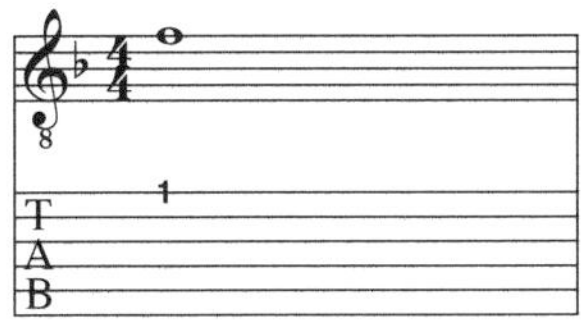

+

Gbmaj7
(Grifftyp E)

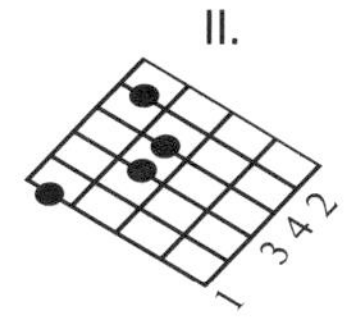

=

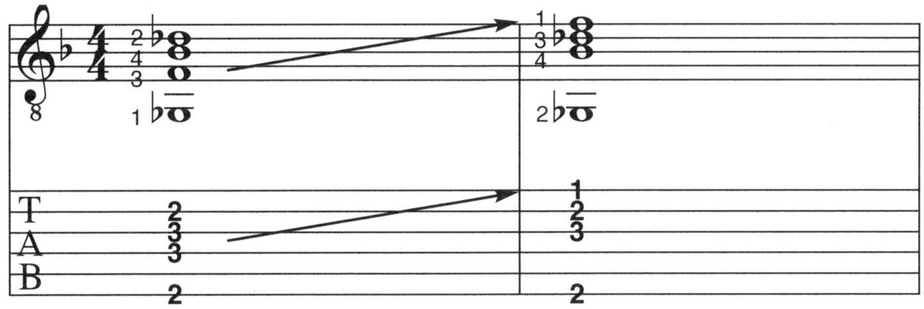

Hier die drei Ebenen des Gbmaj7-Akkordes in Takt 9. Takt 10 bleibt zweistimmig (Melodienoten ohne Akkord), um leichter spielbar zu sein: „CAGE homophon reduced"

„CAGE polyphon" „CAGE homophon reduced"

Takt 11/12:

Da die Melodie rhythmisch zu wenig hergibt, verwenden wir wieder das System „CAGE polyphon" mit einem vierstimmigen Akkord in drei Ebenen.
Wir schaffen es, eine akkordfremde Melodienote (cis) und einen Akkordton (dis) in der Melodie plus Begleitung und Bass mit einem Griff darzustellen.
Die Auflösung des Vorhaltes cis – dis verleiht der Melodie dabei noch mehr Spannung.

+

H7
(Grifftyp A)

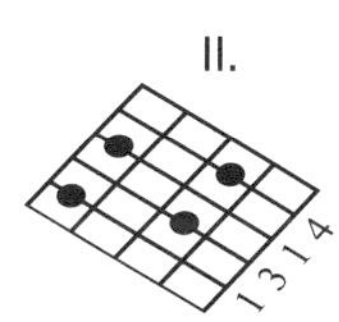

=

Takt 13/14:

Takt 13 arrangieren wir mit „CAGE polyphon" und den drei Ebenen des F#m7-Akkordes. Takt 14 kann sehr gut mit „CAGE homophon" gespielt werden: Jede Melodienote bekommt einen Akkord.

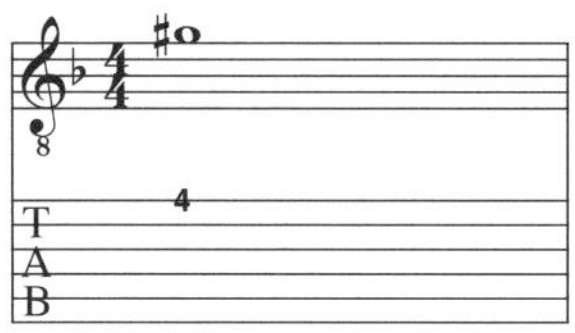

\+

F#m7
(Grifftyp E)

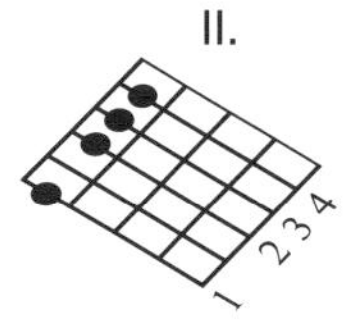

=

Takt 15/16:

Diese beiden Takte sind eine Sequenz (idente Tonfolge auf einer anderen Stufe) der Takte 11 und 12. Wieder verwenden wir das System „CAGE polyphon" mit einem vierstimmigen Akkord in drei Ebenen.
Der Vorhaltston e löst sich wieder in den Akkordton fis auf (in einem Grifftyp).

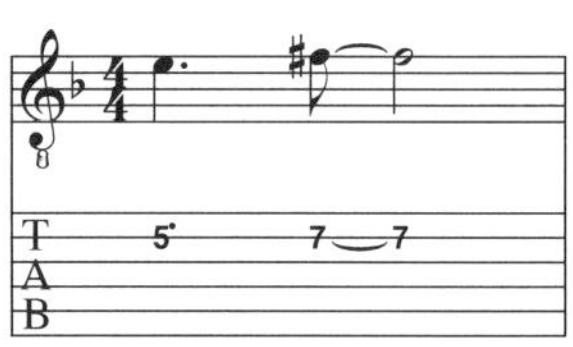

\+

D7
(Grifftyp A)

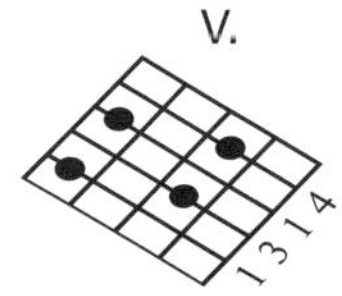

=

Takt 17/18
Sequenz der Takte 13 und 14

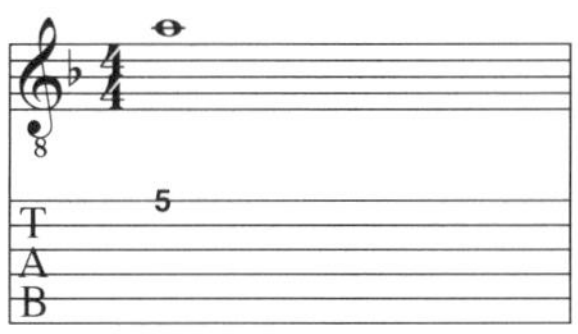

+

Gm7
(Grifftyp E)

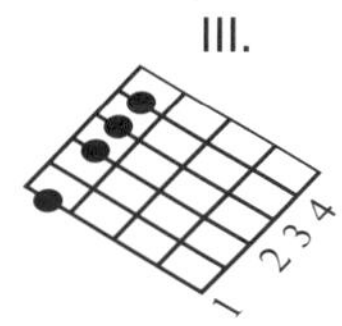

=

„CAGE polyphon“ „CAGE homophon“

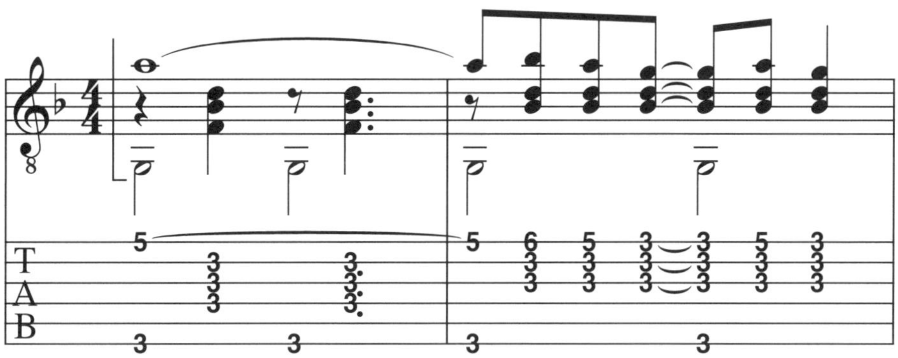

Takt 19/20
Sequenz der Takte 15 und 16

+

Eb7
(Grifftyp A)

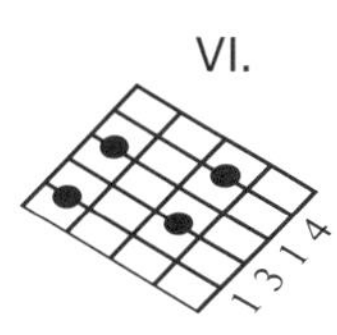

=

„CAGE polyphon“

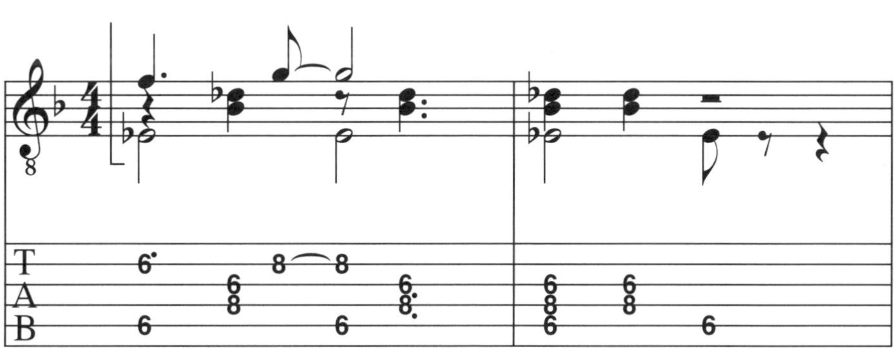

Takte 21-24:

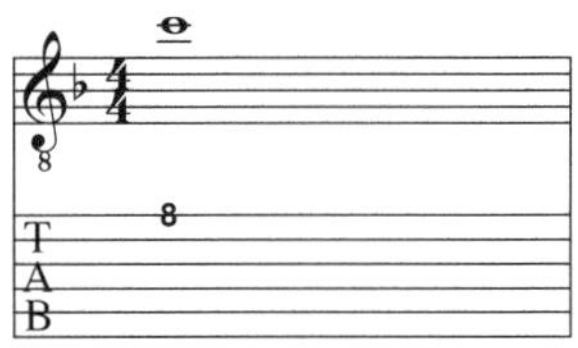

+

V.

Am7
(Grifftyp E)

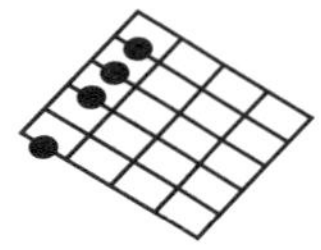

„CAGE homophon reduced"

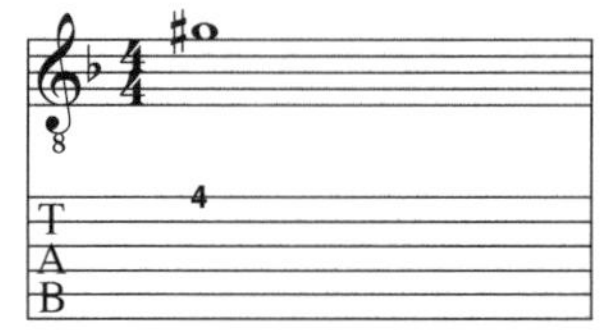

+

IV.

D7b9
(Grifftyp C)

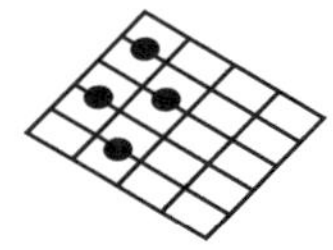

„CAGE polyphon"

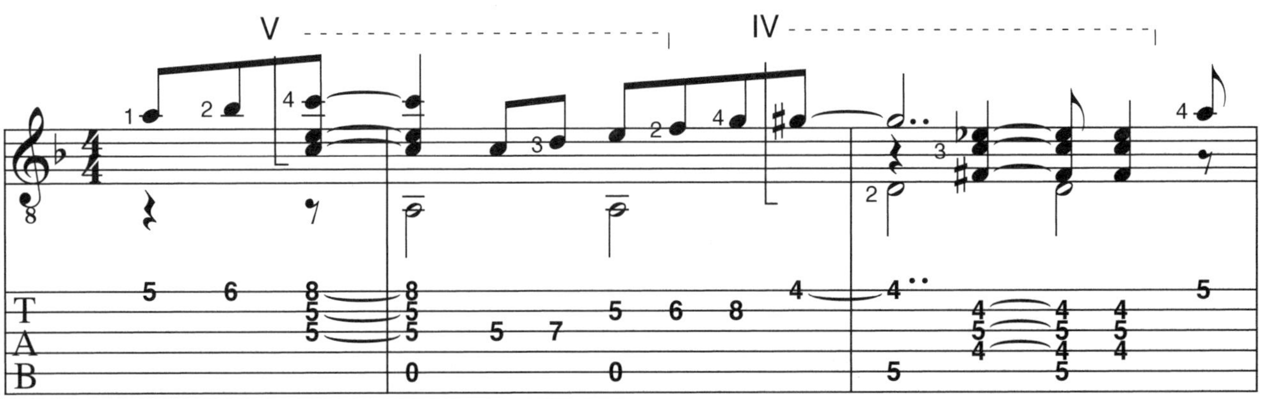

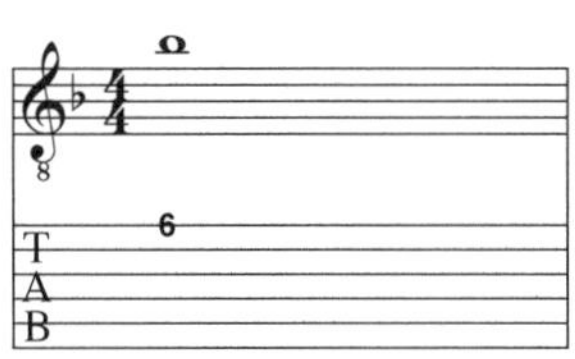

+

III.

Gm7
(Grifftyp E)

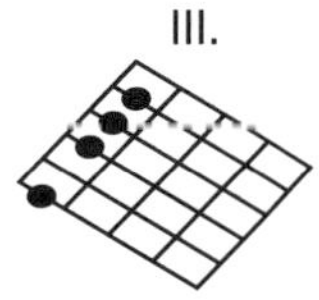

„CAGE homophon reduced"

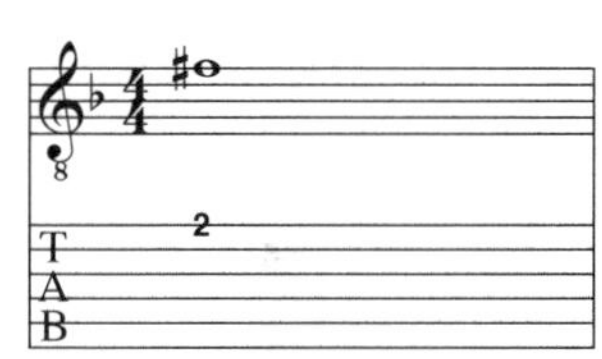

+

II.

C7b9
(Grifftyp C)

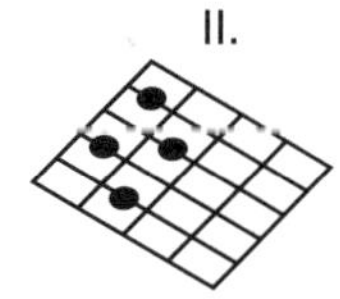

„CAGE polyphon"

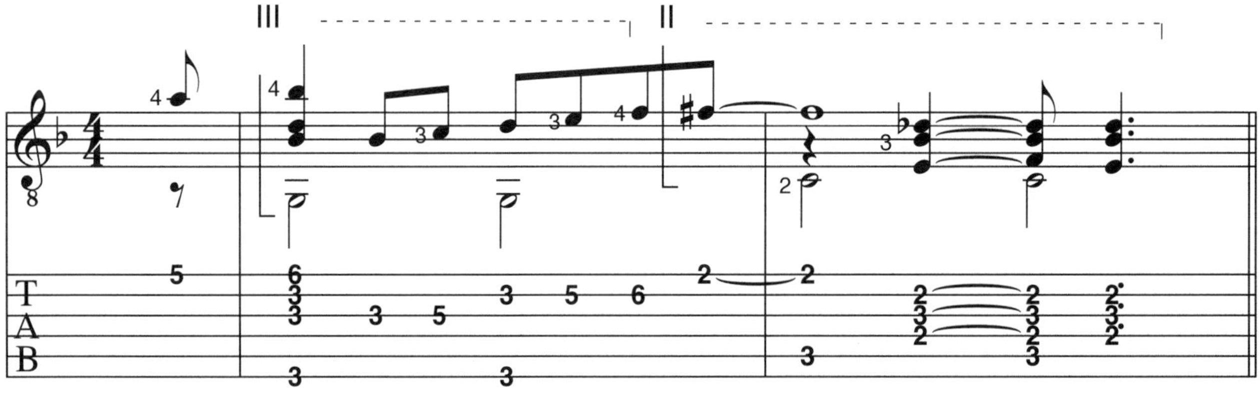

Takt 29/30:

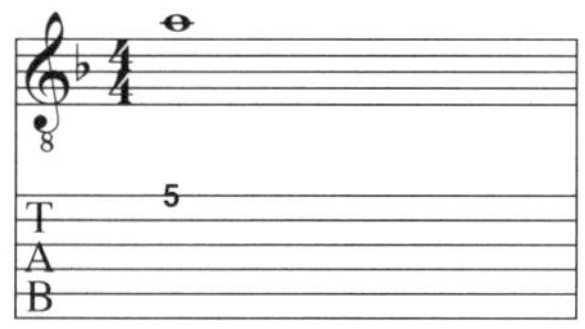

+

Gm7
(Grifftyp E)

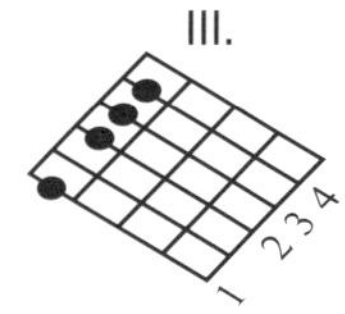

=

Grifftyp → Melodienote in der Oberstimme

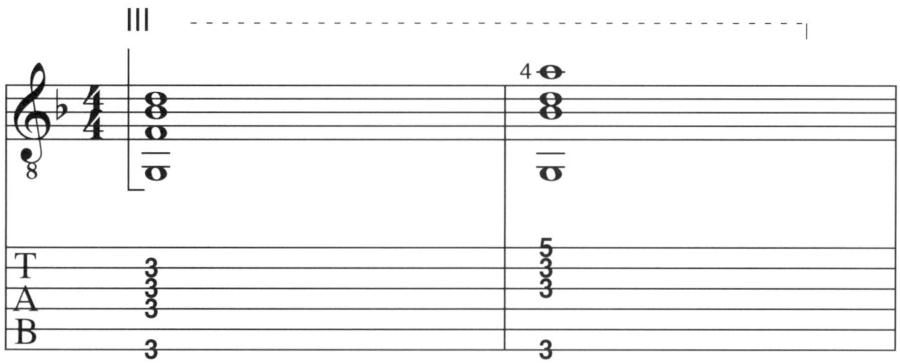

+

Gb9
(Grifftyp C)

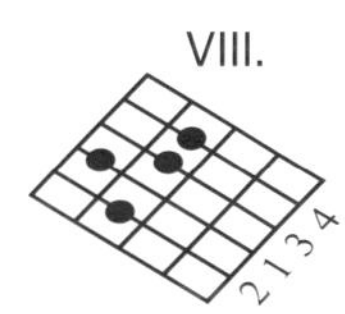

=

Grifftyp → Melodienote in der Oberstimme

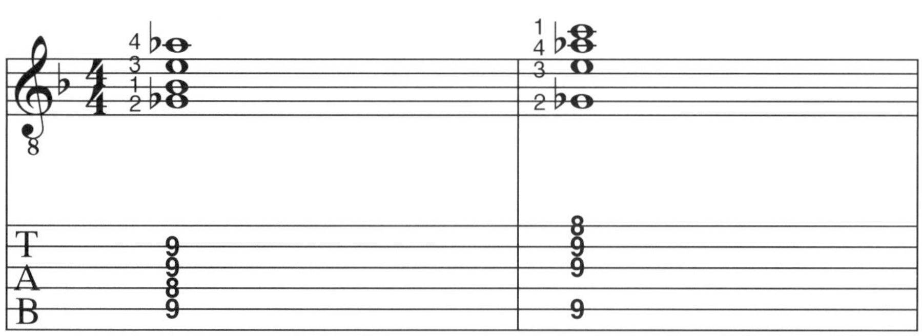

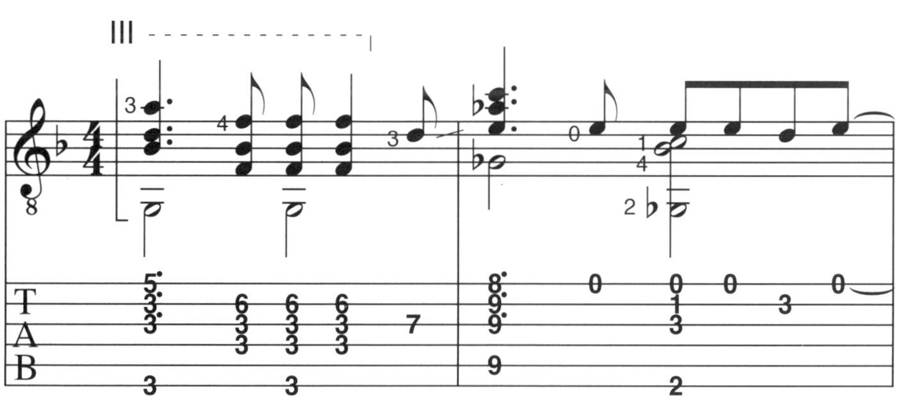

Und hier das Endergebnis, wie ich es aufgenommen habe:

THE GIRL FROM IPANEMA (Antonio Carlos Jobim)

Hörbeispiel 21

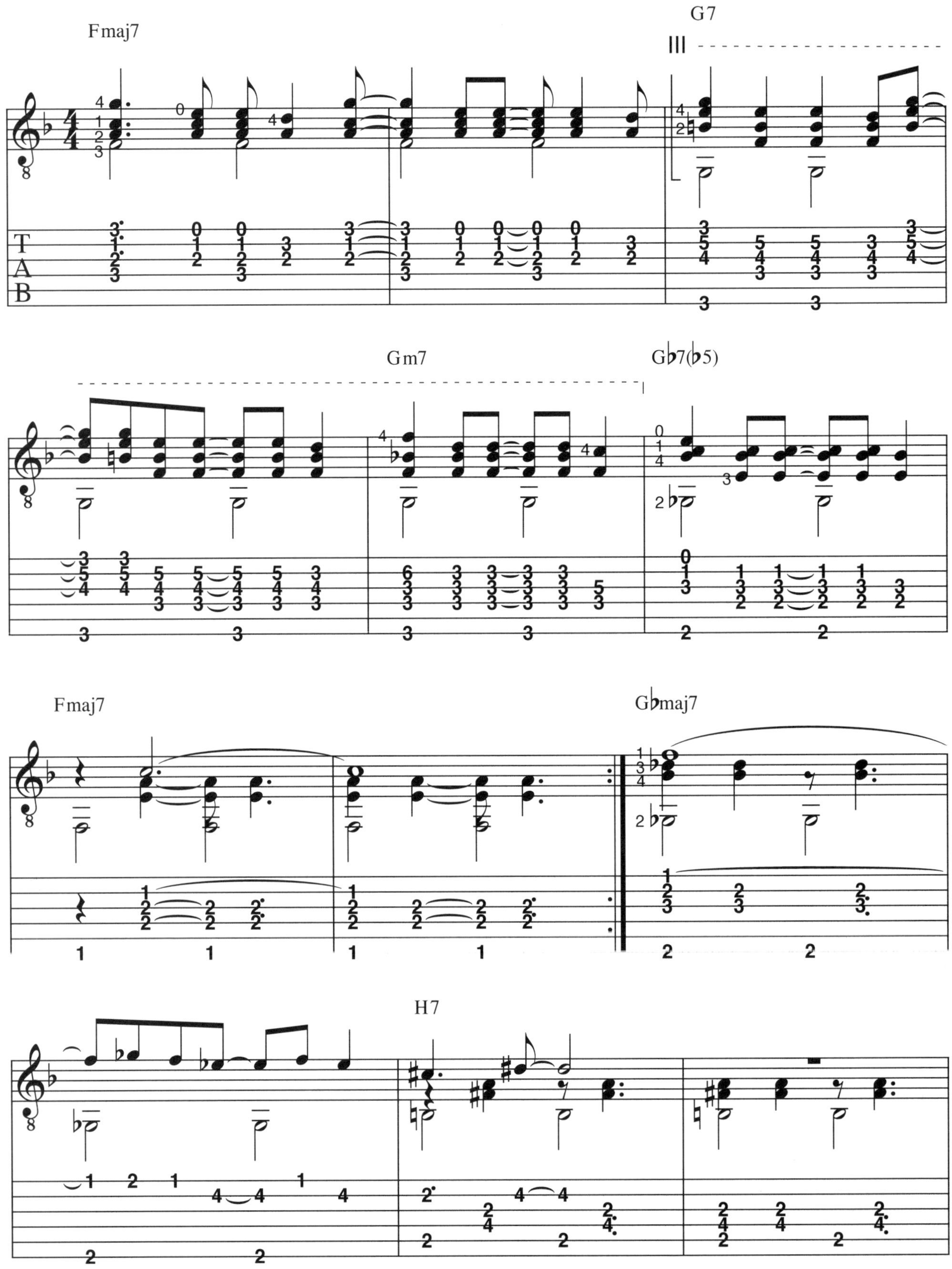

F♯m7
D7
Gm7
E♭7
VI
Am7
IV
D7♭9
III
Gm7
II
C7♭9

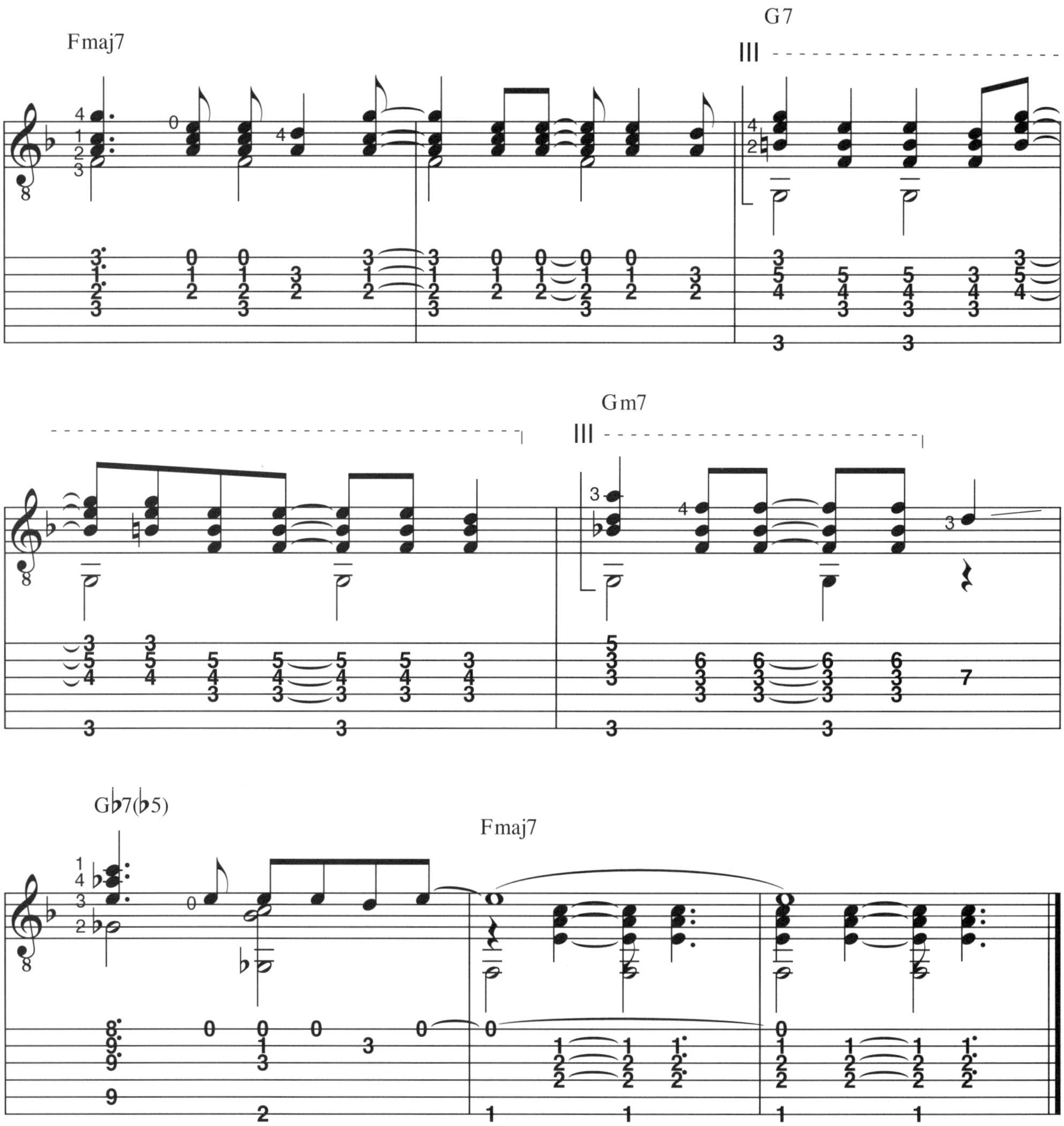
Fmaj7
G7
III
Gm7
III
G♭7(♭5)
Fmaj7

CAGE-System: All Together Now!

Im letzten Kapitel dieses Buches möchte ich versuchen, die beiden Teile „Improvisation" und „Arrangement" zusammenzubringen.
Dafür habe ich im Studio noch einmal „Blowin' in the Wind" gespielt, diesmal in einem bluesigen Chord-Melody-Solo, das sich an der Version im Kapitel „Arrangieren" (Kapitel 2) orientiert. Diese Version ergänze ich mit einer ganzen Menge improvisierter Licks, die sich am Thema „Improvisation" (Kapitel 1) anhängen.

Diese Version ist eine echte Improvisation mit einer Menge neuer Ideen. Die hier abgedruckten Noten sind eine Transkription dieser Version, die zeigen soll, wie wir uns über all die gelernten Improvisationsbausteine hinaus das CAGE-System zunutze machen können.
Um eine Analyse dieses letzten Arrangements zu erleichtern, habe ich die gespielten Licks und Grifftypen im Notentext laut CAGE-System dazugeschrieben.

Bleibt mir noch, euch viel Spaß bei der Analyse und vor allem viel Freude bei euren eigenen Improvisations- und Arrangement-Unternehmungen zu wünschen!

BLOWIN' IN THE WIND (Bob Dylan)

Hörbeispiel 22

A (Grifftyp E)
D (Grifftyp E)
A (Grifftyp C)
Fism7 (E)
A (Grifftyp G)
D (Grifftyp G)
E (Grifftyp G)
Refrain
D (Grifftyp G)
E (Grifftyp G)
A (Grifftyp G)
Fism7 (E)
D (Grifftyp C)
E (Grifftyp C)
A (Grifftyp G)

Anhang 1: CAGE-Tonleitern

Dieser Anhang ist als Ergänzung und Anregung gedacht. Obwohl wir uns in diesem Buch hauptsächlich mit Pentatoniken beschäftigt haben, lassen sich auch andere Tonleitern, z. B. die Dur-Tonleitern in das CAGE-System einpassen.

A-Dur-Tonleiter Grifftyp E

V.

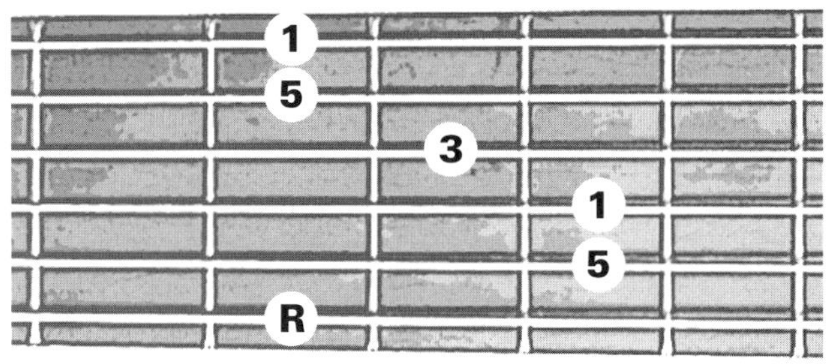

IV.

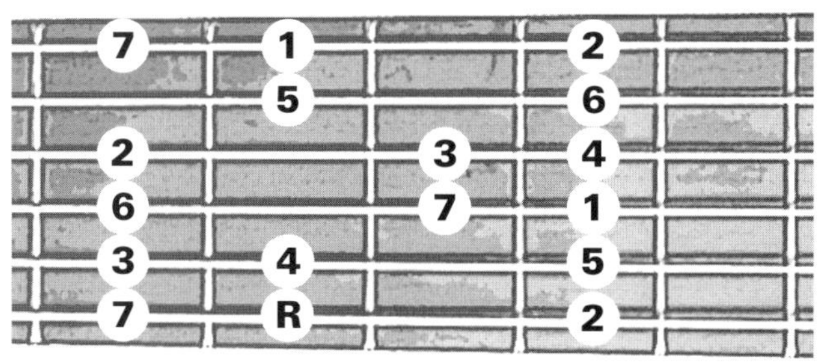

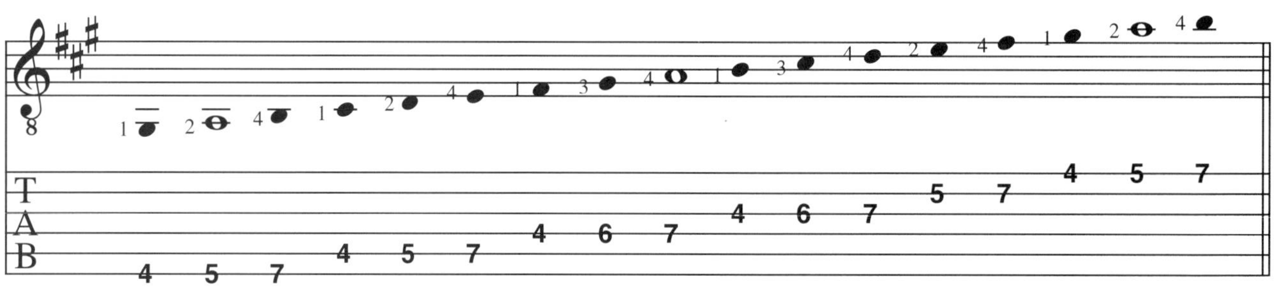

A-Dur-Tonleiter Grifftyp G

II.

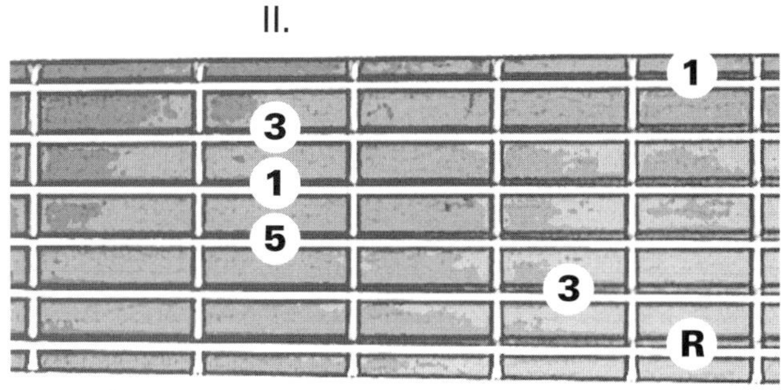

I.

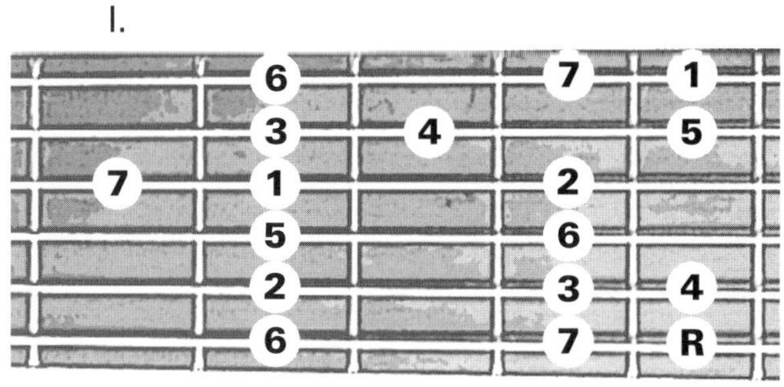

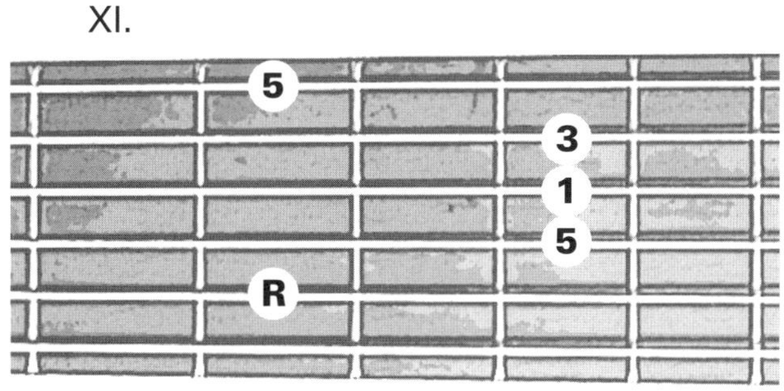

A-Dur-Tonleiter
Grifftyp A

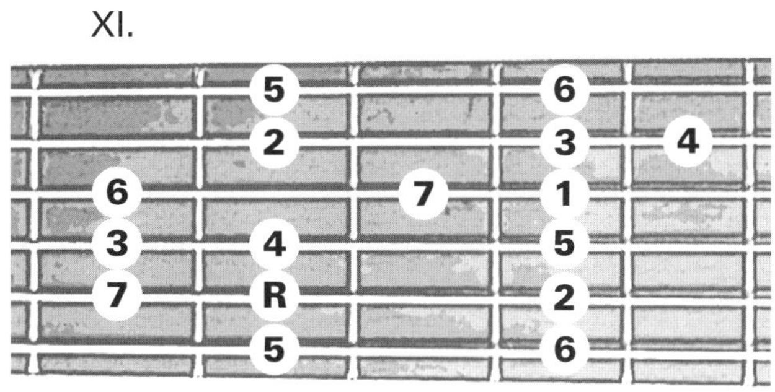

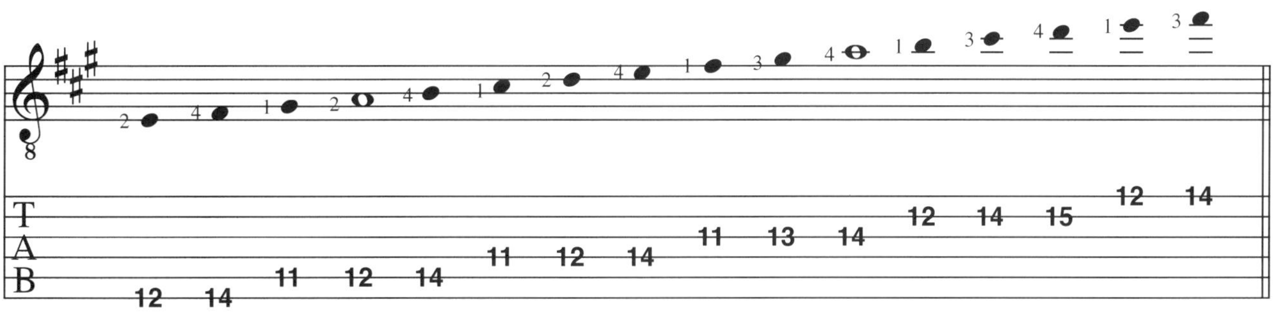

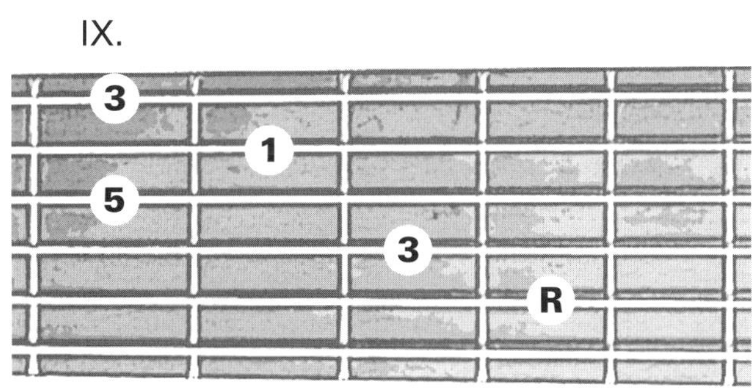

A-Dur-Tonleiter
Grifftyp C

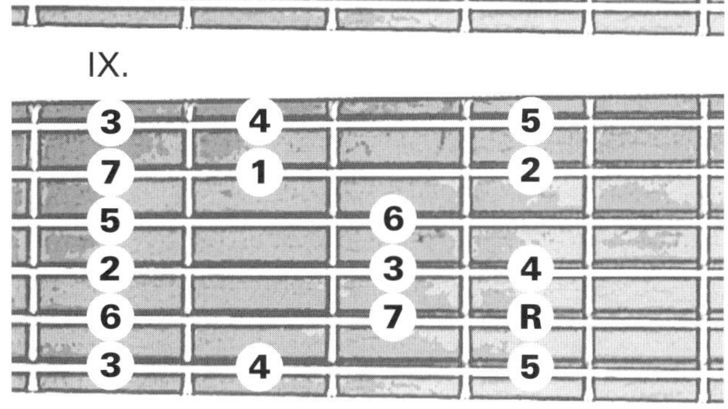

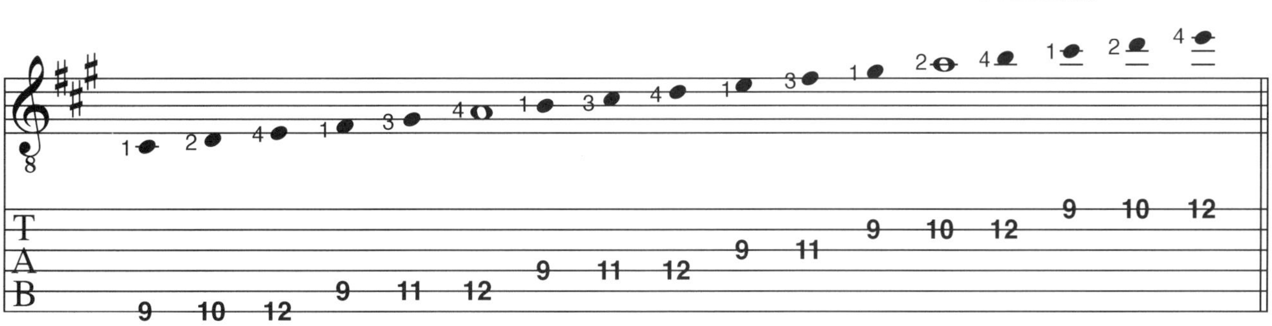

Anhang 2: All The Licks

Als Zusammenfassung aller in diesem Buch verwendeten Licks.
Der Download-Code steht auf Seite 2 dieses Buches.

Lick 1:

a-Moll-Pentatonik

Lick 2:

C-Blues-Pentatonik

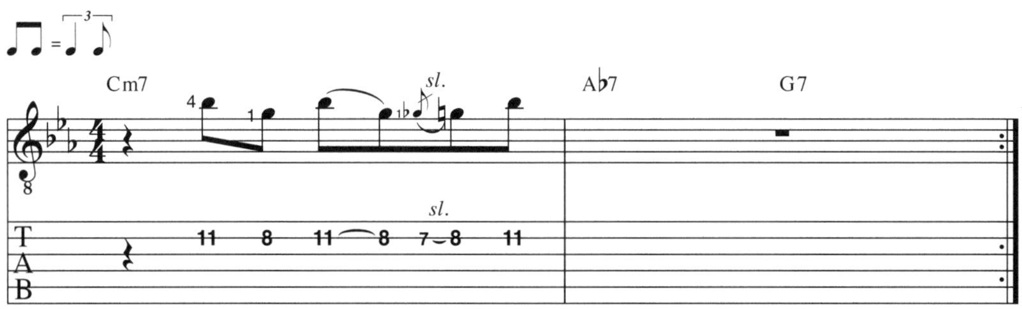

Lick 3:

C-Blues-Pentatonik

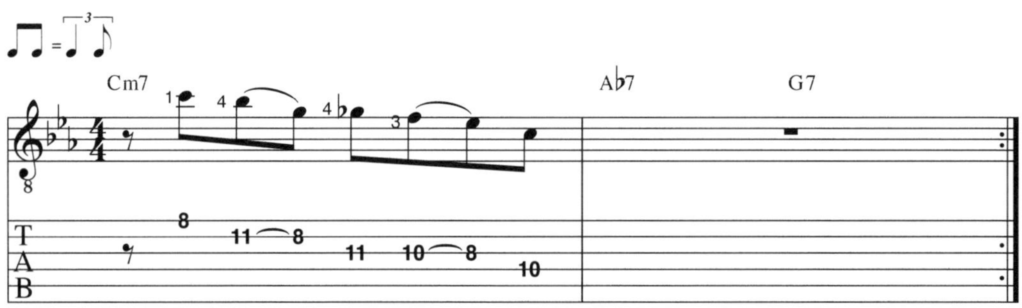

Lick 4:

C-Blues-Pentatonik

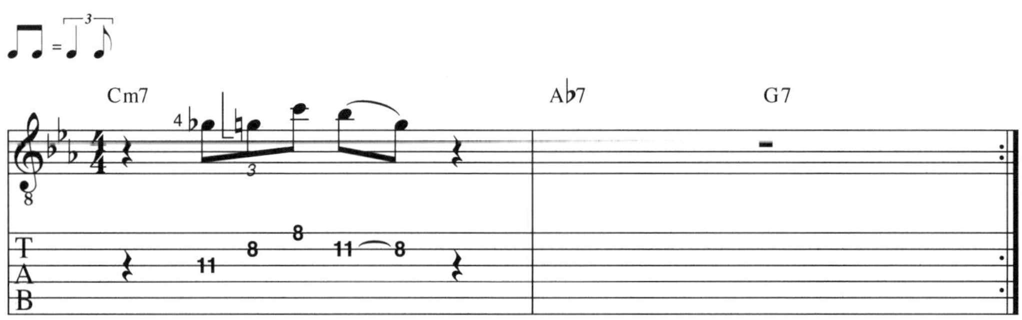

Lick 5:

A-Blues-Pentatonik + Dur-Terz

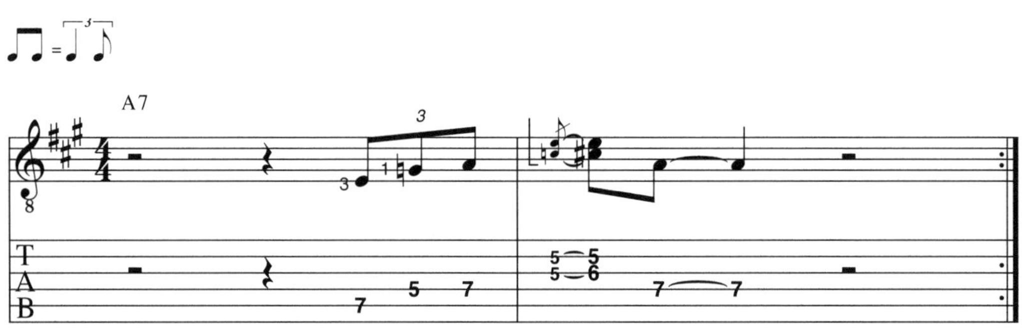

Lick 6:

A-Blues-
Pentatonik +
Dur-Terz

Lick 7:

A-Dur-
Pentatonik

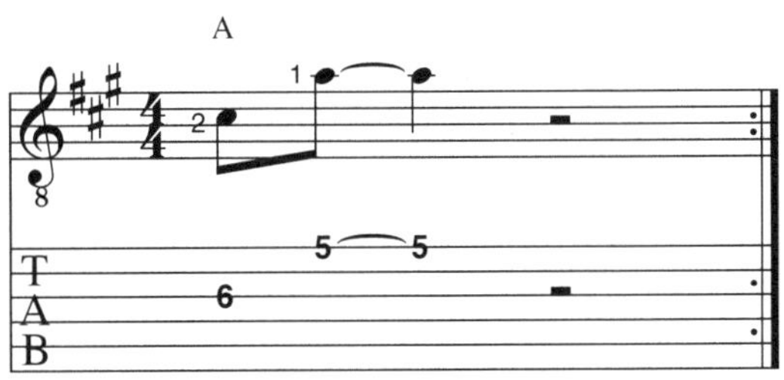

Lick 8:

A-Dur-
Pentatonik

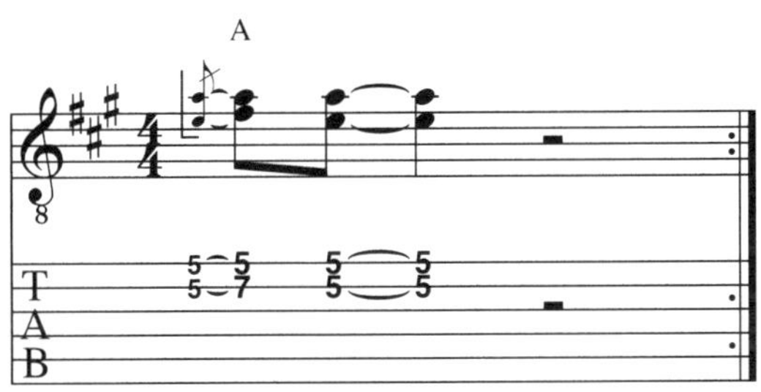

Lick 9:

A-Mix-
Pentatonik

Lick 10:

A-Mix-
Pentatonik

Lick 11:

A-Mix-
Pentatonik

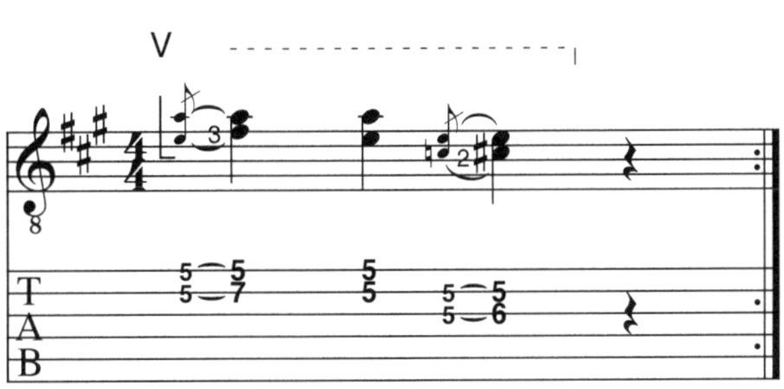

Lick 12:

A-Mix-Pentatonik

Lick 13:

A-Mix-Pentatonik

Lick 14:

C-Dur-Pentatonik

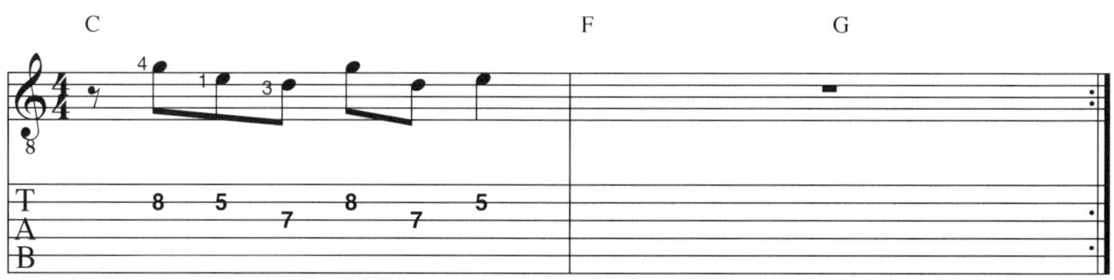

Lick 15:

C-Mix-Pentatonik

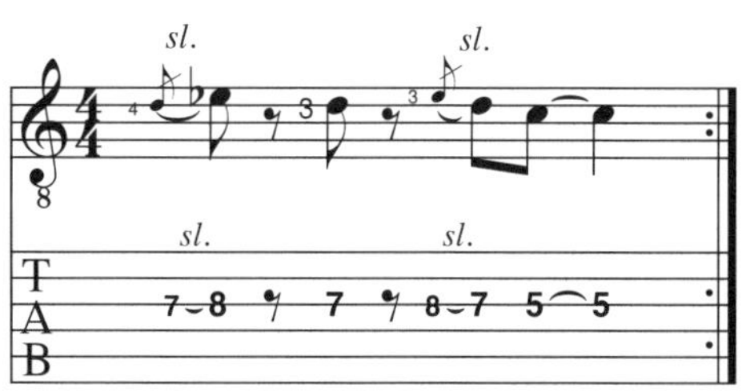

Lick 16:

C-Mix-Pentatonik

Lick 17:

C-Mix-Pentatonik

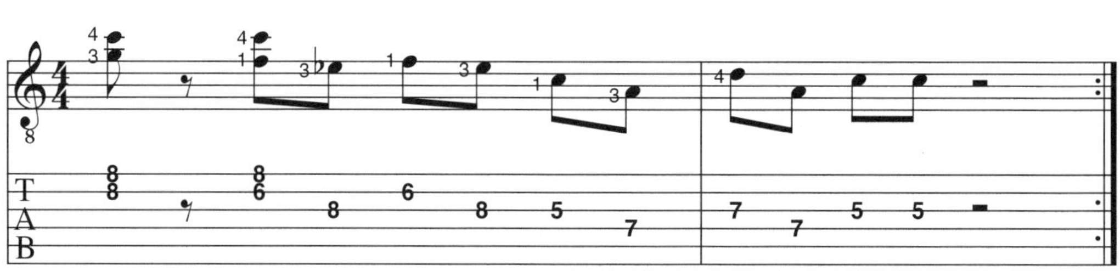

Lick 18:

C-Dur-Pentatonik

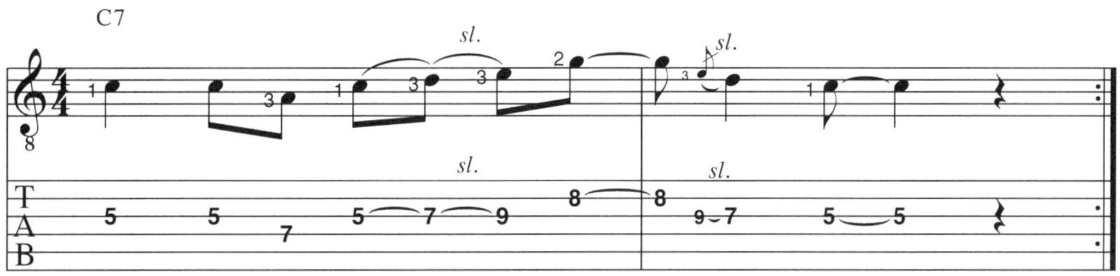

Lick 19:

C-Dur-Pentatonik

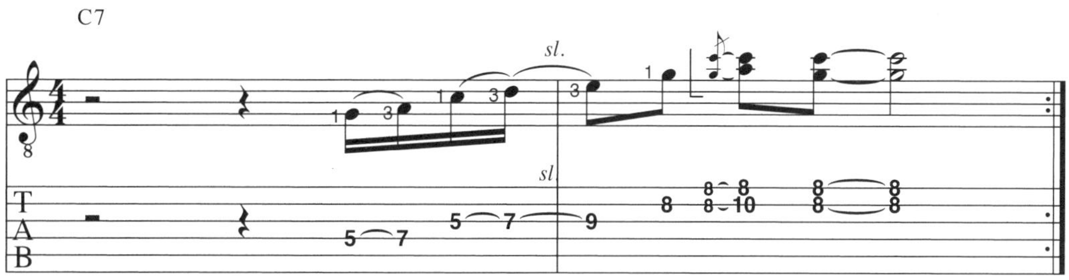

Lick 20:

d-Moll-Pentatonik

Lick 21:

E-Blues-Pentatonik

Lick 22:

E-Blues-Pentatonik

Lick 23:

E-Blues-Pentatonik

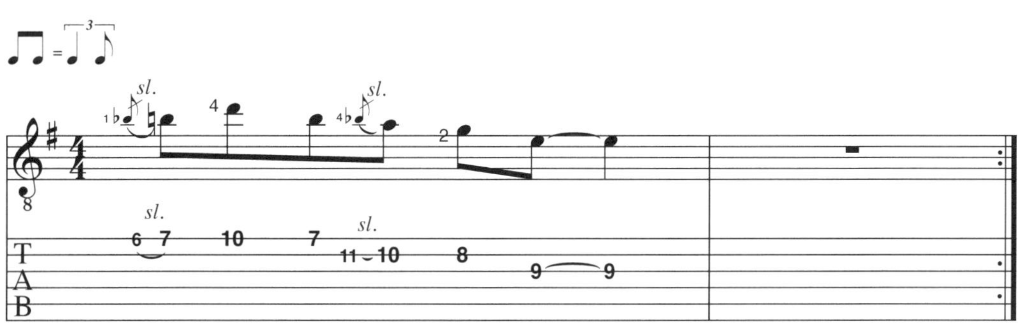

Lick 24:

E-Blues-Pentatonik

Lick 25:

C-Dur-Pentatonik

Lick 26:

D-Mix-Pentatonik

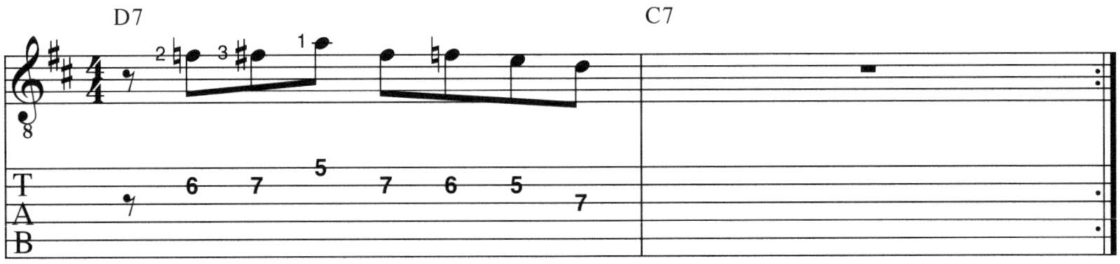

Lick 27:

D-Mix-Pentatonik

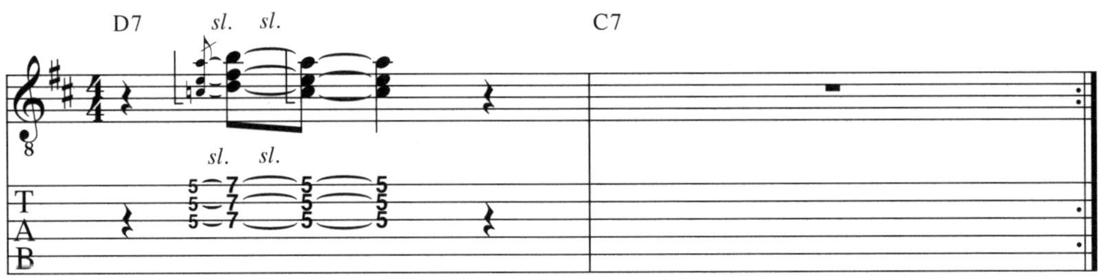

Lick 28:

D-Mix-Pentatonik

Lick 29:

F-Dur-Pentatonik

Lick 30:

F-Mix-Pentatonik

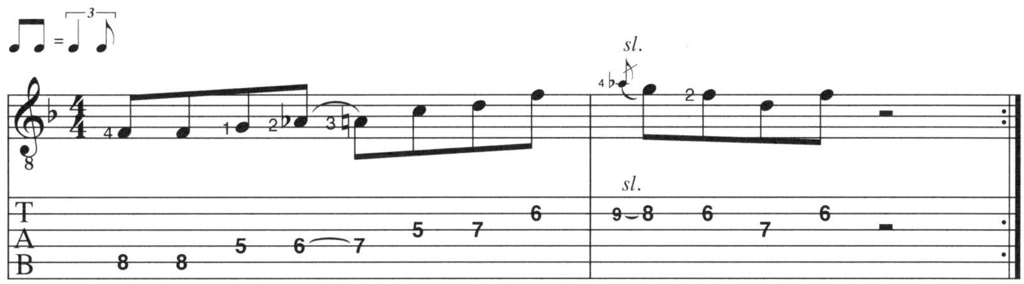

Lick 31:

F-Mix-Pentatonik

Lick 32:

F-Dur-Pentatonik

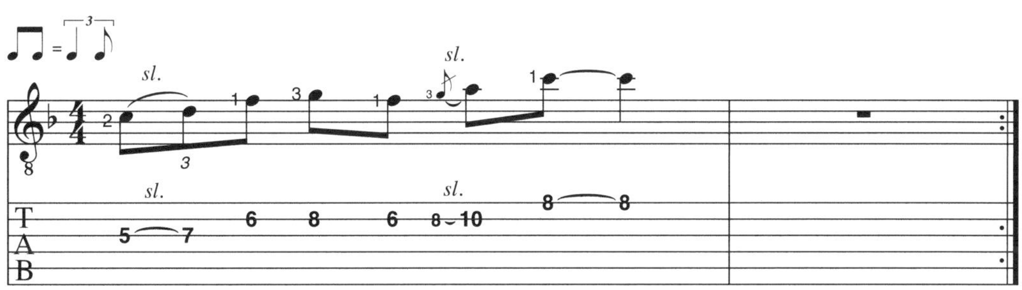

Lick 33:

F-Dur-Pentatonik

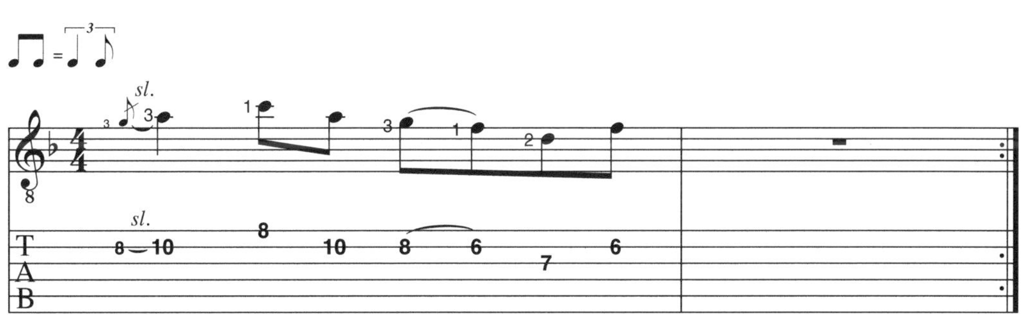

Anhang 3: Play-Alongs und Hörbeispiele

01: Play-Along in a-Moll für die Töne der a-Moll-Pentatonik (S. 17)
02: Play-Along für die folgenden Improvisationsbeispiele der a-Moll-Pentatonik (S. 18)
03: Play-Along in c-Moll für die Töne der C-Blues-Pentatonik (S. 21)
04: Play-Along für die folgenden Improvisationsbeispiele der C-Blues-Pentatonik (S. 22)
05: Play-Along in G7 für die Töne der G-Blues-Pentatonik (S. 26)
06: Play-Along für die folgenden Improvisationsbeispiele der G-Blues-Pentatonik (S. 27)
07: Play-Along für „Final Blues 1.0“ in A (S. 30)
08: Play-Along für die Improvisationsbeispiele der A-Blues-Pentatonik mit Dur-Terz (S. 32)
09: Play-Along in A-Dur für die Töne der A-Dur-Pentatonik (S. 35)
10: Play-Along „(Sittin' On) the Dock Of The Bay“ Dur-Version (S. 37)
11: Play-Along „(Sittin' On) the Dock Of The Bay“ Blues-Version (S. 42)
12: Play-Along in A7 für die folgenden Licks der A-Mix-Pentatonik (S. 43)
13: Play-Along in C-Dur für die Töne der C-Dur-Pentatonik, Grifftyp G (S. 47)
14: Play-Along für die folgenden Improvisationsbeispiele der C-Dur-Pentatonik (S. 47)
15: Play-Along mit Akkord C7 für die Töne der C-Mix-Pentatonik, Grifftyp G (S. 49)
16: Play-Along Acoustic Pop Guitar Songbeispiele D - Em - G - A (S. 58)
17: Play-Along Acoustic Pop Guitar Songbeispiele G - Em - C - D (S. 58)
18: Play-Along Acoustic Pop Guitar Songbeispiele C - G - Am - F (S. 58)
19: Play-Along für Hörbeispiel und Check-In-Run der d-Moll-Pentatonik (S. 60)
20: Play-Along für Hörbeispiel und Check-In-Run der E-Blues-Pentatonik (S. 63)
21: Play-Along für die folgenden Improvisationsbeispiele der E-Blues-Pentatonik (S. 64)
22: Play-Along für Hörbeispiel und Check-In-Run der D-Blues-Pentatonik, Grifftyp A (S. 67)
23: Play-Along für die folgenden Improvisationsbeispiele der D-Blues-Pentatonik (S. 68)
24: Play-Along für „Final Blues 2.0“ in E (S. 72)
25: Play-Along in C-Dur für die Töne der C-Dur-Pentatonik, Grifftyp A (S. 75)
26: Play-Along mit D7-Akkord für die Töne der D-Mix-Pentatonik (S. 80)
27: Play-Along in F-Dur für die Töne der F-Dur-Pentatonik, Grifftyp C (S. 83)
28: Play-Along für die folgenden Improvisationsbeispiele der F-Dur-Pentatonik (S. 84)
29: Play-Along mit Akkord F7 für die Licks der F-Mix-Pentatonik, Grifftyp C (S. 86)
30: Play-Along Acoustic Pop Guitar Songbeispiele G - D - C (S. 97)
31: Play-Along-Groove in D-Dur für Improvisationsübungen (S. 98)

01: Hörbeispiel für „Final Blues 1.0“ in A (S. 28)
02: Hörbeispiel „(Sittin' On) the Dock Of The Bay“ Dur-Version 1 (S. 39)
03: Hörbeispiel „(Sittin' On) the Dock Of The Bay“ Blues-Version 1 (S. 45)
04: Hörbeispiel Verbindung Grifftyp G - E (S. 53)
05: Hörbeispiel „(Sittin' On) the Dock Of The Bay“ Blues-Version 2 (S. 54)
06: Hörbeispiel Acoustic Pop Guitar Songbeispiele D - Em - G - A (S. 55)
07: Hörbeispiel Acoustic Pop Guitar Songbeispiele G - Em- C - D (S. 56)
08: Hörbeispiel Acoustic Pop Guitar Songbeispiele C - G - Am - F (S. 57)
09: Hörbeispiel für „Final Blues 2.0“ in E (S. 70)
10: Hörbeispiel „(Sittin' On) the Dock Of The Bay“ Dur-Version 2 (S. 78)
11: Hörbeispiel „(Sittin' On) the Dock Of The Bay“ Blues-Version 3 (S. 81)
12: Hörbeispiel Verbindung Grifftyp C - A (S. 90)
13: Hörbeispiel „(Sittin' On) the Dock Of The Bay“ Blues-Version 4 (S. 91)
14: Hörbeispiel Acoustic Pop Guitar Songbeispiele G - D - C (S. 92)
15: Hörbeispiel Acoustic Pop Guitar Songbeispiele G - D - C, Version 2 (S. 93)
16: Hörbeispiel Acoustic Pop Guitar Songbeispiele G - Em - C - D, Version 2 (S. 94)
17: Hörbeispiel Acoustic Pop Guitar Songbeispiele C - G - Am - F, Version 2 (S. 95)
18: Hörbeispiel Acoustic Pop Guitar Songbeispiele D - Em - G - A, Version 2 (S. 97)
19: Hörbeispiel „Blowin' In The Wind“ Chord Melody Solo (S. 112)
20: Hörbeispiel „The Girl From Ipanema“ Comping-Version (S. 126)
21: Hörbeispiel „The Girl From Ipanema“ Chord Melody Solo (S. 138)
22: Hörbeispiel „Blowin' In The Wind“ Final Version (S. 142)